THE CACTUS

캑터스

THE CACTUS
캑터스

사라 헤이우드 지음
김나연 옮김

시월이일

차례

8월

1.

나는 남에게 쉽게 원한을 품지 않는다. 의견 차이를 놓고 며칠 씩 고민하거나, 다른 사람들의 행동에 진짜 동기가 무엇인지 의심 하는 그런 사람도 아니다. 대가를 치르더라도 말싸움에 꼭 이겨 야 직성이 풀리는 타입도 아니다. 물론 세상의 모든 원칙이 그러 하듯, 나에게도 예외는 있다. 누군가가 부당하게 착취당하는 꼴을 가만히 보고만 있지 못한다. 그건 당연히 내가 당하는 상황이 와 도 마찬가지다. 정의가 승리할 수 있도록 내가 가진 재량을 마음 껏 발휘한다. 그런 이유로 나는 이번 달, 내게 일어난 일련의 사건 에 즉각적이고 결정적인 조치를 취할 수밖에 없었다. 내 성격상 딱히 놀라울 일은 아니었다.

동생 에드워드는 엄마의 사망을 전화기 너머에서 전해주었다. 새벽 5시 반, 전화를 받던 시각 나는 이미 깨어 있었다. 변기 주위 를 맴돌며 속을 한 번 더 게워내야 좋을지, 아니면 메스꺼움을 묵 묵히 참아야 할지 고민 중이었다. 구토를 하면 몇 분간은 나아졌 지만 금방이고 왈칵 속이 뒤집어졌으므로, 기회비용을 따져볼 때

차라리 참는 게 최선이라고 생각했다.

거북한 속을 부여잡으며 고민에 빠져 있을 때, 부엌에서 전화벨이 울렸다. 집 전화를 울릴 사람은 손에 꼽았으므로, 나는 전화벨 소리가 울리자마자 이건 엄마와 관련된 중요한 전화라는 걸 알아차렸다. 그러나 동생의 전화는 임종 전의 위급함을 알리는 전화가 아니었다. 몸 상태가 좋지 않은 나에게 굳이 그렇게 이른 시간에 연락을 했어야 할 필요는 없었다는 뜻이다.

"수즈, 나야, 에드. 전할 말이 있는데, 좋은 소식은 아니야. 앉아서 듣는 게 좋을 것 같아."

"무슨 일이야?"

"어떻게 전해야 할지 모르겠어, 수즈. 그러니까……."

"에드워드. 똑바로 말해. 엄마가 병원에 계신 거야?"

"엄마가 돌아가셨어, 간밤에. 나도 집에 2시가 넘어서 도착했어. 친구 집에서 맥주를 몇 잔 마셨거든. 집에 왔더니 엄마 방에 불이 켜져 있더라고. 아직 안 주무시는 건가 싶어서 문을 두드리고 머리만 밀어 넣었는데. 엄마는 쓰러지시면서 바로 가신 것 같아. 의사가 치명적인 뇌졸중이었대. 누나도 믿기 힘들지."

나는 울컥 치밀어 오르는 무언가를 간신히 삼키며 식탁에 걸터앉았다. 잠시 생각을 정리하며 식탁 위에 점점이 흩뿌려져 있던 식빵 부스러기들을 손가락으로 쓸었다.

"저기…… 누나?"

"엄마 나이가 일흔여덟이셨어." 겨우 목소리를 짜내었다. "이미 전에도 두 번이나 뇌졸중이 있었고. 전혀 예상하지 못한 건 아니었잖아." 그래놓고 나는 잠시 망설였다. 동생에게 내 슬픔을 표현해야 한다는 걸 머리로는 알고 있는데 자연스럽게 우러나오진 않았다. "물론 엄마를 발견했다니 네가 힘들었겠다." 겨우 짜내며 나는 덧붙였다.

"미안한데 지금 이렇게 통화할 시간이 없네. 출근 준비를 해야 해서. 나중에 전화할게. 그리고 에드워드?"

"응, 수즈."

"수즈라고 부르지 마."

마흔다섯에 고아가 될 줄은 몰랐다. 하지만 내가 태어났을 때 이미 부모님은 서른이 넘은 나이였고, 아빠는 좋지도 않은 습관을 버리지 못하고 당신 손으로 수명을 깎아먹었다. 이제 엄마는 말년, 자식이라면 응당 자주 들여다봐야 마땅했지만 나는 그만큼 엄마를 돌보지 않았다.

나는 공공건설사업의 발주를 담당하는 공무원이다. (복잡한 데이터를 분석하고 공사에 대한 심층 보고서를 작성하는 일이 주 업무다.) 그리고 이 일을 하며 깨달은 바가 하나 있었다. 큰 자릿수의 숫자나 계약서의 세세한 항목들을 대충 훑어보기만 하고 열심히 노력하지 않으면, 내 커리어는 그저 책상이나 겨우 유지하는 데에서 멈춘다는 것이었다.

일이 바쁜 것 외에도 내가 엄마를 자주 만나러 가지 않은 데에는 동생 에드워드가 엄마를 모신다는 게 큰 부분을 차지했다. 동생과 나는, 좋게 말하자면 삶의 방향성 같은 관점을 공유하는 사이가 아니다. 사실 우리는 서로를 피해 다니는 데에 이골이 났다.

남동생은 겨우 두 살 아래지만, 나와 비교해보았을 때 정서적, 심리적으로 적어도 30년은 뒤처지는 애였다. 정신 연령이 10대 수준에 머무르는 놈. 굳이 덧붙이자면 심리적으로 무슨 문제가 있어서라기보다는 의지가 약하고 흥청망청 되는 대로 사는 성격이라서 그렇다. 내가 안정된 직장과 생활을 위해 열심히 일하는 동안 에드워드는 쓸데없는 직장에서 무의미한 관계를 맺으며, 지저분한 아파트를 휘청휘청 전전했다. 그러니 마흔이 넘은 나이에 다시 엄마 품으로 돌아간 것도 놀랄 일은 아니었다.

왕래가 없는 친척이 죽어도 충격인데, 연세도 드실 만큼 드셨고 건강도 온전치 않았던 가족이라 해도 돌아가셨으니 비보는 비보다. 나는 조용히 앉아 생각을 정리할 시간이 필요했다. 그러나 나는 런던에 있고 엄마의 시신은 버밍엄에 있다. 내가 실질적으로 할 수 있는 건 딱히 없다. 그러므로 나는 그냥 출근을 하자고 생각했다. 평소와 다름없이 보내자고, 딱히 편치 않은 메스꺼움을 감출 수 있을 정도로만 평범하게 보내자고 말이다. 엄마가 돌아가셨다는 사실을 굳이 사무실에 전할 필요도 없었다. 소란스러운 호들갑과 한숨 따위의 인사, 어색한 포옹, 만난 적도 없고 존재조차도 몰랐던 누군가의 죽음에 애도를 표하고 그 인사치레를 받아주는 것 따위가 머릿속으로 그려졌다. 정말이지 나의 성향하고는 맞지 않은 일들이었다.

✦

　직장 근처 지하철역 출구를 나서는 순간, 아스팔트를 녹일 것 같은 열기가 느껴졌다. 꽉 막힌 도로의 차들이 뿜어내는 소음과 매연에 더위는 한창이었고 한여름의 따가운 햇빛으로 두 눈이 부셨다. 널따랗고 탁 트인 사무실의 가장 조용한 구석에 위치한 내 자리에 도착해서야 겨우 한숨을 돌렸다. 선풍기를 켜고 얼굴에 바람을 맞아보았다. 몇 분이 지나 겨우 열기가 가라앉자 그제야 좀 살 것 같았다. 더위를 식히고 매일 아침 루틴대로 책상 앞에 줄을 지어 갖다 놓은 선인장을 돌보았다. 우선 썩거나 말라버린 부분이 없는지 확인하고 부드러운 채필 붓으로 먼지를 털어냈다. 그런 다음 흙의 수분감을 확인하고 햇볕을 골고루 받을 수 있게 방향을 돌려주었다. 선인장 돌보기를 끝내고 맡은 업무 파일을 열었다. 다음 주말까지 제출해야 하는 특히 까다로운 보고서가 하나 있었다. 업무에 몰두하다 보면 새벽에 일어난 일은 기억 저편으로 밀어낼 수 있지 않을까.

　법학 학위를 가진 사람에게는 내 직업이 그다지 흥미롭지 않아 보일 수도 있겠지만, 내게는 더할 나위 없다. 같은 전공으로 졸업한 사람들은 대부분 사무 변호사나 법정 변호사가 되는 길을 택했지만 나는 행정직 공무원이 주는 안정성에 마음이 이끌렸다. 풍족하진 않지만 얼마든지 예측 가능한 규모의 호봉, 적당히 기댈 수 있는 연금 제도, 그리고 로펌의 임원급 파트너나 대표의 변덕을 감내하지 않아도 된다는 사실까지. 비록 학위를 제대로 써먹을 수 없는 직장이고, 원래대로 법률가가 되었더라면 배웠을 법에 대한 전문지식까지 얻을 순 없다. 하지만 누군가를 고소해야 하는 상황이 올 때면, 그간 배운 법에 대한 폭넓은 지식과 공무원이라는 타이틀이 언제나 놀랍도록 유용했다.

함께 일하는 직장 동료가 없었다면 사무실 생활은 훨씬 견딜 만했을지 모른다. 오늘은 유난히도 더 짜증스러운 날이었다. 아침 10시 반이 채 되기도 전부터 먹다 남은 중국 음식 냄새가 탕비실에 진동했다. 체격이 좋은 동료 중 하나는 사무실에 딸린 탕비실의 전자레인지로 아침 식사를 한 번 더 했다. 목구멍으로 토기가 치밀어 올라 화장실로 뛰어가지 않으려면 차가운 음료가 필요했다. 냉장고로 간 나는 최근 입사한 통통 튀는 성격의 톰과 마주치고 말았다. 행정보조의 풍성한 턱수염엔 아침에 먹은 바게트 빵 부스러기가 남아 있었다. 짜증이 더욱 치밀었다.

"수잔, 최근에 제가 페이스북으로 퇴근 후 펍에 같이 갈 사내 동호회를 만들어서 공유하고 있거든요. 친구 신청을 해주시면 제가 추가해드릴게요."

"여기 온 지 얼마 안 됐죠?" 나는 머그잔에 물을 가득 담으며 말했다. "여기 사람들은 내가 페이스북 안 하는 거 다 아는데."

"와, 진짜요? 그럼 사람들하고 어떻게 교류하시는데요? 인스타그램이나 왓츠앱 쓰세요? 그걸로 그룹을 만들까요?"

"아니, 난 그런 건 하나도 안 해요. 전화를 하거나 문자만으로도 충분해요."

"그거야 엄마하고 이야기할 때나 괜찮죠. 그럼 옛날 친구들이나 학교 동문들하고는 어떻게 연락을 해요? 소셜 미디어 없이 어떻게 사회생활을 하세요?"

이런 이야기를 할 기분이 아니었다. 무슨 이유인지 두 눈이 따끔거렸다. 머리 위를 환하게 비추는 백열등 때문이겠지. 나는 수년 전에 잠깐 만난 사람들과 연락을 계속하고 싶은 마음이 없었다. 내 삶을 아주 단순하게 유지하고 싶다고 열과 성을 다해 설명하고 다녔다. 만약 전체 회식이나 중요한 업무 정보에 대한 전달이 필요하면 나한테 이메일로 보내주면 그만이다. 내 책상에서 저 사람 자리까지 고작 열다섯 걸음이면 충분한데, 굳이 그런 이야기조차 해주고 싶지 않은 스타일이었다.

1시가 조금 지날 무렵, 흰 빵 버터 샌드위치를 억지로 씹어 삼키려 갖은 애를 쓰던 사이, 30대 미혼인 동료 리디아가 방 주변을 서성거리는 것을 발견하자 짜증이 치밀어 올랐다. 리디아는 시시각각 손목에 찬 시계를 힐끔거렸다. 점심시간에 인쇄한 수치의 표를 분석해야 했는데, 저 여자가 돌아다니는 통에 집중이 어려웠다.

"리디아, 일부러 이렇게 돌아다니는 건가요?"

내 책상 곁을 네 번째 지나가자, 나는 짜증을 내고 말았다. 리디아는 생일 선물로 만보계를 받아 하루에 만 걸음을 채우고 있다고 했다. 다시 결혼 시장에 뛰어들어야 하니까 몸매를 가꿔야 한다고. 결혼 시장이라니, 싱글 여성으로서, 나라면 절대 쓰지 않을 단어였다. 다섯 번째로 다가왔을 때, 나는 그녀에게 왜 보통 사람들처럼 밖에 나가 걷지 않냐고 물었다. 그녀는 당연하다는 대답했다. 오늘 저녁 소개팅이 있고, 거리에 나가 다른 사람들과 뒤섞이

14

며 땀에 절고 싶지 않다나. 여섯 번째로 다가왔을 때, 그녀는 내게 뭘 하는지 너무 궁금하다며 함께 걷자고 했다. 물론 나는 거절했다. 일곱 번째, 정말이지 이 여자를 멀리 치우고 싶었다. 이 끔찍한 시간을 헤쳐나가 집중할 수 있도록 침묵과 평정심이 간절히 필요했다. 나는 그녀에게 차라리 계단을 오르내리라고 했다. 엉덩이 살이 확실히 두 배는 빠르게 빠질 수 있을 거라고 말이다.

"무슨 말인지 이해했어요, 수잔."

리디아는 코웃음을 치며 방향을 바꿔 스윙도어를 밀고 사무실을 나갔다. 아마 이 사무실에 남아 있는 사람들 모두가 안도의 한숨을 쉬지 않았을까.

늦은 오후, 그날 가장 성가신 동료의 타이틀을 놓고 리디아와 경쟁하던 톰이 내 자리로 다가왔다. 어떻게든 무시하려 했지만, 그는 내가 자기를 알아봐줄 때까지 서서 기다리기로 작정을 한 모양이었다.

"다음 달에 자선행사 겸 펍 순례를 하며 술 마시기 모임을 가질 예정인데, 혹시 후원 좀 해주실 수 있을까요?" 그가 물었다. "21세기의 신문물을 이용하지 않으신다고 하니, 모금 링크는 이메일로 보내드릴 수 있어요."

"대체 무슨 자선 행사인데요?"

나는 손에 든 펜을 툭 던지며 물었다.

"아직 결정은 못 했어요. 전 그저 제 삶에 의미 있는 무언가를 하고 싶어요. 판다 곰을 위한다거나, 왜냐하면 제가 판다 곰을 정말 사랑하거든요. 아니면 지구온난화를 막는 것에 도움이 된다거나, 뭐. 요즘 정말 신경 쓰고 있는 문제거든요. 아무튼 자선의 손길이 필요한 곳은 정말 많잖아요. 제가 어디서부터 시작해야 좋을지 추천해주실래요?"

그가 얼굴을 찡그리며 맑은 눈망울로 물었다.

"뇌졸중 협회도 괜찮다고 들었어요."

내가 말했다. 왜 그런지는 모르겠지만, 내 눈이 다시 시큰거렸다.

"그럴지도 모르죠. 근데 별로 핫하지는 않네요. 뭐, 제 친구 중하나가 작년에 뇌졸중 환자들을 위해 수염을 깎았다고 들었던 거같기도 해요. 저는 뭔가 색다른 걸 해보고 싶어요."

"그럼 결정되면 찾아오세요."

나는 의자를 돌려 그를 등지며 말했다. 요즘 들어 사무실 모두가 돈을 모으고 있다. 1년에 한두 번 정도는 꼭 이런 붐이 일었다. 지금은 자선활동이 유행인 모양이다. 걷기, 달리기, 자전거 타기, 수영, 등산, 암벽등반, 트레킹, 진흙탕 걷기 따위로 돈을 거는 것. 물론 나는 지금 불평을 하는 게 아니다. 누구나 알고 있듯 나는 진심으로 사람들이 타인의 이익을 위해 에너지를 쓰는 일에 찬성한다. 건강과 도덕적 함양이라는 좋은 취지만 갖고 있다면 말이다. 하지만 이런 종류의 개인적인 행위는 사무실의 생산성에 영향을 끼친다. 나는 내 직속 상사인 트루디에게 이 건을 보고해야겠다고 다짐했다. 물론 내가 나설 일은 아니었지만, 사람들이 나를 귀찮게 안 했으면 싶었으니까. 하지만 트루디는 내게 또다시 좌절만 안겨주었다.

나보다 한참 전에 입사한 트루디와 나는 같은 날 같은 직급으로

이 부서에 들어왔다. 처음 함께 근무를 하던 시기에 트루디는 점심시간에 커피를 마시거나 퇴근 후에 와인을 한잔하자며 나를 졸라댔다. 거듭된 거절이 통했던지, 그녀는 곧 자신이 시간을 낭비하고 있다는 걸 깨달은 모양이었다. 그 후로 트루디는 승진을 거듭했고 네 번의 출산 휴가도 가졌다. 그녀의 책상 위에는 주근깨가 잔잔한 아기 사진이 영광의 트로피처럼 진열되어 있었다.

그녀가 상사가 되어 오만방자한 미소를 짓는 사이, 나는 차라리 회사 차원에서 자선 활동을 홍보하고 후원자를 찾고, 아웃도어 활동을 할 수 있는 날을 한 달에 한 번 지정해버리는 게 효율적이지 않겠냐고 했다. 내 이야기를 들은 트루디는 코웃음을 쳤다. 물론 나는 웃지 않았지만. 나의 불만족이 얼굴에 드러났던 모양이다. 그녀의 표정에서 웃음기가 사라졌다. 그녀는 내가 괜찮은지, 혹시 개도 안 걸리는 여름 감기에 걸린 건 아닌지 물었다. 그녀가 클리넥스를 내 얼굴에 들이밀어, 나는 인사만 꾸벅하고 방을 나왔다.

6시 반, 퇴근 시간이 지나 텅 빈 사무실에는 저 멀리 진공청소기 소리만 윙윙거렸고, 제멋대로 엉켜버린 생각들이 내 머릿속을 가득 메웠다. 컴퓨터를 끄고 핸드폰을 가방에 넣고 있는데, 루마니아 출신의 청소부 콘스탄타가 사무실 문을 밀고 들어와 헉헉거렸다. 나는 평상시처럼 인사를 해야겠다 마음을 가다듬었다.

"좋은 저녁이네요, 수잔. 잘 지냈어요?"

"네, 잘 지냈어요." 나는 거짓말을 했다. "좋은 하루 보내셨어요?"

"좋아요. 난 늘 잘 지냈죠. 수잔이 마지막으로 남아 있는 건가요?"

"늘 그렇죠, 뭐."

"어쩜 그렇게 일을 열심히 해요. 다른 사람들은 다 게으르던데."

그녀가 내 책상으로 다가와 헐떡이는 숨을 터트리며 허리를 숙이고 소곤거렸다.

"저쪽에 앉은 남자는 더러운 휴지를 바닥에 그냥 버려요. 코딱지가 잔뜩 묻은 휴지 말이에요. 으휴. 그리고 저기 앉은 여자는 립스틱이 잔뜩 묻은 머그컵을 그냥 올려놓고 퇴근한다니까요. 대체 왜 탕비실에 갖다 놓지 않는 건지 원. 구비해놓은 머그컵의 절반은 저 여자가 쓴다니까. 나도 예전엔 청소를 해줬는데, 요즘엔 안 해줘요. 내가 저 여자 엄마도 아니고. 다 큰 성인이." 그녀가 허리를 세우며 다시 수다를 떨었다. "그래서, 수잔. 아직도 미혼이에요?"

다른 사람이었다면 당신 할 일이나 신경 쓰라고 핀잔을 줬겠지만, 콘스탄타와 나는 매일 똑같은 대화를 나눴고, 나는 미혼이라고만 대답했다. 그녀는 농담처럼 대꾸했다.

"아주 현명해, 정말이지 남자들이란! 여자는 노예처럼 돈을 버는데 집에 가면 또 노예생활이지. 퇴근하면 뭘 하는지 알아요? 소파에 발이나 올려놓고 밥해주길 기다린다니까. 대체 돈을 벌어서 어디에 쓰는지는 하나님만 아실 거야. 내 남편 게오르게는 연기처럼 훌쩍 사라졌어요. 나랑 딸 넷을 두고 말이에요. 애들은 이제 다 커서 결혼을 했는데, 사위 놈팡이들은 여전히 똑같아요. 그래서 하루에 세 탕씩 청소일을 해요. 돈을 좀 벌어놔야 하니까. 딸들한테도 번 돈은 다 바닥 밑에 숨기라고 한다우."

"그래도 콘스탄타 같은 엄마가 있어 얼마나 다행이에요."

나는 교통카드가 주머니에 있는지 확인하며 선풍기를 끄고 걸음을 옮겼다. 그러다가 문득 발걸음을 멈추었다. 그 말이 오늘따라 다르게 다가왔다. 콘스탄타가 환히 웃고 있었다.

"당신이나 나나 똑같아요. 우리는 삶에서 무엇을 원하는지 알고 그걸 쟁취하는 법도 알지요. 우린 다른 사람들이 어떻게 생각하는지는 신경 쓰지 않아요. 당신은 좋은 사람이에요, 수잔."

그녀가 내 뺨을 살며시 꼬집으려다가, 내가 항상 그런 신체적인 접촉을 피한다는 걸 기억하고는 진공청소기를 콘센트에 꽂으려는지, 이내 사무실을 가로질러 사라졌다.

회사를 나와 아스팔트에서 뿜어져 나오는 열기에 고통스러워하는 사이에도, 나는 직장 동료들의 지속적인 공격에 살아남은 내자신에게 만족감을 느꼈다. 아무도 오늘 아침, 내게 무슨 일이 있었는지 짐작조차 못 했을 것이다. 다시 한 번 말하지만, 나는 내감정을 타인에게 숨기는 데 어려움이 없다. 아마 누구나 곧 알게될 것이다. 그게 내가 가진 능력이니까.

✦

집으로 돌아온 나는 에드워드에게 전화를 걸었다. 하루에 두 번이나 대화를 나눈다는 게, 그것도 한 번은 중요한 대화를 나누어야 한다는 사실이 퍽 이상하게 느껴졌다. 적어도 장례식을 열고, 재산을 처리하기 전까지는 우리 사이의 벽을 무시하고 함께 해결해야 하는 상황이었다. 에드워드는 장의사들이 다녀갔으며, 다음

주 금요일에 장례식을 치르기로 대충 결정해놓았다는 말을 했다. 동생은 화장을 할 생각이었다. 나는 굳이 반대하지 않았다. 왜 사람들은 죽은 가족의 신체를 더러운 땅에 묻으려고 할까. 묘지를 왜 자주 방문해야 한다고 생각할까. 고인의 영혼이 묘비 위에 앉아 가족들이 찾아오기만 기다리는 것도 아닌데 말이다. 아주 좋은 결정이었다. 우리의 의견이 일치하는 순간이었다.

"엄마가 유언장을 남겼을 것 같진 않아." 나는 계속 이어 말했다. "생전에 그런 말씀은 없으셨으니까. 사시던 집을 팔고 저축해놓으셨던 돈은 우리 둘이 절반씩 나누자. 내가 처리할게."

잠깐 침묵이 흐르고 동생이 대답했다.

"있잖아, 수즈. 엄마 유언장 있어. 몇 주 전에 쓰셨어. 라디오에서 유언장을 꼭 써놔야 한다는 내용을 들으셨다나 봐. 나는 엄마한테 유언장은 필요 없다고 말했는데, 엄마는 필요하다고 그러시더라고. 엄마가 얼마나 고집이 센지는 누나도 잘 알잖아."

나는 그의 목소리에 약간 방어기제가 깃들어 있다는 기분이 들었다. 혹시 그때 이상한 낌새를 챘던 건 아닐까?

"그래? 나한테 그런 말씀은 없으셨는데."

동생은 이미 변호사에게 엄마의 사망 소식을 전했다고 했다. 물론 동생이라면 그런 일을 처리할 실력이 스포츠 내기를 하거나 피자를 시키는 것과 한 치도 다르지 않을 정도의 수준이라고 여겼지만.

"그 사람들이 유언장을 찾아서 우리에게 연락을 해준대. 그 사람들이 알아서 해줬으면 좋겠어. 이런 일은 잘 모르니까."

그 주 내내 직장에 메어 있어야 했으므로, 더 나은 판단을 하지 못하고, 에드워드에게 의지할 수밖에 없었다. 사망신고와 관련해 꼼꼼한 지시를 내리고, 장례식에 마땅한 장소 등을 알려주며 엄마의 부고를 알려야 할 친지들의 주소록을 알려주었다. 이 모든 일을 정말 혼자 할 수 있냐고 묻자, 에드워드는 코웃음을 쳤다.

에드워드와 통화를 끝낸 시간이 저녁 9시 무렵이었다. 아침 식사로 비스킷 몇 개를 먹은 것 외엔 하루 종일 아무것도 먹지 않아서 그런지 약간 어지러움이 일었다. 메스꺼움을 삼키며 밥을 조금 만들어 부엌 식탁에 앉았다. 뒤뜰 정원으로 통하는 프렌치식 도어가 살짝 열려 있었고, 옆집 쓰레기통에서 흘러나오는 악취와 윗집에 새로 태어난 아이 울음소리가 물결처럼 넘실거리며 새어 들어왔다. 약간의 설명을 곁들이자면, 나는 런던 남쪽 지역에 위치한 빅토리아 시대에 지어진 건물 1층, 테라스가 딸린 아파트에 살고 있다. 집주인이 매각을 하기까지 10년이나 이 집에 살며 공무원 월급을 충분히 저축해두었고, 때가 되었을 때 집을 샀다. 물론 엄청난 양의 주택담보대출을 껴안기는 했지만.

힘겹게 의지를 불태우며 포크를 들어 입으로 밀어 넣는 사이, 이웃집 붉은 고양이 윈스턴이 내 테라코타 포장 타일을 꼼꼼하게 두드리는 모습을 지켜보았다. 나는 고양이를 썩 좋아하진 않는다. 고양이가 주차된 차 밑에서 종종 걸음으로 다니거나 난간 사이를 비집고 지나다니는 꼴을 싫어한다. 하지만 윈스턴은 예외다. 윈스턴은 내가 다가가도 가만히 있고, 쓰다듬어도 견딘다. 그러다가 일정 시간이 흐르고 충분히 쓰다듬을 받았다고 느끼면 하품을 하고 기지개를 피며 사라져 혼자만의 시간을 즐긴다. 윈스턴은 어느 누구에게도 겁을 먹지 않고, 사람의 환심 따위는 필요가 없다고 생각한다. 윈스턴을 보고 있으면 어린 시절 내가 좋아했던 이야기 중 하나인 러디어드 키플링의 단편 〈혼자 다니는 고양이(The Cat that Walked by Himself)〉가 생각난다. 아빠가 나를 무릎에 앉히고 단편이 실린 《바로 그런 이야기들(Just So Story)》을 읽어주던 기억이 아직도 생생하다. 나는 윈스턴을 보며 그 책이 지금 어디 있는지 궁금해졌다. 아마 엄마가 살던 집 다락방에 있는 상자에 처박혀 있겠지. 그 상자를 떠올리자 곧, 팔아 치워야 할 것들이 생각났다. 지금은 그런 생각이 훨씬 중요했다.

✦

며칠 후 나는 에드워드에게 전화를 걸어 일이 얼마나 진행되고 있는지 확인하고자 했다. 신호음은 평소보다 훨씬 길어졌다. 전화를 못 받는 상황이라고 판단해 끊으려던 찰나, 에드워드가 아닌 누군가가 전화를 받고 "여보세요?" 하고 대답했다. 나는 전화를 잘못 걸었다고 생각해 사과를 하고 끊었다. 그러고 나서 생각해보니 단축번호에 저장된 엄마의 번호를 눌렀다는 게 떠올랐다. 나는 곧바로 다시 전화를 걸었다. 다시 한 번, 똑같은 목소리의 누군가가 전화를 받았다.

"방금 전에 통화한 사람인데요. 혹시 그린 씨 집 아닌가요? 패트리샤 그린이요. 그러니까, 돌아가신 패트리샤요. 아니면 아들 에드워드라든가?"

"아, 맞아요."

"에드워드 누나 수잔이라고 해요. 동생과 지금 통화할 수 있을까요?"

"아, 수잔이군요. 어, 잠깐만요. 에드워드가 집에 있는지 모르겠네요."

누군가 중얼거리는 소리와 함께, 평소와는 다른 활기찬 목소리가 전화를 받았다.

"수즈, 무슨 일로? 잘 지내고 있어?"

"에드워드. 방금 전화받은 남자는 누군데 엄마 전화를 받아?"

"아, 롭이라고. 집에 며칠 있으라고 했어. 여행을 갔다가 이번에 돌아왔거든. 진짜 대단한 놈이라니까."

"그 사람이 대단하든 아니든 나는 모르겠고. 낯선 사람이 엄마집에 머무르는 게 별로야. 나가라고 해. 엄마 돌아가신 지 얼마나됐다고. 그 집에 귀중품이 얼마나 많은데."

"저기, 수즈."

"수잔이라고 불러."

"그래. 롭은 대학시절부터 알던 친구야. 몇 년 전에 누나도 만난적이 있다고. 친구가 지금 머물 곳이 필요해서 그래. 내가 힘든 시기를 겪을 때 애가 날 도와줬고, 나도 그러고 싶어. 내보내고 싶지않고, 내보낼 생각도 없어. 머물 곳이 없다니까, 이 자식이."

술친구에 대한 동생의 의리가 정말 눈물겨웠다.

나는 버밍엄으로 직접 올라가 엄마의 문제를 손수 해결해야겠다고 마음먹었다. 롭이라는 놈이 거리로 내쫓기는 건 시간문제겠지. 나는 우선 장례식 준비와 같은 더 긴급한 문제로 화제를 돌렸다. 에드워드는 자신이 장례식을 어떻게 준비했는지 들으면 내가 기뻐할 거라고 했다. 불스 헤드라는 펍에 딸린 방을 예약했단다.

"음식은 우리가 준비하고, 술집 뒤쪽에 설치된 탭에서 술은 마음껏 마시는 거야."

그가 내심 뿌듯해하며 말했다. 정말 말도 안 된다. 나는 지금 당장 예약을 취소하라고 타일렀다.

"엄마가 생전에 술 한 방울 입에 대시는 걸 본 적 있어? 엄마가 술집에 딸린 방에서 당신 장례식을 한다고 하면 관 뚜껑을 열고 나오실 거야."

"젠장할. 엄마도 술 드셨어. 가끔 셰리주나 맥주랑 진저에일을 섞은 샌디 반 잔 정도는 드셨다고. 그리고 엄마는 사람들이 장례식을 진심으로 즐기길 바라셨을 거야. 그러니까 장례식은 불스 헤드에서 할 거야. 고급 도자기에 내는 차나 허례허식 가득한 대화 따위의 장례식은 싫어하실걸."

"아니, 그게 바로 엄마가 원하는 스타일이야. 엄마는 그런 사람이셨다고. 엄마가 취할 때까지 맥주를 들이키는 사람은 아니잖아."

"뭐, 어쩔 수 없어 이제. 수즈. 모두가 즐거운 시간만 보내면 되는 거 아니야? 엄마가 생전에 어떤 사람이었는지 흥이 나서 이야기도 하고, 뭐 성질도 조금 부리고. 이런 게 싫으면 누나는 안 와도 돼."

2.

상황과 장소에 맞는 옷차림을 결정하는 건 정말 쉽고 간단한 일이다. 우선 나 자신을 알 것. 나는 몸집이 작고 말랐다. 그러므로 깔끔하고 딱 맞는 옷이 제일 잘 어울린다. 둘째, 내가 어떤 물건을 사든 이미 갖고 있는 옷이나 액세서리와 조화를 이루어야 한다. 따라서 나는 내 금발 머리와 잘 어울리는 차콜이나 회색, 검은색 옷만 구입한다. 마지막으로 가끔 신문에서 스타일 부분을 살펴본다. 유행에 너무 동떨어지지 않게 스타일을 유지하자는 것이다. 쓸데없는 짓이라고, 진중한 여자에겐 어울리지 않는 짓이라고 폄하할 수도 있다. 하지만 냉정히 말해 나는 외모를 군이 걱정할 필요가 없는 사람이고, 내 스타일을 유지하며 항상 적절하게 잘 차려입는 편이다. 물론 이런 기술을 일상생활의 다른 측면에도 적용한다면, 예상치 못한 상황에도 잘 대처할 수 있다.

나는 침대 위에 밋밋하고 몸 선이 드러나지 않는 블랙 시프트 드레스를 올려놓고 그 위에 A4 크기의 티슈를 올린 다음 잘 접었다. 접은 드레스는 다른 종이로 싸서 여행 가방 바닥에 놓았다. 검은색 캐시미어 카디건 역시 같은 방법으로 쌌다. 앞코가 뭉툭한 블랙 힐코트 구두에는 종이를 구겨 넣고 각각 다른 신발 가방에 넣어 여행 가방 양쪽 끝단에 넣었다. 버밍엄은 앞으로 이틀간 건조하고 따뜻한 날씨라는 일기예보가 있었지만, 나는 결코 운에 모든 걸 맡기고 싶지 않았다. 그래서 가벼운 회색 트렌치코트를 똑같이 접어 신발과 신발 사이에 넣었다. 검은색 린넨 스커트와 차콜 컬러의 티셔츠, 얇은 회색 면 스웨터도 접어 넣은 후, 새 속옷을 돌돌 말아 틈새에 끼웠다.

현관문을 잠근 다음 여행 가방을 끌어 클래펌 노스 역으로 가려는데 마침 집배원을 만났다. 전해받은 우편물 뭉치를 살펴보니 대부분은 내가 방문한 기억이 없는 가게의 카탈로그와 인터넷 공급 회사의 전단지들이었다. 돌돌 구겨 나중에 돌아와버려야겠다는 표시를 해놓고, 나머지 두 통은 가방에 넣었다.

30분 후, 숨 막히는 지하철이 레스터 스퀘어 역에서 멈춰버렸다. 운행이 빨리 재개될 것 같지 않다는 예감이 들었다. 나는 휴지를 접어 이마를 톡톡 두드리고 검은색 면 드레스의 목 단추를 하나 풀었다. 목 뒤쪽에 치렁치렁한 머리카락을 높이 말아 올렸지만 지하철 내의 공기가 너무 정체되어 있어 그런지 하나도 시원하지 않았다. 입으로 내쉬는 숨이 꼭 헤어드라이어의 열기 같았다. 이런 상황이라면 사람은 고사하고 가축을 운송하는 것 자체가 불법일 테다.

"우리 열차의 운행이 지연되고 있어 사과 말씀 드립니다." 지지직거리는 확성기 너머로 기관사의 목소리가 흘러나왔다. "운행이 재개되는 대로 안내 방송을 할 예정입니다."

주변을 둘러보니 나비 떼 사이에 끼어 있다는 느낌이었다. 주변 승객들이 저마다 더위를 이기려 손에 든 지하철 티켓으로 부채질을 하고 있기 때문이었는데, 정말 더위를 물리친다기보다는 그저 그렇게라도 함으로써 바람을 느끼려는 제스처였을 것이다. 나는 자리를 차지하고 앉아 있다는 사실만으로 고마웠다. 승객의 절반 이상이 문 옆 공간에 끼어 서 있었기 때문이다. 맞은편 어두운 창문에 내 얼굴이 비쳤다. 근래 음식을 제대로 먹지 못해 얼굴이 하얗게 질리고 광대뼈 밑이 움푹 패 있었다. 눈 밑으로 동굴같이 어두운 다크서클도 한층 짙었다. 식욕이 돌아오지 않으면 나는 금세 뼈만 남을 게 뻔해 보였다. 이게 과연 정상일까? 나는 궁금했다.

✦

시간은 용암이 흐르듯 더디게만 흘렀고, 지하철 내 온도는 계속해서 올라가기만 했다. 사람들은 자리에서 몸을 움직여 축축한 겉옷을 벗어버리거나, 샌들 위의 발을 꼼지락거리며 발바닥을 식혔다. 이런 상황에서 구토를 하면 얼마나 굴욕이겠는가, 하는 생각이 들었다. 그 생각만으로도 속이 더욱 뒤집어졌다.

"이놈의 지하철은 언제쯤 전화가 터지려나."

내 옆에 앉아 있던 보디빌더 스타일의 남자가 짜증을 냈다. 가죽 신발 위로 드러난 종아리에선 땀이 줄줄 흐르고 있었다. 그는 휴대폰을 보며 차라리 걸어가는 게 빠르겠다고 툴툴거렸다.

"열차 지연으로 승객 여러분께 다시 한 번 사과드립니다." 안내 방송이 흘러나왔다. "새로운 소식이 들어오는 대로 바로 알려드리겠습니다."

내 맞은편에는 백발의 노파 둘이 앉아 있었다. 무릎 위에 올려놓은 핸드백을 움켜쥔 마디마디가 하얗게 불거졌다.

"제 시간에 도착하긴 글렀는데."

"아예 갈 수 없을지도 모르겠구먼."

"지금 무슨 소리를 하는가?"

"다들 똑같이 생각할걸. 요즘 대도시에서는 온갖 끔찍한 일이 벌어지고 있잖아. 테러가 일어난 거면 어떡해. 그러니까 기관사가 아무 말도 안 해주지. 승객들이 당황할까 봐 그런 거 아니겠어? 테러범이 보낸 소포를 발견했거나 기차에 자살 폭탄 테러범이 있다는 신고를 받았을 수도 있지."

"아이고, 하나님. 쟤, 제발 그런 말은 하질 말어."

할머니가 손으로 입을 틀어막았다.

나는 낯선 사람들과 교류하는 습관 따위는 없다. 그곳이 대중교통이라면 더더욱. 하지만 나는 내 도움이 필요한 곳이라면 어디든 손길을 뻗어야 한다는 의무감을 느낀다. 내 자신을 희생해서라도 말이다. 나는 몸을 앞으로 수그려 두 할머니에게 말을 걸었다.

"실례지만 두 분의 대화가 들려서요. 전 런던에 사는데 이런 일은 항상 일어나곤 해요. 이렇게 오래 정차하는 일이 자주 일어나진 않지만, 전혀 걱정하지 않으셔도 돼요."

"그걸 아가씨가 어떻게 확신해?" 망령이 든 할머니가 쏘아붙였다. "못 하지. 우리보다도 아는 게 없으니까. 나는 지금 당장 열차에서 내리고 싶다고."

나는 종종 내가 왜 이렇게 오지랖을 부릴까 고민한다.

"다시 한 번 승객 여러분께 사과 방송 드립니다. 현재 앞서가던 열차가 토트넘 코트 로드 역에서 고장이 난 관계로 우리 열차 운행이 지연되고 있습니다. 고장 난 열차를 수리하고 있습니다. 잠시 후 우리 열차의 운행을 재개합니다."

안내 방송이 나오자마자 열차 내에 퍼져 있던 인내가 바닥났다. 모든 사람들이 한꺼번에 불평을 터트리기 시작했다.

"유스턴 역에서 15분 후에 기차를 타야 하는데."

"30분 후에 대영박물관에서 교환학생들을 만나야 한다고."

"지금 당장 출발 안 하면 우리 영화 못 보겠다."

"폐소공포증이 점점 심해지는 것 같아."

"화장실이 진짜 급해요."

나도 "엄마가 돌아가셔서 내일이 장례식이라고요. 며칠 동안 잠도 못 잤고 지금 당장 속을 게워내고 싶어요."라고 말할 수도 있었다. 물론 그런 말을 입 밖으로 내진 않았다. 나는 타인에게 동정을 호소하는 사람이 아니니까.

"지난달에 지하철에서 긴급 대피했다던 이야기 들어본 적 있죠?" 내 반대편에 앉아 있던 똑똑해 보이는 흑인 여자가 잡지를 내려놓으며 말했다. "역과 역 사이에 몇 시간이나 갇혀 있었대요. 지금처럼요. 모든 사람들이 운전석을 통해 밖으로 나와 어두컴컴한 지하철 트랙을 따라 몇 킬로미터를 걸어 나갔대요. 이번에도 분명 그럴 거 같은데요."

불안감에 휩싸인 소리가 주변을 가득 메우는 사이, 카고 반바지를 입은 깡마른 남자가 셔츠를 벗어 허리에 묶은 채 내가 앉아 있는 칸으로 걸어 들어왔다. 손에 핸드폰을 든 남자가 우리 쪽을 헤치고 다가왔다.

"이번 열차 사고에 대해 님은 어떻게 생각하시나요?"

그가 내 곁에 앉아 있던 보디빌더에게 핸드폰 카메라를 들이대며 물었다. 보란 듯, 남자는 얼굴 위로 신문을 들어 가려버렸다. 다음 타깃은 분명 나였다.

"님은 어떻게 생각하세요?"

"지금 비디오로 찍고 있는 거예요?"

"아, 당연하죠. 이게 만약에 큰일이라면 이 영상을 방송국이나 신문사에 팔려고요. 별일이 아니라고 해도 사람들이 좋아할 수도 있잖아요? 그게 아니면 그냥 유튜브에 올리죠, 뭐. 나중에 인터넷으로 직접 확인해봐요."

"지금 당장 핸드폰 치우세요. 전 뉴스나 유튜브에서 제 얼굴을 보고 싶지 않아요."

"맞는 말이에요." 내 옆에 앉아 있던 여자가 동조했다. "나도 텔레비전엔 나오고 싶지 않아요. 머리 손질이고 뭐고 하나도 안 한 상태로는 말이야."

그러자 승객 대부분이 고개를 끄덕였다.

"이거 봐요." 보디빌더가 곁들였다. "좋은 말로 할 때 영상 그만 찍어요. 당장."

"싫으면 어쩔 건데요? 님이 뭐 어쩌시게요?"

"정말 그렇게 하고 싶다면 뭐, 말로 안 하지. 나도."

"잠깐만요." 내가 용기를 내어 중재에 나섰다. "그럴 필요는 없을 것 같아요. 여기 젊은 학생도 생각이 있다면 그만두겠죠. 그저 말하고 싶은 건 지금 당신은 사생활에 대한 법적 권리를 침해하고 있다는 거예요. 우리는 촬영에 동의하지 않았고, 당신은 인권법 위반으로 고소를 당할 수도 있어요. 우리 모두에게 보상금을 지불하실 수 있어요?"

내가 빼빼 마른 남자에게 물었다. 물론 말도 안 되는 허풍이었다.

"말도 안 되는 소리 하지 마세요." 반신반의한 표정으로 그가 말했다. "전쟁지역이나 그런 데 사람들은 뉴스에 잘만 나오던데?"

"네. 하지만 뉴스 영상은 공공장소에서 녹화되는 거죠. 우리는 모두 한 개인으로 여기 모여 있고요. 법적인 관점에서 그건 완전히 다른 얘기거든요."

남자는 손을 절레절레 흔들며 혼잣말을 중얼거리더니, 들고 있던 핸드폰을 반바지 주머니에 쑥 밀어 넣었다. 잔뜩 풀이 죽어 뒷걸음질치더니 옆 칸으로 꽁무니를 뺐다. 사람들은 법에 대한 말만 들어도 얼마나 쉽게 겁을 먹는지. 주변 사람들은 모두 안도하는 표정이었지만 내 기분이 나아지는 데에는 아무런 도움도 되지 못했다. 나는 핸드백을 뒤적거리다가 슈퍼에서 받은 비닐봉지를 발견했다. 울렁거리는 속이 진정되지 않는다면 최후의 수단으로 사용할 수밖에. 나는 고개를 푹 숙인 채 주변에서 북적거리는 무의미한 소음을 차단하려고 애썼다.

그 순간 갑자기 지하철의 엔진이 걸리는 소리가 들렸다. 윙윙거리는 소리와 함께 경적이 울리며 열차가 움직였다. 작은 환호와 함께 박수가 터져 나왔다. 1, 2분 만에 우리는 토트넘 코트 역에 도착했다. 그제야 사람들이 빠져나가 열차가 조금 한가해졌고, 얼마 지나지 않아 나는 유스턴 역에 도착할 수 있었다. 물론 버밍엄으로 가는 열차는 놓친 후였다. 매표소에서 약간의 말다툼을 벌였지만 싸울 힘도 없던 나는 그냥 한 시간 후에 있는 기차표를 사버렸다. 조만간 기차 회사에 항의 전화를 해야겠다.

중앙홀 전광판 앞에서 다른 사람들 틈에 섞여 탑승 메시지와 플랫폼 번호가 뜨기를 기다렸다. 자리를 잡기 위해 기차로 달리는 수모를 겪으며 경사로를 달려 내려갔지만, 예약을 하지 않은 상황이라 아직 비어 있는 1등 객차는 지나칠 수밖에 없었다. 일단 기차에 올라탄 나는 숨을 고르고 흐르는 땀을 닦으며 재킷과 핸드백을 옆자리에 올려놓았다. 옆자리에 사람이 앉는 달갑지 않은 상황을 피하려는 묘책이었다. 그때, 회색 트레이닝 바지에 꽉 끼는 분홍색 티셔츠를 입은 뚱뚱한 여자가 나타나 내 옆자리에 앉았다. 불쾌한 트레이닝 바지의 허벅지가 내 좌석을 비집고 절반쯤 차지했다. 기차가 흔들릴 때마다 그녀의 살이 내 몸을 짓눌렀다. 나는 할 수 있는 한 최대한 창가로 몸을 밀착시켰다.

런던의 그랜드 유니언 운하를 지나며 이따금 몸부림을 치는 사이, 아까 받은 편지 두 통이 생각났다. 나는 바닥에 놓아뒀던 가방을 뒤적여 편지를 꺼냈다. 편지 두 통에 적힌 주소의 서체가 같았다. 하나는 화요일, 다른 하나는 수요일에 보낸 게 틀림없었다. 나는 화요일에 보낸 편지부터 열었다. 에드워드가 전화로 말했던 변호사에게서 온 편지였다. 하워드 브링크워스라는 이름의 변호사로 최근 어머니의 사망에 애도를 표하며 자신이 엄마의 재산 집행인이라고 소개했다. 그는 엄마의 재산 평가를 수행하고, 조사를 신청하며 유언장에 대한 세부 사항을 간단히 적어놓았다. 나는 엄마가 재산 집행인으로 변호사를 선임했다는 데 우선 놀랐다. 이런 일이라면 내가 했어도 충분했을 테니까. 나는 첫 번째 편지를 봉투에 다시 넣고 두 번째 편지에 집중했다. 통상적인 서문이 끝나고 브링크워스는 요점을 적어놓았다.

유언장의 조건에 따라, 돌아가신 어머님은 수잔 그린 씨의 형제인 에드워드 그린 씨에게 가족의 자택(블랙손 로드 22)을 남기셨습니다. 따라서 에드워드 그린 씨는 모든 권한에 따라 자택을 소유하고, 거주할 수 있습니다. 자택의 처분은 에드워드 그린 씨의 임의에 따라 혹은 그의 사망 시 이루어지며 처분한 금액은 두 형제가 균등하게 나누어 가집니다.
은행 예금 통장, 가구, 개인 용품 등 나머지 재산은 에드워드 그린 씨와 본인 사이에 균등하게 분배될 예정입니다.

나도 모르게 "아, 세상에. 엄마!" 하고 외치고 말았다. 옆자리에 앉아 있던 뚱뚱한 여자는 헤드폰을 쓰고 있었지만 다른 몇몇 승객들은 흥미로운 일이 벌어졌는지 궁금해하며 고개를 틀어 나를 바라보았다. 언쟁이나 싸움이 벌어진 게 아니라는 걸 알았는지 사람들이 이내 실망감을 드러내며 고개를 돌렸다. 나는 조심스럽게 편지를 봉투에 다시 넣고, 봉투 두 개를 다시 반으로 접은 다음 손으로 단단히 꼬아버렸다. 한때 편지였던 종이 뭉치를 가방 바닥에 넣고 발밑으로 쑤셔 밀었다. 에드워드가 원하는 만큼 오래도록 그 집을 지킬 수 있다니, 대체 엄마가 뭐에 씌었던 걸까? 이게 엄마의 생각이라니 정말 상상도 할 수 없는 일이었다.

옆자리에 앉은 여자가 치즈와 양파 맛이 나는 감자칩을 열자마자, 톡 쏘는 과자 냄새와 근처 화장실에서 나는 화학물질 냄새가 뒤섞여 좀처럼 견딜 수가 없었다. 나는 물을 한 모금 마시며 생각을 정리하려고 애썼다. 어쩌면 엄마의 정신상태가 두 번의 뇌졸중 이후로 내가 생각했던 것보다 훨씬 나빴던 건 아닐까. 아니면 내가 마지막으로 엄마를 본 후로 상태가 악화되었고, 엄마는 통화 목소리만이라도 어떻게든 아무렇지 않은 척을 했던 건 아닐까. 그리고 에드워드의 압박에 엄마가 두 손을 들었을지도 모른다. 내가 지금 당장, 많을수록 좋은 내 몫의 정당한 유산을 받아내려면 어떻게든 최대한 빨리 행동을 취할 필요가 있었다.

3.

　런던이라는 큰 도시에서 살며 나는 혼자만의 이상적인 삶을 꾸렸다. 내게 딱 알맞은 집과 능력을 꽃피울 수 있는 직장, 그리고 문화생활에 접근성까지. 회사에 가는 시간을 제외하면 나는 내 모든 걸 통제할 수 있었다. 최근까지 이따금 만나 즐기는 '파트너'도 있었다. 사귀는 사이는 아니었고 서로에게 즐거움만 주는 관계. 이성을 만나 잠자리만 갖고 감정적인 비용은 들이지 않는 서로 합의된 관계였다. 그러다가 기회, 운명, 불운, 뭐 의지라고 해도 좋다. 그런 것들이 내 생활을 심각하게 손상시켰다는 걸 알게 된 순간, 깨끗하고 신속하게 관계를 정리해버렸다. 지금은 다소 역설적으로 보일지 모르지만, 내 세계는 여전히 난공불락과 같다.

　그런데 내가 탄 택시가 뉴 스트리트 역에서 블랙손 로드로 향하자 집에 돌아올 때마다 느끼는 불안감이 스멀스멀 피어올랐다. 아마도 그 느낌은 교외 생활에 대한 나의 거의 병적인 공포증, 도시 생활에서 멀어진다는 불안감, 그리고 평범하다는 느낌에서 비롯된 것일 거다. 아니, 그것보다 내가 잊고 싶은 과거의 기억이 나를 뒤흔들며 생기는 건지도 모르겠다. 그러니까 런던에서의 삶이 단지 한 소녀의 하룻밤 꿈이며, 이제 깨어날 시간이라는 무서운 공포감이 든다는 뜻이다. 말도 안 되는 상상이다. 나도 안다.

택시의 창문 너머로 익숙한 거리가 스쳐 지나가는 것을 구경하며 나는 지난 부활절을 떠올렸다. 그날도 엄마가 토요일이면 늘 마시던 차와 햄 샌드위치, 과일 샐러드, 빅토리아 스펀지케이크 등이 곁들어진 부활절 애프터눈 티 타임에 맞춰 버밍엄으로 올라왔다. 엄마의 부탁으로 나는 다음 날, 엄마와 함께 마지못해 교회에 가기로 약속했다. 내가 알기로 엄마는 몇 년간 종교적인 믿음을 가지지 않는 분이셨다. 알고 보니 지난 몇 년간, 엄마는 성 스티븐 교회에서 꾸준히 예배를 드렸다고 했다. 내가 어릴 적 수없이 많이 다녔던 곳이기도 했던 교회. 어쩌면 최근 겪은 두 번의 뇌졸중으로 엄마는 당신의 죽음을 놓고 하나님과 내기를 한 게 아니었을까. 아니면 인지능력이 떨어지면서 다른 사람들의 영향력에 더 민감하게 빠져들었을지도 모른다. 실제로 옆집에 사는 부부라는 마거릿과 스탠이 엄마에게 꾸준한 전도를 해왔다.

"너도 좋아할 거야, 얘."

엄마는 얇은 라일락색 카디건을 걸치고 부엌 서랍에서 깨끗한 손수건을 꺼내 내밀며 장담했다.

"나도 예배를 드리기 전엔 꽤 긴장을 했었는데, 금방 익숙해지더라. 어릴 때 교회에 다니던 기억도 나고. 너도 마찬가지일 거야. 얘, 엄마를 믿어보렴."

"제가 어렸을 때도 우린 교회는 안 갔어요, 엄마." 나는 문 옆의 옷걸이에 걸린 내 재킷을 찾기 위해 복도로 향하며 대답했다. "엄마도 아빠도 우리 남매를 교회에 데려간 적은 없었다고요. 두 분 다 무신론자잖아요. '뿌린 대로 거두리라.' 이게 성경에 나오는 구절 아니에요?"

엄마가 복도로 따라와 핸드백에 든 열쇠를 더듬거리며 찾았다. 나는 복도 탁자 위의 열쇠를 발견해 엄마에게 건네주었다.

"너희가 어렸을 때 분명히 함께 교회에 갔었어. 그리고 난 무신론자였던 적이 없다, 애. 네 아버지는 그랬을지 모르지만 난 아니야. 난 항상 주님에 대한 믿음이 있었다고. 근데 먹고사는 게 바빠서 못 갔지. 네 아버지가 주님을 믿었더라면 도움이 됐을지 모르지만, 어쨌든. 네가 같이 가준다니 기쁘다. 테디(에드워드 애칭 – 역주)도 꼭 데려가고 싶었는데, 걔는 내 말을 안 들어."

"별로 놀랍지도 않네요, 뭐. 점심때가 지나야 일어나는 앤데. 그리고 절대 교회에 갈 만한 애가 아니에요. 근데 엄마, 뭐 잊은 거 없어요?"

나는 레스토랑의 웨이터처럼 엄마의 코트를 들어 올렸다. 현관 앞에 있던 엄마가 뒤를 돌아서며 팔짱을 끼었다.

"그 애는 네가 생각하는 것보다 훨씬 진중한 애란다, 수잔. 감수성도 풍부하고. 인생의 괴로움이나 힘든 일이 있을 때는 종교가 큰 위안이 되기도 해. 아주 큰 힘이 되어준다고."

"에드워드에게 힘든 일은 그저 심각한 게으름과 허영심뿐이에요."

나는 엄마를 따라 집을 나서며 말했다.

"수잔, 내 말 좀 들어보렴." 엄마는 울퉁불퉁하게 포장된 오솔길을 절반쯤 내려가다 말고 뒤돌아 나를 보며 말했다. "테디는 도움이 필요해. 나한테 무슨 일이 생기면, 네가 꼭 그 아이를 돌봐주렴. 그 애가 탈선하지 않도록 힘이 되어주란 소리야."

"엄마. 개 나이가 마흔셋이에요. 다 큰 성인이라고. 그 나이 먹고 누나의 도움이 필요하진 않아요. 개가 내 충고를 받아들인 적도 없을뿐더러, 어른인데 자기 일은 자기가 해야죠. 언제 철이 들진 모르겠지만, 그게 개 선택인 걸 어쩌겠어요? 개는 그렇게 자기가 하고 싶은 대로 하면서 잘 살아요."

나는 등 뒤로 손을 뻗어 낡은 철문을 닫고 엄마와 함께 블랙손 로드를 따라 걸었다. 길 주변으로 1960년대에 지어진 깔끔한 주택단지와 이따금 서 있는 단독주택을 지났다. 엄마는 계속해서 나보다 한 발짝 떨어졌다.

"그 애는 너랑은 좀 다르다." 엄마가 한참 만에 입을 열었다. "넌 항상 똑똑했고, 알아서 모든 걸 잘하는 애였지. 나는 널 키우면서 네 걱정은 한 번도 해본 적이 없어. 근데 테디는 네 아버지를 닮아서 예술가적 기질이 있어. 사소한 일에도 금방 불안해한단다."

우리는 어느덧 도로와 대로 사이 사거리에 있는 자그마한 교회에 다다랐다. 교회 주랑 앞에 서 있던 마거릿과 스탠이 우리를 발견하고 손을 흔들었다.

"행복한 부활 축일되세요, 패트리샤."

두 사람이 일제히 미소를 지으며 포실한 엄마의 뺨에 입을 맞추었다.

"너도 행복한 축일되렴, 수잔."

마거릿이 나에게 거의 달려들다시피 다가와 인사를 건넸다. 나는 한 걸음 뒤로 물러서며 손을 뻗었다.

교회로 들어서는 사이, 사람들은 런던에서의 내 삶의 사소한 부분까지 전부 물어보려 들었다. 다행히도 예배가 막 시작되려던 참이었으므로, 나는 엄마를 방패 삼아 마거릿을 물리치고 예배당에 모인 사람들 틈에 끼어들었다. 예배는 고통 없이 지나갔다. 찬송가는 흥겨웠고 목사는 사무적으로 할 말을 했으며 무엇보다도, 빨리 끝났다. 그 후, 마거릿과 스탠은 우리와 함께 블랙손 로드를 거슬러 올라왔다. 800미터 정도 되는 거리가 꼭 이백 배는 멀게 느껴졌지만. 마거릿은 어떤 종류의 감자가 구웠을 때 가장 맛있는지 엄마와 떠들었고, 스탠은 새로 산 보일러 때문에 골머리를 앓는다며 나를 괴롭혔다. 겨우 작별인사를 하며 엄마가 현관을 향해 돌아섰는데, 그때 마거릿이 내 팔을 움켜잡았다.

"그래서 너는 네 엄마 어떻게 생각하니? 우린 좀 걱정이 되어서 말이야." 그녀가 속삭였다. "네 엄마 건망증이 좀 심해지는 것 같아. 같이 나눈 대화나 약속도 기억을 못 하신다."

엄마가 마거릿과 스탠이 해준 말을 전부 기억하지 못한다는 게 썩 놀라운 일은 아니었다. 두 사람의 대화 주제라는 게 정확히 머리에 남는 것들이 별로 없었으니까. 그리고 두 사람과 한 약속을 자주 잊어버린다는 것도 어쩌면 거짓말일 수도 있다. 이웃들에게 그런 식으로 털어놓을 생각은 없었지만, 어쨌거나 엄마의 인지능력이 조금씩 떨어진다는 건 나도 알고 있었다.

"엄마는 괜찮으신 것 같은데요. 정신이 없는 건 오히려 아줌마 아닐까요?"

나는 엄마가 식탁을 차리는 사이 일요일마다 먹는 선데이로스트를 준비했다. 당연하게도 에드워드는 주말 사이 집을 비웠다. 어쩌면 엄마의 믿음대로 절대 거절할 수 없는 초대를 받았을 수도 있지만, 결론만 말하자면 집엔 엄마와 나 둘뿐이었다. 엄마는 점심을 먹으며 25번 도로가 새로 깔린다는 소식과 18번 도로의 포장이 마음에 들지 않는다는 불평을 늘어놓았다. 식사가 끝나고 나는 설거지를 하고 엄마는 곁에서 접시를 닦았다. 그다음 나는 택시를 불렀다. 택시는 생각보다 빨리 도착했다. 서둘러 집을 나서다 말고, 나는 엄마의 뺨에 재빨리 입을 맞추었다. 그게 내가 마지막으로 본 엄마의 모습이었다. 배웅인 줄 알았지만 실은 현관 앞까지 날아간 초콜릿 바의 포장지를 집으려고 허리를 굽히던 모습 말이다.

✦

나는 벨을 눌러야 할지 아니면 그냥 문을 열고 들어가야 할지 잠깐 고민에 빠졌다. 엄마가 살아 계실 적엔, 예의상 집 앞에서 전화를 먼저 걸곤 했다. 엄마가 정원에 계시거나 집에 안 계신 것 같을 때만 내가 가진 열쇠를 사용했을 뿐이었다. 그러나 이제 엄마가 안 계신 상황에서 초인종을 누른다는 건, 엄마의 부재를 내가 인정하지 못한다는 걸 드러내는 건 아닐까. 결국 나는 열쇠로 문을 열고 들어갔다. 그때 부엌에서 엄마가 살아 계셨다면 절대 들리지 않을 법한 음악 소리가 흘러나왔다. 옛날 학창시절에나 듣던 클래시의 〈런던 콜링(London Calling)〉. 엄마가 남긴 유언을 두고 에드워드와 마주할 준비를 하며 부엌문을 열고 들어섰다. 그러나 들어온 광경은 예상과는 사뭇 달랐다. 손바닥만 한 하얀 수건만 허리에 두른 채 거의 벗다시피 한 남자가 아이패드 위로 몸을 수그리고 있는 말문이 턱 막히는 광경이었다. 그는 음악에 맞춰 팔꿈치를 좌우로 흔들고 있었다. 샤워를 마친 듯 머리카락에서 물이 뚝뚝 떨어지는 턱까지 내려오는 긴 머리의 남자가 얼굴을 숨긴 채 음악과 아이패드에 푹 빠져 있었다. 이런 상황이라면 누구나 그렇듯 목을 가다듬으며 헛기침을 터트렸다. 현장에서 딱 걸린 남자가 깜짝 놀라 몸을 곧추세우며 나를 바라보았다.

허리를 세우고 똑바로 서자, 그가 얼마나 말도 안 되게 키가 큰지 알 수 있었다. 어떤 사람들은 남자의 큰 키가 매력적이라고 생각할 수도 있지만, 나는 개인적으로 183센티미터가 넘으면 징그럽다. 꽤 호리호리하게 매끈한 몸매였다. 섹시한 남자라는 걸 인정하지 않을 수 없을 정도로 말이다. 물론 매력적이란 뜻이다. 하지만 솔직히 말해서 이렇게 겉만 번지르르한 남자일수록 머리는 텅 빈 경우가 많다. 보기 좋게 탄 피부도 근래에 해변에서 빈둥빈둥 노느라 태웠다는 걸 드러내는 증거였다. 길고 곧은 코가 보기 좋았다. 눈꼬리에 잡히는 눈웃음도 귀여운 편이었다. 아마 강한 햇볕 아래에서 눈을 찡그리느라 잡힌 주름이겠지. 그를 보고 있자니 왠지 낯이 익었다.

나를 보자마자 그는 안면의 긴장을 풀었다.

"안녕하세요, 수즈. 어머님 일은 정말 유감이네요. 참 좋은 분이셨는데. 천사가 따로 없으셨죠. 에드는 잠깐 슈퍼에 갔어요. 차라도 한 잔 드리고 싶은데 집에 마침 우유가 다 떨어져서요."

그는 흘러내린 머리를 뒤로 밀어 넘기며 최근 돌아가신 친구 어머니의 집에서 벌거벗은 채로 수그려 앉아 있었다는 데에 조금의 부끄러움도 보이지 않았다.

"그건 그렇고 이렇게 벗고 있어서 죄송해요. 방금 퇴근을 해서요."

"당신이 롭이군요. 정말 우리가 만난 적이 있던가요?"

"아, 물론이죠. 예전에 당신이 필이란 남자와 사귀던 시절에 몇 번. 아시다시피 그 사건 전에 말입니다. 그게 벌써 몇 년 전이네요." 그가 주전자를 들어 물을 받으며 덧붙였다. "괜찮으시면 허브 티라도 좀 드릴까요?"

"엄마 찬장에 뭐가 있는지는 나도 알아요. 물이 끓으면 내가 직접 우릴게요. 굳이 수고할 필요 없어요."

"좋아요. 그럼 볼일 보세요, 수즈."

"제발 수즈라고 부르지 말아요. 내 이름은 수잔이에요. 세상에서 나를 그렇게 제멋대로 부르는 사람은 에드워드 하나뿐이니까."

"아, 그래요? 뭐, 알았어요."

엄마가 돌아가신 후로 처음 엄마의 집, 그러니까 어린 시절 살던 집으로 돌아왔을 때의 내가 얼마나 감상적이었을지는 말하지 않더라도 이해할 수 있겠지만, 그런 나를 맞이한 건 초대받지 않은 손님이었다. 초대는 고사하고 예의라곤 없이 이곳저곳을 제집처럼 드나드는 사람이라니.

　나는 그를 두고 거실로 갔다. 엄마가 돌아가신 지 고작 일주일밖에 지나지 않았는데도 그 방은 이미 깐깐한 노부인의 집이라기보다 철없고 흥청망청 사는 학생들의 공간 같은 모양새를 자아내고 있었다. 섭정시대 풍의 커튼은 타이로 고정되지 않은 채 절반 정도면 열려 있었다. 커튼을 완전히 여는 것도 힘에 겨운 모양이지. 올리브색의 드랄론 소파 위로 널브러진 쿠션은 이미 한쪽이 찌그러져 있었다. 분명히 누군가 베개로 쓴 게 틀림없었다. 카펫 위에는 신문이 널려 있었고 마호가니 커피 테이블 위에는 맥주 캔을 올려놓았던 것처럼 물 자국이 동그랗게 말라 있었다. 마지막으로 재떨이. 아빠가 쓰시던 호박색의 유리잔에는 담배꽁초뿐만 아니라 다 피우고 구겨놓은 담뱃갑도 담겨 있었다. 거실 끝에 서서 집 안을 둘러보고 있는데, 롭이 목욕가운을 걸쳐 입고 성큼성큼 걸어 들어왔다.

　"얼른 치울게요."

　그가 신문과 맥주 캔 따위를 비닐봉지에 담고 재떨이를 집어 들었다.

　"엄마 집에선 흡연은 삼가주면 고맙겠네요." 나는 애써 목소리를 가다듬으며 말했다. "엄마는 담배를 싫어하셨어요. 담배를 피우는 사람 근처에 있는 것 자체를 곤혹스러워하셨거든요. 엄마가 자랑으로 삼으시던 집 안 꼴 상태 좀 보세요."

　"저도 흡연자는 아닙니다. 그냥 가끔씩…… 아시잖아요. 간밤에 고전 호러 영화를 보면서 좀 늦게까지 놀고 아침엔 바로 출근을 하느라……."

　진절머리가 나는 집 안 꼴에, 초대받지 않은 에드워드의 친구까지 마음에 들지 않아 나는 그를 지나쳐 여행 가방을 챙겨 들고 위층으로 올라갔다. 엄마의 침실로 통하는 문은 살짝 열려 있었다. 나는 가방을 내려놓고 문을 열어보았다. 금방 익숙한 체취를 맡았다. 쿰쿰한 좀약과 라벤더, 은방울 꽃 냄새가 섞인 화장실 방향제 향이었다. 다행히 침대 시트는 벗겨놓은 상태였지만, 그 외엔 엄마가 돌아가시던 날 밤의 내 상상과 비슷했다. 침대 옆 테이블에는 아직도 반쯤 물이 담긴 컵과 복용하던 약통, 〈내셔널 트러스트〉잡지 한 부와 독서용 돋보기가 놓여 있었다.

　한결 어지러운 몸으로 로이드룸의 안락의자에 앉아보았다. 맞은편에는 엄마가 입던 바랜 분홍색 드레스 가운이 벗겨진 피부처럼 널부러져 있었다. 침실 바닥은 엄마가 지나치게 자랑스러워하던 새눈무늬의 단풍나무 마루였다. 1960년대, 시공에만 아빠의 석 달치 월급만큼이 들어갔다고 했던 기억이 난다. 화장대 위에는 우리 넷이 나란히 견인차 앞에 서서 찍은 사진이 은색 프레임에 담겨 세워져 있었다. 나는 자리에서 일어나 액자를 향해 다가갔다. 사진 속의 내가 아홉 살 정도 되어 보이니, 아마 에드워드가 일곱 살 무렵일 테다. 부모님은 사진의 중앙에 서 계셨다. 나는 아빠의 손을, 에드워드는 엄마의 손을 잡고 있었다. 우리 모두 웃는 모습이었다. 마치 정상적인 가족처럼.

　나는 엄마의 화장대 옆 포푸리 접시 위로 액자를 다시 내려놓고는 쑥 들어간 퇴창 앞으로 나아갔다. 커튼을 열자 엄마의 남색 폭

스바겐 폴로가 집 앞 진입로로 들어서는 모습이 보였다. 순간 엄마 몰래 남의 방을 기웃거리다가 들켰다는 죄책감이 일렁였다. 그러고 나서야 깨달았다.

창문 너머로 에드워드는 차에서 내려 기지개를 켜고 있었다. 검은 청바지 차림의 동생은 자신의 트레이드마크인 가죽 재킷을 꺼내려는지 조수석으로 손을 뻗었다. 일주일 동안 면도도 하지 않고 머리도 감지 않은 모양이다. 롭보다 마르고 키도 훨씬 작은 에드워드는 꼭 족제비처럼 생겼다. 그럼에도 살짝 엿보이는 날카로운 느낌이 아마 여자들에겐 매력적인 부분으로 다가가는 것 같았다. 물론 에드워드가 어떤 사람인지 알게 되면 이야기는 달라지지만.

에드워드는 차 트렁크를 열고 슈퍼마켓 봉지 두 개를 꺼냈다. 그러더니 마치 알고 있었다는 듯이 고개를 들어 내가 서 있는 창가를 향해 경례를 보냈다. 나는 커튼을 획 닫아버렸다.

부엌으로 돌아가자, 에드워드는 냉장고 옆에 웅크리고 앉아 장을 봐온 물건들을 정리하고 있었고, 청바지에 티셔츠로 갈아입은 롭은 싱크대에 등을 기대고 서 있었다. 귀를 찌르던 록 음악이 모던 재즈 풍으로 바뀌어 있었다. 에드워드가 자세를 고쳐 세우더니 슈퍼마켓 봉지를 구겨 쓰레기통이 있는 구석으로 던졌다.

"안녕, 수즈. 약간 예민해 보이네. 집에 오니까 편해?" 그가 물었다.

"나도 너만큼 이 집에 대한 권리가 있어."

"예민하기는. 언제 내가 누나는 권리가 없다고 했었나?"

나는 주전자 쪽으로 걸어가 물을 다시 끓이고는 머그잔에 페퍼민트 티를 우렸다.

"에드워드. 우리끼리 이야기 좀 해."

"제가 나가드릴까요?" 롭이 물었다.

"아니야, 그러지 않아도 괜찮아. 지금 당장 누나랑 진지한 이야기는 하고 싶지 않아. 내일이 장례식이야, 수즈. 우리가 집중해야할 건 장례식이라고. 땅따먹기가 아니라."

"내가 언제 집 이야기를 하재? 난 엄마 유언장이랑 나머지에 대한 논의를 좀 하자는 거야."

"뭐, 장례식이 끝나고 나서 해도 늦지 않잖아. 난 엄마가 무덤에서 편히 쉬시기 전까진 그 어떤 것도 정리하고 싶지 않아."

"엄마는 이미 화장됐어, 에드워드."

"제 생각에 에드는 비유적인 뜻으로 말한 것 같은데요."

롭이 동생을 거들었다. 동생은 그저 코웃음만 터트렸다.

곧 롭이 부엌을 가로지르며 서랍과 찬장에서 시끄럽게 물건을 정리하기 시작했다. 나는 엄마의 물건을 그가 아무렇지도 않게 건드리는 게 상당히 불쾌했다.

"슬슬 저녁 준비를 하지 않으면 자정이나 되어야 먹겠어요."

그가 말했다.

"롭이 시금치로 파키스탄 요리를 해줄 거야. 채식주의자거든. 여행을 하면서 꽤 괜찮은 요리법을 배워왔어."

"그것 참 놀랍네. 근데 난 커리는 별로 먹고 싶지 않아서 미안하지만 따로 먹을게. 나는 이따가 빵이나 구워 먹으려고. 집에 빵은 있겠지?"

"물론. 우리 둘 다 집밥을 좋아하는 편이니까."

"말 나온 김에 묻자. 엄마 집에서 담배를 피우다니 무슨 생각이야? 그리고 커피 테이블에 맥주 캔 자국은 또 뭐야? 와보니까 집을 아주 거지꼴로 만들어놨더라."

"엄마는 더 이상 안 계셔. 이제 내 방식대로 사는 것뿐이야. 그리고 내 방식에 따르면, 이 집에선 흡연이 가능해. 하지만 난장판은 난장판이지. 나도 깔끔한 집이 좋으니까. 이건 롭이랑 내가 이야기를 좀 해볼게."

에드워드는 빙그레 웃으며 돌아서는 롭을 향해 눈을 찡긋거렸다.

"난 네 의견 존중할 생각 없어, 에드워드." 내가 그에게 되받아쳤다. "지금까지 단 한 번도 널 존중한 적 없거든. 다음에 다시 이야기해."

나는 찻잔을 거머쥐고 부엌을 나섰다.

"나중에 또 봐." 에드워드가 내 뒤에 대고 소리쳤다.

그날 저녁 식사를 저 덤앤더머들과 함께할 생각은 추호도 없었다. 저쪽은 머릿수로도 우세했고 나를 골려 먹으며 상당히 즐거워하는 게 분명했다. 가방을 다시 싸서 호텔로 옮길까 고민도 했지만 그 순간 에드워드에게 진다는 생각이 들었다. 그래서 방에 남아 장례식에서 할 말을 정리하고 동생과 정리해야 할 것들에 대한 목록을 만들었다. 특히 지금 내 몸 상태라면 내일은 정말이지 힘든 하루가 될 게 분명했다. 몸만 다 큰 애들의 행동에 불안감을 느끼고 싶지 않은 마음이 굴뚝같았다.

4.

장례식이 내 예상대로 흘러가지 않았다, 라고 말하면 너무 고심한 티가 날까. 하지만 알다시피, 그리고 예상했다시피 나의 몸 상태는 최근 몇 가지 이유로 정상이 아니었다. 하지만 나는 적어도 장례식에서 일어난 사건 사고에 대해 정당한 변명이 있다. 누구와는 다르다.

그날 아침 나는 평소답지 않게 늦게 일어났다. 오전 9시 반, 장례식까지는 아무리 늦어도 30분이면 충분했다. 나는 옷을 벗어 던지고 머리를 손질하며 울렁거리는 속을 억누르려 노력했다. 부엌으로 가자, 에드워드와 롭은 이미 식탁에 앉아 다리를 쭉 뻗은 채 팔짱을 끼고 있었다. 두 사람 다 면도를 했다는 사실에 박수가 나왔지만, 에드워드한테 흡족한 부분은 그것뿐이었다. 롭은 구겨지긴 했지만 어쨌거나 어두운 색의 양복을 입고 있는 반면, 에드워드는 검은색 청바지에 검은색 셔츠, 금속이 달린 카우보이 부츠를 신고 있었다. 걷어붙인 소매 안쪽으로 언뜻 보이는 문신이 아주 장관이었다. 나는 그를 보며 고개를 내저었다. 장례 예배의 추도

사는 내가 읽는 편이 낫겠다며 롭이 의견을 냈지만 어쨌거나 그의 끈질긴 매력에 놀아나고 싶지 않다는 걸 나는 분명히 드러냈다.

나는 물 한 잔을 따르며 마른 토스트 한 조각을 구워 에드워드 맞은편에 앉았다. 동생은 팔꿈치를 테이블 위에 올려놓은 채 손가락으로 리듬을 두드렸다. 동생의 얼굴에 떠오른 긴장감이 처음으로 보였다. 어제는 그렇게 따박따박 말대꾸를 하더니 하룻밤 사이에 빳빳하게 굳어버린 사람처럼 보였으니까. 식빵 귀퉁이를 집어들자, 에드워드가 갑자기 벌떡 일어나 식기세척기로 다가갔다. 엄마가 장미나무 진열장에 보관하던 두꺼운 유리 텀블러를 꺼내들었다. 에드워드가 찬장에서 절반쯤 남은 위스키 병을 꺼내더니 식탁에 앉아 텀블러에 술을 콸콸 들이붓고 그대로 쭉 들이켰다.

"마시고 싶은 사람?"

그가 위스키 병을 목덜미 정도로 들어 올리며 반항 가득한 표정으로 물었다.

"정말 술을 마시는 게 오늘 하루를 무사히 보내는 데 도움이 된다고 생각하는 거니?" 내가 물었다. "또 술에 취해서 바보같이 굴 작정이야?"

"술에 취할 수도 있고 취하지 않을 수도 있지. 나도 아직 모르겠네. 어차피 누나랑은 상관없잖아. 수즈. 내 일은 내가 알아서 할 테니까, 누나는 누나 일이나 신경 써."

"물론 내 일이지. 에드워드. 너랑 나는 우리 가족을 대표하는 거야. 예의 바르게 행동하는 게 네 일이라고."

"무슨 놈의 가족."

그가 빈정거리며 또다시 술을 들이마셨다.

"좀 천천히 마시는 게 어때, 친구." 롭이 끼어들었다. "아직 하루
는 길어."

"아이, 괜찮아. 내가 뭘 하는지는 내가 제일 잘 알아."

에드워드가 의자 등받이에 걸어놓은 낡아빠진 양복 상의 주머
니에서 담배와 라이터를 꺼내고는 텀블러를 집어 들었다.

"나가서 필게. 봐, 수즈. 내가 이렇게 사려 깊은 사람이라니까?"

부엌으로 난 뒷문이 쾅 소리를 내며 닫히자, 롭이 느슨하게 매
고 있던 넥타이의 매듭을 조이며 말했다.

"조금만 봐주시면 어떨까요. 힘들어 하는 것 같은데."

그가 말했다.

"여기서 쟤만 힘든 건 아니잖아요?"

"제 말은, 이런 날일수록 두 사람 다 침착하게 서로를 지지하면
도움이 될 거란 뜻입니다."

"에드워드와 내가 서로 지지한다고요? 우리 가족에 대해 정말
아무것도 모르네요."

롭이 패배를 인정하듯 두 손을 올려 들었다.

"알았어요, 좋아요. 그냥 좀 저 친구를 도와줘요. 나도 전 여자
친구였던 앨리슨이랑 장례식에 갔던 적이 있어요. 그 친구 숙부가
돌아가셨는데 그날 두 형제가 묘지에 관을 안장하자마자 주먹다
짐을 벌이더군요. 가족의 죽음은 일종의 분노를 불러온다고요."

"장담하지만 그런 일은 없을 거예요. 난 공개적인 장소에서 싸
우는 사람이 아니니까."

내가 대화를 이어나가려던 찰나, 현관 초인종이 울렸다. 현관문을 열어주려고 갔더니, 현관문 앞에는 로라는 사람이 전문가다운 엄숙한 표정을 띤 채 서 있었다.

"안녕하십니까, 그린 씨."

그가 제법 진지하게 인사를 건넸다. 그의 뒤로 두 대의 리무진이 보였다. 엄마의 가벼운 나무 관이 들어 있는 운구차와 가족들을 태워갈 리무진이었다. 날카로운 아침 햇살 아래로 차에 묻은 기름때가 빛을 반사했다. 나는 자연스레 눈살을 찌푸렸다. 차 위로, 에드워드가 우리 두 사람의 이름으로 주문했다던 화환이 보였다. 끔찍한 샛분홍색 카네이션 옆으로 '엄.마.'라고 쓴 흉측한 글씨가 눈에 들어왔다. 이건 명백한 도발이었다. 자신의 천박함을 이런 식으로 과시하다니. 동생은 자신의 유치함을 단 하루도 숨기지 못하는 사람이다.

알다시피 나는 이성적인 판단으로 점철된 사람이다. 그러나 반짝이는 늦여름 햇살을 받으며 현관문에 서서 창백하고 단단하던 엄마가 고작 나무 상자 속에 싸여 있다는 생각이 문득 스치자, 몸이 나도 모르게 떨려왔다. 다리에 힘이 풀리는 순간, 나는 얼른 현관문 옆을 손으로 디뎠다.

"서두르실 필요 없습니다, 그린 씨." 로가 속삭였다. "천천히 하세요. 준비가 되면 떠나겠습니다."

"몇 분이면 돼요." 나는 문을 닫으며 간신히 속삭였다. "그냥 시신일 뿐이야. 엄마가 아니라 그냥 시신이야. 빈껍데기에 불과해." 문에 등을 기대 선 채 평정심을 되찾으려고 노력하는 사이, 에드워드가 성큼성큼 부엌에서 걸어 나왔다. 손에 재킷을 든 채 어깨를 으쓱이던 그 애가 복도 한가운데에 멈춰 서며 입을 열었다.

"그럼, 쇼를 시작해볼까."

✦

화장터로 향하는 그 느리고 지지부진한 여정 내내 침묵이 이어졌다. 에드워드에게 끔찍한 화환에 대해 한 소리를 할 수도 있었지만 장례식에서만큼은 점잖게 행동하고 싶었다. 운구차 뒤에서 언쟁이 벌어지면 그야말로 꼴불견이 따로 없다. 안전벨트 법 따위는 지키지 않아도 된다고 굳게 믿는 에드워드는 몸을 수그린 채 손톱 주변의 살갗만 뜯었다. 나는 차가운 가죽 시트에 몸을 기대고 앉아 한여름의 도시를 바라보았다. 어린 시절, 장례차가 지나가면 사람들은 하던 일을 멈추고 고개를 숙여 애도를 표했던 기억이 난다. 그러나 지금은 아무도 우리에게 주의를 기울이지 않았다. 여름용 선드레스를 입은 젊은 여자들이 거리를 활보하며 서로 수다를 떠느라 바빴다. 반팔 셔츠와 느슨한 넥타이를 맨 남자들도 핸드폰을 향해 소리를 내질렀다. 아이들은 지친 엄마나 아빠의 소매를 잡아당기며 아이스크림을 사달라고 졸라댔다. 이 모든 게 불쾌한 소동이었다.

칠문을 통해 공동묘지에 들어서면서 나는 일렬로 늘어선 묘비를 바라보았다. 어떤 건 오래된 화강암으로, 어떤 건 반짝이는 대리석으로, 또 어떤 묘비는 그 대리석에 금박 글씨까지 새긴 모양이었다. 많은 사람들이 수십 년간 한 번도 찾아오지 않은 무덤도 있었고, 요란한 조화로 꾸며놓은 것도 있었다. 죽음은 삶처럼 내 이웃을 선택할 수 없는 법이다. 나는 엄마의 시신이 죽음을 전시하는 품평회장에 묻히지 않아 기뻤다.

날이 갈수록 더위가 기세를 부리는데도 불구하고 자꾸만 온몸에 한기가 들었다. 시청에서 꾸며놓은 화단이 나란한 진입로에 들어서는 사이, 나는 팔뚝을 문지르고 온기를 되찾으려 애썼다.

마지막 모퉁이를 돌자 화장터가 눈에 들어왔다. 네모난 붉은 벽돌 건물이 꼭 발전소나 전기 변전소를 떠올리게 했다. 그 앞으로 쉰에서 예순 명 정도 되는 사람들이 몰려 있었다. 내가 예상했던 것보다 훨씬 많은 숫자였다. 사람들 사이에서 나는 믿음직한 마거릿과 스탠도 발견했다. 서로가 팔짱을 끼고 있었다. 엄마의 성마른 여동생 실비아 이모, 그리고 이모와 똑같은 부류의 두 딸이 대화를 나누는 모습도 보였다. 아빠의 동생인 해럴드 숙부가 다른 사람들과 동떨어져 서 있었다. 롭은 아마 묘지로 곧장 갔던 모양이다. 거기서 에드워드와 똑같은 부류의 두 남자와 이야기를 나누고 있었기 때문이다. 운구차를 발견한 사람들이 대화를 멈추고 안쓰러운 표정을 지어 보였다.

리무진에서 내리자마자 실비아 이모가 모두를 제치고 다가와 나를 꼭 껴안았다. 이모의 강렬하고 머스키한 향수 냄새가 목을 짓누르자 구역질이 치밀었다.

"너희 모두에게 참 슬픈 날이지. 그래도 네 엄마는 좋은 곳으로 갔을 거야."

나는 그저 이 순간이 지나가기만 기다리며 가만히 서 있었다. 포옹이 끝나고 이모가 나를 풀어주더니 이번엔 에드워드를 껴안았다. 그래도 이모의 잔향은 아직 내 코끝을 맴돌았다. 실비아 이모 뒤로 이모의 쌍둥이 두 딸이 다가왔다. 웬디와 크리스틴은 이모보다 더 열정적인 포옹과 애도를 쏟아냈다. 사촌들의 뒤로 여럿 되는 조카들이 서 있었다. 나는 퍽 당황스러웠다. 장례식에는 아이들이 참석하지 않으면 좋겠다고 꼭 말을 했어야 했는데.

"라일라와 캐머런이야."

웬디가 8살에서 10살 정도 되어 보이는 지루한 표정의 두 아이를 가리키며 말했다.

"여기는 크리시(크리스틴의 애칭-역주)의 쌍둥이 아들 프레디랑, 해리."

그녀가 똑같은 양복에 나비넥타이를 매고 있는 금발의 작은 아들들을 가리키며 말을 이었다.

"버밍엄에 자주 오진 않으니까, 다 같이 하루를 보내려고 왔어. 오늘 오후에 애들을 데리고 초콜릿 놀이공원에 가려고."

다행히도 내가 뭐라고 대답을 하기 전에, 장례요원들의 어깨에 어머니의 관을 올리라고 지시하며 장의사 로가 나에게 다가와 이제 화장장으로 들어갈 때가 되었다고 안내했다. 에드워드와 나는 비발디의 〈사계〉가 흐르는 건물 안으로 들어섰다. 음침한 화장장의 중앙 통로를 천천히 따라 내려가는 사이 나는 머리가 지끈거리며 어지러움을 느꼈다. 다리가 휘청거려 앞으로 더 나아갈 수 있을지도 의문이었다. 갑자기 몰아치는 현기증이 내게는 충격으로 다가왔다. 나는 육체적으로도, 정신적으로 절대 나약한 사람이 아니다. 하지만 지난 며칠 곰곰이 생각해보니 내가 갈증을 해소할 만큼만 마시고 배가 고프지 않을 만큼만 먹었다는 사실을 깨달았다.

피에서 영양분이 모두 빠져나가며 투명한 액체가 되는 상상을 해보았다. 이런 생각이 들자 다리에 힘이 더욱 풀렸고, 맨 앞줄에 위치한 가족석으로 걸음을 힘겹게 옮기며 겨우 내 자리에 무너지듯 주저앉았다. 에드워드가 나를 의아하게 쳐다보았지만, 내가 힘이 없는 상태라는 걸 들키고 싶지 않아 얼른 고개를 돌렸다. 실비아 이모와 사촌들, 그리고 그 조카들과 해럴드 숙부가 우리와 함께 맨 앞줄에 앉았다. 다른 조문객들은 뒷좌석에 차례대로 자리를 잡았다.

성 스티븐 교회의 수염이 덥수룩한 목사님이 목을 가다듬더니 잔잔한 미소를 띤 채 예배를 시작했다. 솔직히 말하면 나는 호흡에 집중하느라 목사님의 예배는 들리지도 않았다. 게다가 크리스틴의 두 쌍둥이 아들이 말다툼을 벌였고, 크리스틴은 두 형제를 큰소리로 나무랐다. 나는 간신히 몸을 앞으로 숙인 다음, 크리스틴을 바라보며 손가락을 입술에 갖다 대었다.

"미안해."

그녀가 입을 뻥긋거리며 쌍둥이 중 하나를 날카롭게 밀쳤다.

"자 이제 첫 번째 찬송가를 제창합시다."

목사님이 말했다. 모두가 자리에서 일어나 다 같이 부르는 찬송가 〈주 하나님 지으신 모든 세계〉가 화장장을 가득 메웠다. 하지만 자리에서 일어서자마자 나는 몸이 말을 듣지 않는다는 걸 깨달았다. 머릿속의 피가 다 빠져나가는 기분이었다. 의자에 다시 앉는 게 좋을 것 같으면서도 사람들의 시선이 나를 향하는 게 싫었다. 대신 오른팔을 내밀어 에드워드의 팔짱을 끼고 왼손으로 동생의 소매를 꼭 잡았다. 당연히 에드워드가 흠칫 놀랐다. 우리가 마지막으로 서로를 만져본 게 아마 수십 년 전이었을 테니까. 하지만 에드워드는 굳이 나를 떨쳐내려 하지 않았다. 그저 경비원처럼 딱딱하게 굳은 얼굴과 자세로 서 있을 뿐이었다. 밀치고 싶은 마음이야 굴뚝같아 보였지만. 찬송가가 끝나자 나는 에드워드에게서 팔을 풀고 다시 내 자리로 무너지듯 앉았다.

"이제 패트리샤의 아들인 에드워드가 독서 말씀을 읽겠습니다."

목사님이 예배를 이어나갔다. 에드워드는 예배당 연단 위에 올라 목소리를 가다듬고 단조로운 톤으로 성경책을 읽기 시작했다. 동생이 더 이상 옆에 없고 반대편엔 통로가 있는 상황에 놓인 나는 아까보다 훨씬 더 나약해지고 있었다. 몸이 흔들리는 게 실제로도 느껴질 정도였다. 에드워드가 자리로 돌아오자 나는 그 애의 어깨에 고개를 기댔다. 아, 나의 침착함은 온데간데없이 사라진 지 오래였다. 목사님이 몇 마디를 더하는 사이 나는 조용히 내 숨소리를 세어보았다.

"마시고. 둘, 셋, 넷. 내쉬고. 둘, 셋, 넷."

그때 갑자기 목사님의 입에서 내 이름이 흘러나오고 있다는 사실을 깨달았다.

"수잔…… 수잔?"

목사님이 팔을 내밀며 나를 향해 손짓하고 있었다. 나는 가방을 뒤져 토머스 하디의 시 〈다시 봄이 온다면(If It's Ever Spring Again)〉이 적힌 종이를 찾았다. 겨우 자리에서 일어선 나는 낭독을 위해 연단으로 가는 계단을 올랐다. 눈물이 앞을 가리며 왜 하이힐을 신었을까 내 스스로에게 저주를 퍼부었다. 바닥을 단단하게 디뎠더라면 훨씬 안정감이 있었을 텐데. 나는 연단 위에 시를 올려놓고 조문객을 바라보았다. 크리스틴의 발 아래 쌍둥이 둘만 휴대용 게임기로 게임을 할 뿐, 모두의 관심이 내게 쏠렸다. 흐릿한 시야 때문에 애도의 표정을 짓기가 더욱 힘들었다. 나는 시가 적힌 종이로 시선을 떨궜다.

"만약에 다시 봄이 온다면, 봄이 온다면."

내가 시를 읽기 시작했다.

"좋았어!"

게임을 하던 쌍둥이 중 하나가 소리를 내질러 낭독을 방해했다.

나는 순간적으로 고개를 들었다. 사람들이 흐릿한 형체로 마치 하나의 거대한 거품처럼 보였다. 다시 고개를 숙여 시를 읽었다. 종이의 글자가 아지랑이처럼 맴돌았다.

"어디까지 읽었는지 모르겠네요. 죄송해요. 제가 읽었던 부분이…… 죄송한데 다시 읽어볼게요……."

그리고 눈앞이 깜깜해졌다. 밝게 빛나는 빨간 배경에 점점이 박힌 검은 아지랑이가 넘실거렸다. 귓가에 높은 고음의 삐, 하는 이명이 들렸다. 나는 더 이상 싸울 의지도 없이 피곤의 물결에 휩싸였다. 잠이야말로 이 세상에서 가장 기쁘고 유혹적인 것이었다. 눈꺼풀이 감겼다. 그리고 그대로 쏟아지는 잠에 몸을 맡겼다.

✦

실비아 이모가 멀리서 혀를 차는 소리가 조금씩 귓가로 스며들었다. 한밤중에 내 집에서 대체 이모가 뭘 하는 걸까.

"얼굴이 백짓장처럼 하얗게 질려 있어. 피가 뇌로 가야 해. 어서 머리를 무릎 사이에 밀어줘. 연단 계단에 데려가서 앉혀요. 예전에도 이런 걸 본 적이 있지. 슬퍼서 이래요. 일부러 참고 있던 게야. 안쓰럽게. 그런 사람들이 있어. 애 상체랑 다리를 좀 잡아봐요. 그렇지. 이제 연단 끝으로 옮겨줘요."

누군가 겨드랑이와 발목을 잡았고 몸이 쑥 들리며 부딪혔다. 무슨 일이 일어나는지 어렴풋이 예상을 하면서도 순간 내가 스스로 움직이거나 말을 할 수 없는 상태라는 걸 깨달았다. 몸이 절반 접힌 상태에서 움직이더니 무릎이 스르르 열리고 머리가 그 사이로 쑥 들어갔다. '맙소사. 사람들이 내 팬티를 다 보겠네.' 하는 생각이 머리를 스쳤다. 누군가의 팔이 내 어깨를 감싸는 느낌이 들었고 곧 실비아 이모가 혀를 찼다.

"곧 괜찮아질 거야, 수잔. 기절을 하려고 했던 것 같아. 사람들 다 겪는 일이란다. 천천히 좀 가다듬으렴. 숨도 깊게 쉬고. 웬디가 물을 가져올 거야. 걱정 마. 금방 괜찮아질 거야. 천천히 숨을 쉬어보렴."

의식이 조금씩 명료해졌지만 눈을 뜨고 싶지가 않았다. 방금 일어난 일을 확인하거나 그 여파에 맞서고 싶지 않았다. 나는 고개를 살짝 들어 올리고 다리를 오므렸다.

"보자. 애가 정신을 차리는구나. 수잔, 애 내 목소리가 들리니?" 실비아 이모가 귀에 대고 소리쳤다. "이모야, 애. 장례식장이란다. 네 엄마 장례식. 네가 사람들 앞에서 쓰러졌잖니. 내 목소리 들리니?"

내게 남겨진 모든 자존감을 끌어모아 나는 눈을 살며시 뜨고 말했다.

"네, 괜찮아요. 그냥 제 자리로 돌아갈게요. 식은 계속 진행해주세요, 제발."

나는 고개를 들었다. 맨 앞줄에 앉아 있던 에드워드가 팔짱을 낀 채 얼굴을 잔뜩 구기고 있었다. 동생은 눈썹을 치켜올리며 조용히 박수를 쳤다. 어디선가 안락의자가 나타났고 롭과 실비아 이모가 나를 부축해 의자에 앉혀주었다. 물 한 잔을 손에 쥐어주고, 또 필요한 건 없는지 확인한 다음에야 장례식이 다시 재개되었다.

나 대신 에드워드가 토머스 하디의 시를 읽었다. 그 애는 분명 나의 허약함을 대신해 자신에게 기회가 돌아온 것을 만족해했을 것이다. 그다음 기도와 찬송가 시간이 이어졌다. 그리고 엄마가 가장 좋아하던 노래인 도리스 데이의 〈케세라세라(Que Sera Sera)〉를 틀고 어머니의 관 위로 천을 덮었다. 노래가 끝나자 에드워드가 내게 몸을 수그리며 물었다.

"그래서 말인데, 누나가 말하던 바보 같은 짓이 아까 누나가 한 짓이지?"

오전 내내 시달리던 메스꺼움과 현기증이 잦아들면서 나는 수치스러움을 가슴에 품고 해변으로 나섰다. 나의 안녕에 관한 끊임없는 질문도 마침내 운구차의 문이 닫히며 끝났다. 하지만 나의 은신은 그리 오래 지속되지 않았다. 잠시 후, 연어색 손톱의 실비아 이모가 창문을 두드리더니 이모가 내 옆 좌석으로 올라탔다. 나의 거부에도 불구하고 이모는 나와 함께 가야 한다고 우겼다. 약간의 감수성을 가진 사람이라면 어머니의 장례식에서 기절해버린 사람에게 혼자만의 시간이 필요하다는 사실을 고려했을 것이다.

"네가 용감해지고 싶어 하는 건 안단다, 애. 하지만 그건 별 문제가 아니야. 내 딸 크리시도 나 없이 한 번쯤은 괜찮아. 쌍둥이랑 같이 벤츠에 타고 뒤를 따라오고 있어. 지금 내가 필요한 사람은 바로 너야."

에드워드는 실비아 이모와 나와 함께 편히 움직이기보다는 롭의 흙투성이 밴을 타고 움직이겠다고 했다. 이모는 내 머리를 쓰다듬거나 무릎을 도닥이기 위해 가죽 좌석을 가로질러 계속해서 손을 뻗었고, 그럴 때마다 이모의 화려한 반지와 팔찌가 햇빛을 받아 반짝였다.

"쓰러졌다는 게 얼마나 굴욕적이었을지 짐작한단다, 애. 나라도 그랬을 거야. 하지만 이런 일은 누구에게나 일어나는 일이야. 아무도 네 불찰이라고 생각하지 않을 거야. 누구도 네가 신경쇠약에 걸렸거나 무슨 유전적인 결함 같은 걸 가지고 있다고 여기지 않을 거라는 거지."

"저도 알아요. 대체 누가 그런 생각을 하겠어요?"

"뭐, 알다시피, 가족력이 있잖니. 네 아빠 쪽 말이야. 하지만 누구도 그렇게 생각하진 않을 테니까 걱정하지 마렴."

부모님은 너무도 다른 배경을 가진 분들이었다. 아빠의 가족들은 변호사나 회계사들이 많은 대도시 출신이었고, 엄마는 열심히 일을 하는 공장 노동자 계층 집안 출신이었다. 아빠는 새롭게 설립한 대학의 강사였고 중독에 빠지기 전까진 꽤 존경을 받았다. 사실 엄마와 아빠가 만난 곳도 대학교였다. 교수실의 타이피스트였던 엄마는 이미 아빠를 몇 달이나 주시했다고 했다. 항상 똑똑하고 세련된 스타일의 트위드 재킷과 나비넥타이, 스웨이드 신발을 신는 아빠였다고. 둘 다 20대 후반이었고 엄마의 가족은 엄마의 혼기가 지나치게 늦었다고 걱정했다. 어느 날 아빠가 책상으로 슬그머니 다가와 애프터눈 티를 같이 마시러 가지 않겠냐는 데이트 신청을 했을 때, 엄마는 자신의 인생이 끝날 때까지 늘 끼고 살던 바보 같은 로맨틱 소설의 주인공이 된 기분이었다고 했다.

박물관과 대저택을 둘러보는 데이트에서 대학의 클래식 음악 협회에 대한 대화를 주고받으며 6개월간의 애프터눈 티 데이트 끝에 아빠는 엄마에게 열렬한 청혼을 건넸다. 그러나 티 하우스, 박물관, 대저택 같은 데이트는 연막에 불과했다. 그림처럼 아름다웠던 결혼식에 이어, 엄마의 간청에도 불구하고, 결혼 후 두 분의 외출은 술집이나 여인숙, 선술집 따위로 한정되었다.

엄마와는 반대로, 열다섯 살 어린 실비아 이모는 항상 사치스러운 삶을 갈망했다. 이모는 너무도 간절히 바라던 대로 래컴에 있던 백화점 넥타이 가판대 점원으로 취직했다. 보아하니 화장품 코너에 지원했지만 떨어진 모양이었는데 똥손이었던 이모를 생각하면 그리 놀라울 일도 아니다. 비록 실비아 이모는 부유한 남자들을 상대로 자신의 매력을 발산하며 목에 타이를 둘러주었지만, 상대는 원하는 것만 취하면 늘 가차 없이 이모를 버렸다. 적어도 엄마와 이모의 대화에 따르면 그런 결론이 분명해 보였다.

결국 이모는 꿈을 접고 조부모님이 골라온 건설업자에게 인생을 걸었다. 지역 등록소에서 자그마한 결혼식을 올렸고 9개월 후, 내 사촌인 웬디와 크리스틴을 낳았다. 건축가였던 프랭크 이모부는 장래성은 별로 없었지만 실비아 이모가 줄곧 원하던 타입의 남자였다. 인생의 주된 목표는 가능한 많은 부를 축적하는 것. 사업은 주로 가정집 수리와 유지 보수, 부동산 구입, 개조 및 판매, 주택 개발 등이었다. 이모네 가족은 방 세 개짜리 주택에서 1960년대 지은 단독주택으로, 거기서 또다시 시골의 건축가가 설계한 목장식 방갈로 주택으로 옮겨갔다. 프랭크 이모부의 성공 궤적은 아빠의 하강과 반비례했다. 실비아 이모가 쉽게 드러내는 동정어린 시선과 함께, 우리 집의 불행이 이모에게 어떤 기이한 우월감을 주는 건 아닐까 나는 늘 궁금했다.

✦

장례용 운구차는 지붕 위에 작은 탑이 있고 '불스 헤드'라고 써 있는 간판이 붙은 빅토리아 시대의 술집 밖에 세워져 있었다. 실비아 이모는 아직도 이런 펍이 있다는 데에 놀라워했고 나 역시 이번 한 번은 이모의 말에 동의할 수밖에 없었다. 포장이 고르지 않은 주차장엔 여기저기 '도로 조심' 안내판에 놓여 있었다. 한쪽으로 난 골목으로 따라가면 연회용 룸이 따로 있었다. 아마 술집 주인이나 직원이 A4 용지에 휘갈긴 안내도를 옷핀으로 대충 붙여 놓은 게 분명했다. 안내도의 글자 아래로 '패트리샤의 행사'라는 글자가 웃는 이모티콘과 함께 그려져 있었다. 펍의 검게 그을린 사암 벽과 건축업자의 사무실이 있는 옆 건물 사이 좁은 틈으로 담배꽁초와 깨진 유리조각, 그리고 쓰고 버린 콘돔 같은 게 널려 있어 나는 내 눈을 의심했다. 막힌 하수구에서 올라오는 지린내에 끊임없이 날아다니는 날파리까지, 나는 점잖은 조문객들이 이 광경을 보며 무슨 생각을 할지 두려웠다.

골목 끝에는 단층으로 증축한 연회실이 있었다. 골목길의 맹렬한 더위를 피해 서늘한 연회실로 피한 나는 곧 퀴퀴한 맥주와 알코올 향이 가득한 칵테일 냄새에 코를 막았다. 깜박이는 형광등 불빛 아래의 방을 둘러보았다. 리놀륨 타일 바닥은 오래되어 굳어버린 핏빛을 띠고 있었고, 몇 개 없는 높은 창문에는 거미줄이 가득 쳐져 있었으며, 긴 방의 양쪽에 늘어선 가짜 나무 테이블에는 담배자국이 가득했다. 가운데에는 뷔페 테이블이 차려져 있었는데, 음식이라는 게 고작 느끼한 탄수화물과 당이 잔뜩 포함된 음료수 따위였다. 에드워드와 롭은 이미 방 한쪽 끝 소나무로 된 바 주변을 서성이고 있었다. 두 사람은 이미 레드와인을 한 병 거의 다 비운 상태였고, 동생의 목소리도 한층 커져 있었다. 먼저 와 있던 조문객들이 불편한 표정을 지은 채 무리를 지어 서 있었다. 실비아 고모가 뷔페 테이블을 검사하는 사이 나는 에드워드와 롭에게 다가갔다.

"대체 무슨 생각으로 이런 데를 잡았어?" 내가 씩씩거리며 물었다. "이번만큼은 제대로 할 줄 알았어. 처음부터 술집을 잡았다는 게 마음에 안 들었어도, 그래도 네가 이런 건 전문이니까 괜찮은 곳으로 잡았겠거니, 했다고. 이건 엄마 이름에 먹칠을 하는 거야. 정말 부끄럽다, 에드워드. 화끈거려서 조문객들 얼굴을 못 쳐다볼 정도야."

"가라앉히는 게 좋을걸, 누나. 이벤트가 아직 더 남은 거야?" 에드워드가 지저분한 술잔을 꿀꺽꿀꺽 비우며 대답했다. "내가 이 술집 사장하고 아는 사이야. 우리한테 꽤 괜찮은 비용만 받고 이렇게 빌려준 거라고."

"남은 돈은 네가 꿀꺽하고?"

"돈 때문이 아니라 옳은 일을 했다고 말하는 것뿐이야. 와인 한 잔 하고 기분 풀어. 같이 풀어나가야 할 소송이 네 건이잖아."

에드워드가 카운터 너머로 손을 뻗어 와인을 한 병 더 꺼내 코르크를 뜯고 술잔에 술을 따랐다.

"에드워드 말 신경 쓰지 마요." 롭이 목소리를 낮춰 말했다. "술을 꽤 마셨어요. 오늘 같은 날도 취했다니, 별로 놀라운 일은 아니지만."

"얘는 항상 취해 있어요. 그리고 당신이 더 마시라고 부추기잖아요. 두 사람은 서로에게 안 좋은 영향만 끼치는 것 같네요."

"전 에드워드를 지켜보는 것뿐입니다."

"하."

돌아선 나는 해럴드 숙부가 들어오는 모습을 발견했다. 엄마와 숙부는 편지로 연락을 주고받으며 가끔씩 서로를 방문하기도 했지만, 솔직히 25년 전 아빠의 장례식 이후로 숙부를 처음 봤다. 군인의 품위는 80대에 접어든 나이에도 변함이 없었다. 에드워드가 장소를 옮길 의지가 전혀 없었으므로 중요한 조문객을 맞이하는 건 결국 내 몫이었다. 나는 끈적거리는 바닥을 가로질러 숙부에게 다가갔다. 그는 온 얼굴에 피어싱을 한 아르바이트생이 가져온 술 쟁반에서 와인 한 잔을 받아들고 있었다.

"이제 좀 나아졌니, 수잔?"

해럴드 숙부가 와인을 한 모금 삼키고는 얼굴을 잔뜩 일그러뜨리며 물었다.

"아, 네. 괜찮아졌어요. 속이 좀 안 좋더라고요."

"그래, 그래. 다행이다. 네가 기운 내야지. 네 엄마도 네가 울고 슬퍼하는 걸 원치 않을 게야. 그런 태도는 산 사람에겐 아무짝에도 도움이 안 돼."

"잘 알아요. 숙부. 저도 그렇게 생각해요. 어쨌거나 이제는 부동산 같은 걸 정리해야죠. 늦장 부릴 여유도 없어요. 아무튼, 변명을 좀 하자면 이런 장소를 선택한 건 순전히 창피한 실수예요. '불'이라는 곳을 예약했어야 하는데 에드워드가 전화번호를 검색하면서 헷갈렸던 모양이에요. 그래서 '불스 헤드'로 예약을 했대요. 와서 보니 정말 말도 안 되는 곳이네요. 조문객들이 오해하지 않으셨으면 좋겠어요."

"오, 아니야, 수잔. 나도 충분히 이해한다. 예약 과정에서 분명히 끔찍한 실수가 있었던 게 분명하다고 생각하고 있었다. 어쨌거나 고인의 명복을 빈다. 정말 안타까운 일이야."

"감사해요. 줄리아 숙모랑 휴고, 세바스찬은 다 잘 지내죠?"

"물론 다들 잘 지낸다. 오늘은 다들 너무 바빠서. 줄리아가 더 속상해하더라. 자선 모금 행사가 이미 예정되어 있어서 참석을 할 수가 없었어. 그런 행사는 취소하기가 영 힘들다는 걸 잘 알지? 휴고는 요트 여행 중이라 지금 프랑스 앙티브에 있고 셉은 출장 때문에 브라질에 묶여 있어. 안 그랬으면 다들 참석했을 게다."

물론 나는 확신할 수 없었다. 나는 항상 해럴드 숙부의 가족들이 거만한 경멸과 잘난 체, 동정심 따위로 우리 가족을 업신여긴다는 느낌을 받고 있었다. 숙부는 구시대적인 의무감으로 엄마와 연락을 이어나갔고, 장례식에도 참석한 게 분명했다.

대화를 이어나가던 도중 갑자기 에드워드가 끼어들었다. 한 손엔 술병을 들고 다른 손엔 잔을 쥐고 있었다.

"해리 숙부. 이렇게 뵈니 정말 반가운걸요."

에드워드가 목청 좋게 외치며 와인 병을 든 오른손을 숙부의 어깨 위로 둘렀다. 쨍쨍 소리를 내며 부딪치는 술잔이 깨질까 봐 내 간담이 다 서늘했다.

"그래, 에드워드. 참 안타까운 일이다. 애도를 표하마. 너는 그래도 잘 견디는 모양이다. 벌써 몇 잔을 걸친 걸 보니."

"엄마도 아마 원했을 걸요. 누나에게도 계속 말하지만 누나는 재미를 모르는 사람이라니까요. 그렇지, 수즈?"

에드워드가 와인 잔을 든 왼팔을 뻗어 내 어깨 위에 올리려고 하기에 나는 얼른 몸을 피했다.

"수잔도 자기 방식이 있으니까. 에드워드. 우리 사이니까 하는 소리인데, 물론 네 엄마를 잘 보내드리고 싶은 마음은 이해한다만 그래도 이렇게 왁자지껄하게 축하할 일은 아니지."

에드워드는 숙부의 충고에 화가 난 듯 어깨에 두른 팔을 내렸다.

나는 실내를 둘러보았다. 흰 빵으로 만든 싸구려 샌드위치와 딴 지 오래된 오렌지 주스가 담긴 플라스틱 컵 따위를 손에 들고 조용히 이야기를 나누는 사람들이 삼삼오오 모여 있었다. 그중엔 엄마의 이웃들도 있었다. 대부분은 내가 아는 얼굴들이었다. 그보다 조금 더 교양 있어 보이는 사람들은 분명 엄마의 독서 모임에서 온 사람들 같았다. 그리고 세 번째 무리는 성 스티븐 교회에서 목사님을 모시고 온 신도들이 분명했다. 실비아 이모, 웬디, 크리스틴, 그리고 조카들이 뷔페 테이블에서 음식을 잔뜩 담아 숙부와 나, 에드워드에게 섞였다. 아빠와 엄마 쪽 친척들을 못 만난 지 수년 째였으므로 나에 대한 적당한 소개를 다시 해야겠다고 마음먹었다. 그러나 왼손에 와인 잔이 들려 있다는 걸 까먹은 모양인지, 에드워드는 샷을 한 잔 따랐다.

"웬디. 크리시. 좋아 보이네." 에드워드가 사촌들을 바라보며 조소를 흘렸다. "어릴 때는 정말 삐쩍 마르기만 했는데." 쌍둥이 사촌들은 피식 웃기만 했다.

"숙부님, 여기 쌍둥이 아시죠? 아버지 장례식에서 봤었는데. 그때가 언제쯤이었더라? 열몇 살이었던 거 같은데? 물론 숙부님은 말고요. 숙부님은 그때도 자실만큼 자셨고." 에드워드가 킥킥거리며 계속해서 입을 놀렸다. "웬디하고 크리시가 그때는 그냥 평범

했는데. 지금은 금발에 끝내주는 몸매에 아주 곱상하네." 에드워드가 와인 병을 흔들어댔다. "사촌 간 결혼이 합법 아니었나? 뭐 그렇다고 내가 결혼을 생각한다는 건 아닌데."

동생의 술주정에 누구도 선뜻 대꾸를 할 수 없었다.

"그래, 참하고 매력 넘치는 아가씨가 다 되었군." 숙부가 먼저 나섰다. "이렇게 보니 반갑군, 사돈 이모님도 그렇고."

실비아 이모의 두꺼운 화장 위로 홍조가 피어올랐다.

"실비아 이모도 그때는 참 멋졌는데." 에드워드가 좀처럼 입을 다물질 않았다. "제가 어렸을 때는 이모도 꽉 끼는 치마에 섹시한 블라우스를 입고 뾰족 구두까지 신고 우리 집에 놀러오곤 했거든요." 그가 숨을 토해내며 두 눈을 감았다. "이제 막 자라는 남자애한텐 참 혼란스러운 일이었죠."

실비아 이모가 얼굴을 더 붉히며 본능적으로 블라우스 윗부분의 단추를 채웠다.

"그 입 좀 다물어, 에드워드. 창피한 줄도 모르고 왜 그래."

내가 끼어들었다.

"숙부, 제가 아까 뭐라고 그랬어요? 누나는 정말 재미가 없는 사람이라니까요. 꼭 세상의 모든 즐거움이랑 기쁨을 다 빨아들이는 블랙홀 같은 사람이라니까."

"자, 이봐. 에드워드." 숙부가 말했다. "자네가 술을 몇 잔 들이킨 건 우리도 다 알고 있어. 하지만 여기 숙녀 분들이 썩 자네의 대화 방식을 내켜하지는 않아 보이는군. 잠깐 나가서 바람이라도 쐬고 오면 기분이 나아질 게야."

"기분이 나아진다고요?" 에드워드가 소리쳤다. "전 지금도 좋은데요. 늙다리들이랑 이야기를 하는 게 더 기분이 나쁘네요."

우리의 대화 소리에 방 안의 모두가 돌아섰다. 에드워드가 사람들의 시선을 느꼈는지 방 안을 둘러보며 입을 열었다.

"여러분. 제발 기운차게 즐깁시다. 인생을 축하해야죠. 예의 차리며 대화를 나누고 샌드위치나 드세요. 빌어먹게 즐기라 이 말입니다. 예?"

"에드워드, 그러지 말고 네 숙부 말씀을 들으렴." 실비아 이모가 덧붙였다. "너무 취한 것 같구나. 조문객에게 그렇게 무례하면 쓰니."

"이모나 그 입 좀 다무세요."

"거기까지만 해."

내가 그의 팔을 부여잡으며 말했다. 에드워드는 필요 이상의 힘으로 나를 밀어내버렸다. 나는 비틀거리며 뒤로 물러섰다. 에드워드의 폭주에 슬그머니 다가왔던 롭이 비틀거리며 넘어지는 나를 잡아주었다.

"조심해, 친구."

롭이 나를 부축해 다독이며 말했다. 나는 롭의 팔을 뿌리쳤다.

해럴드 숙부는 막무가내처럼 구는 부하들을 다루는 데 능숙한 사람이었다. 상황에 주도권을 잡고 대처하려고 노력했지만 에드워드의 무례한 말투에 진절머리가 나는 모양이었다. 결국 롭이 여전히 욕지거리를 내뱉는 에드워드를 설득해 술집 밖으로 데리고 나가며 에드워드의 손에 들린 와인 병을 뺏었다. 방에 남은 나는 숙부와 이모, 조문객 모두에게 고개를 조아려야 했다. 하지만 그 누구도 이런 말도 안 되는 상황에 머무르고 싶어 하지 않은 눈치였다. 조문객들은 곧 이런 저런 핑계를 대며 자리를 파했다.

"제 아비처럼 사는군."

나는 실비아 이모가 웬디와 크리스틴에게 속삭이는 소리를 들었다. 이종사촌과 이모는 조카를 데리고 급히 놀이공원으로 떠나려는 모양새였다.

"금방 괜찮아질 게지."

해럴드 숙부는 흠잡을 데 없이 완벽한 자신의 가족에 감사하다는 듯 안도하며 중얼거렸다. 몇 분이 지나고, 에드워드와 롭, 그리고 나만 남았다. 나는 롭이 흔들리는 에드워드의 팔을 억지로 재킷에 끼워 넣는 모습을 보자마자 달려들었다.

"이런 식으로 일을 망치는 건 오늘이 정말 마지막이야, 에드워드. 엄마 집에 네가 계속 살 수 있을 거라고 착각하지 마. 내 생각보다 훨씬 멍청한 놈이었어. 난 늘 너 같은 남동생이 있다는 게 싫었어. 그리고 너도 누나가 있다는 게 얼마나 끔찍한지 곧 알게 될 거야."

엄마의 집으로 돌아와 밖에 택시를 세워놓고, 옷가지를 급하게 여행 가방에 쑤셔 넣고 계단 밑 찬장에 있는 낡은 여행 가방을 찾아 열었다. 엄마의 보석상자와 은색 디저트 포크 세트, 그리고 에드워드가 팔아 넘길 만한 모든 물건들을 그 안에 집어넣었다. 현관문을 힘껏 닫고 짐을 정원의 오솔길로 내던지며 나는 에드워드에 대한 순수한 증오로 에너지가 솟구치는 걸 느꼈다.

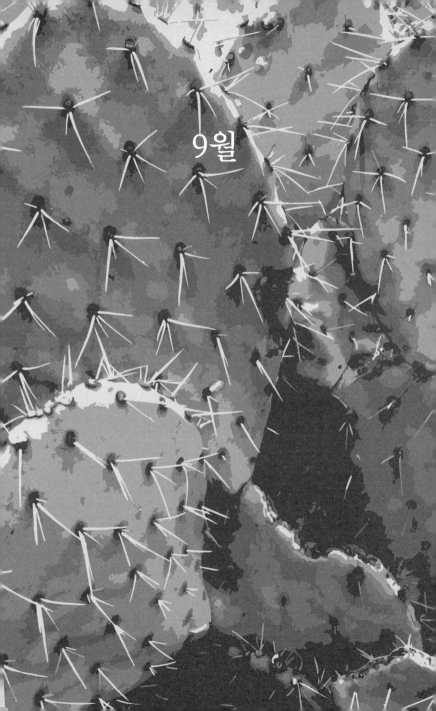

9월

5.

이번 달 첫째 주 토요일, 나는 어머니의 재산 집행인인 브링크 워스에게 보낼 이메일 초안을 작성하기로 마음먹었다. 엄마의 비참한 장례식이 있은 지 불과 며칠 지나지 않았지만 몸 상태가 나아졌던 까닭이다. 어쩌면 입덧이 좀 가라앉아서일까, 아니면 바깥 공기가 한층 시원하고 상쾌해졌기 때문일까. 아무튼 나는 최근 보다 활기찬 기운이 돌았다.

이메일을 다 쓰고 보내기 버튼을 누르려는데, 누군가 초인종을 눌렀다. 집배원이겠거니 했다. 우리 집을 방문할 사람은 극히 드물었으니까. 특히 초대받지 않은 사람은 더더욱. 현관문을 열어 소포를 받고 서명을 해줘야 하나 생각하며 문을 열었다. 그러나 여호와의 증인처럼 옷을 차려입은 리처드가 현관 앞에 서 있는 모습을 발견하고는 깜짝 놀랄 수밖에 없었다. 문을 다시 닫기도 전에, 리처드는 세련된 갈색 수제 구둣발을 현관 사이로 밀어 넣었다.

✦

　유감스럽게도 지금 내가 싸워야 할 상대는 엄마의 의심스러운 유언장과 에드워드의 불쾌한 태도만이 아니었다. 지금까지 나는 다른 문제는 직접적으로 맞부딪칠 생각이 없었다. 부끄럽다거나 부정한 짓을 해서가 아니었다. 다만 새로운 상황을 받아들이는 데 시간이 걸렸기 때문이었다. 즉, 사실을 받아들이고 곰곰이 생각도 좀 해보고, 앞으로 어떻게 헤쳐나가야 할지를 결정할 시간이 필요했다는 뜻이다. 그렇다. 나는 임신 초기였다. '마흔다섯의 나이에 독신이며 한정적인 수입으로 살아가는' 나라고 생각하겠지만, 당연히 내 상황은 내가 제일 잘 알았다. 그래서 나는 내가 선택할 수 있는 방안들을 매우 신중하게 고심하고 있었다.

　처음부터 나는 임신을 하고 싶다는 생각이 전혀 없다는 걸 분명히 밝혔다. 오래전부터 내 인생엔 남편도, 아이도 없을 거라고 결정했고 나 혼자만의 삶을 완벽하게 꾸려야겠다는 신념으로 살아왔다. 그런 이유로 리처드와의 이해관계가 아주 완벽하게 맞아떨어졌다.

　우리는 12년 전 처음 만났다. 어느 날, 나는 딱히 외롭다거나 남자친구가 필요해서 아니라 그저 지루하고 한가로운 호기심으로 누군가 지하철에 남긴 〈이브닝 스탠다드〉지의 '친구를 구합니다'라는 소식 칸을 훑어보았다. 그날 읽은 칼럼의 한 단락이 유독 기억에 남았다.

30대 중반의 결혼 생각이 없는 꽤 괜찮은 남성. 런던에 살면서 독립적이고 예술을 애호하며 식도락가인 여성을 찾습니다.

아무도 나를 보지 않는다는 걸 확인한 나는 신문에서 그 부분을 조심스럽게 오려 다이어리 사이에 넣어두고 며칠간 방치했다. 인정할 건 해야겠지. 당시 나는 내 삶에 약간 싫증이 나고 있었다. 서른두, 세 살쯤 된 나이였고 런던에 산다는 게 더 이상 흥분되지도, 미래가 기대되지도 않았다. 학교, 대학, 직장에서 만난 사람들은 모두가 결혼을 하고 부모가 되어야 한다는 목표에 미친 듯이 달려들고 있었다. '뭐 어때? 연락 한번 해본다고 내가 잃을 게 뭐가 있어?' 그때 당시 나는 그렇게 생각했었다. 누군가와 함께 극장, 갤러리, 레스토랑 따위를 드나들면 얼마나 재미있을까. 또 규칙적이고 신뢰할 만한 기준으로 남자와 친밀한 관계를 가진다는 이점도 얻을 수 있고 말이다.

아, 여기서 설명을 하나 덧붙이고 싶다. 오만하게 굴고 싶었던 게 아니라 단지 사실만 말하건대, 나를 향한 남자들의 관심은 늘 꾸준했다. 왜소한 체구에 금발 머리카락 등, 겉으로 드러나는 외모가 어느 정도의 흥미를 유발하는 모양이었다. (동료 중 하나는 내가 카일리 미노그를 닮았다고 했다. 법조계에 종사하는 카일리 미노그라고 말이다. 물론 그게 칭찬이었는지는 잘 모르겠지만.) 어쨌거나 남자들은 내가 줄 수 있는 것보다 더 많은 것들을 바랐다. 어떤 사람들은 낭만적인 사랑, 하나의 마음, 생각과 느낌의 공유 따위를 원했고 또 누군가는 숭배, 존경, 복종 따위를 원했다. 나는 그런 터무니없는

짓은 하고 싶지 않았다. 그런 이유로 신문에 실린 구애 광고에 관심을 보였던 것뿐이다. 그날 심각한 만남 따위는 하고 싶지 않은 교양 있는 남자가 여자 친구를 구한다고 광고를 올렸을 뿐이다. 마치 불륜처럼 깔끔한 관계, 하지만 나를 기다리는 남편은 없는 그런 관계 말이다.

일주일 정도 그 문제를 따져본 후 나는 광고에 실린 사서함 번호로 연락을 했다. 며칠 후, 마치 비즈니스 통화와 같은 대화를 통해 우리는 만남의 조건을 세웠다. 진지한 연애는 하지 않을 것, 감정을 쏟아붓지 않을 것, 개인의 사생활은 침해하지 말 것. 둘 사이의 합의가 이루어지고 난 후 그를 첼시 쪽에 있는 한 유명한 레스토랑에서 만났다. 예약 자체가 힘든 곳이라는 건 나중에 알았다. 리처드는 의외로 잘생기고 복잡하지 않은 사람이었다. 모든 면에서 질서정연하고 균형이 잡혀 있었다. 코는 너무 크지도, 작지도 않았다. 다갈색의 머리카락은 너무 길지도 짧지도 않았고, 체격도 너무 크거나 근육이 적지도 않았다. 나를 차분히 바라보는 눈동자도 수수한 밤색이었다. 낯빛도 좋았고 나보다 지나치게 키가 크지도 않았다. 옷 입는 스타일도 외모와 똑같았다. 깔끔하게 다린 면 셔츠에 옅은 치노 팬츠, 남색 블레이저와 앞서 말한 갈색의 수제 브로그 화. 겉치레만 하는 사람도 아니었고 흠잡을 데 없는 매너를 갖추었으며 대화도 흥미로웠다. 식사를 마치고 내 몫은 내가 내겠다고 고집을 부리자 그는 별 다른 짜증도 부리지 않았고 씩씩대지도 않았다.

리처드는 자신이 프리랜서 예술 평론가이자 칼럼니스트이며 서섹스에 살고 일주일에 하루나 이틀 정도 런던을 방문한다고 했다. 자신은 바쁘고, 돈을 많이 버는 게 중요하고 가족에 얽매이고 싶은 마음이 전혀 없다고도 알렸다. 그는 내게 매주 수요일 저녁에 만나보자고 제안했고, 그 전 일요일에 먼저 전화통화로 일정을 잡자고 했다. 나는 그에게 생각할 시간이 좀 필요하다며 곧 연락을 하겠노라 전했다. 이틀 후, 나는 그에게 전화를 걸어 우리 중 누구라도 언제든 원한다면, 관계를 정리할 수 있다는 조건을 수락한다면 만날 의향이 있다고 했다. 그다음 주 수요일, 우리는 영국 국립 오페라의 〈라 트라비아타(La Traviata)〉를 보고 꽤 근사한 그의 호텔 방으로 돌아갔다. 기대했던 것보다 훨씬 만족스러웠다.

앞서 말했듯, 이게 벌써 12년 전의 일이었다. 리처드도 나도 우리 계약이 이렇게 오래도록 지속될 거라곤 예상치 못했지만, 서로가 원하는 것들이 완벽하게 맞아떨어졌다. 리처드의 직업 덕분에 나도 그를 따라 갤러리 오픈 행사며 초연하는 공연, 비싼 레스토랑 따위를 즐길 수 있었다. 리처드는 그런 장소와 행사에 누군가와 동행한다는 사실을 즐겼다. 우리는 둘 다 서로의 독립적인 삶을 위협하지 않는 친밀한 '관계'를 맺고 있다는 것에 감사했다. 유일한 단점이 있다면 비용이었다. 나는 내 방식대로 돈을 내겠다고 주장했다. 초대권이나 리처드가 예약한 호텔 방 따위를 제외하면 말이다. 게다가 이브닝드레스나 구두, 핸드백도 필요했다. 딱히 귀찮은 건 아니었다. 그런 비용 때문에 저축은 어려웠지만 나는 데이트가 주는 혜택이 재정적인 지출을 정당화한다고 여겼다.

리처드와 나는 일찍이 서로의 배경이나 가족에 대한 질문을 하지 않기로 합의했었다. 우리가 함께 보낼 시간의 즐거움만 중요했다. 그의 깔끔하고 근사한 외모와 다정한 매너, 그리고 격식 있고 예의를 차린 말투 때문에 나는 어쩌면 그가 군인 아버지를 둔 가정에서 자란 건 아닐까 하는 인상을 받았다. 어쩌면 그도 군인이었을지 모른다. 두세 번 정도 암시를 했지만 그도 딱히 부정하진 않았다.

우리가 만나는 사이에 리처드가 다른 여자들을 만났는지는 모르겠다. 그건 내가 상관할 일이 아니라고 생각해서 따로 물어보지도 않았다. 우리가 만난다는 것 외에 리처드의 사생활은 아무것도 몰랐지만, 호텔에서 만날 때 콘돔을 쓰자고 주장한 건 리처드였다고 믿었다. 콘돔 피임법이 불안한 건 아니었지만, 결과적으로 보면 효과적이진 않았다. 어쩌면 내가 스스로 예방책을 강구해 이런 일이 일어나는 걸 두 배로 차단했어야 했을지도 모르겠다. 그러나 내가 피임약을 따로 챙겨 먹는다는 걸 그가 알면, 방심을 할지도 모른다고 생각했다. 어쨌든, 비록 그 당시에는 전혀 눈치 채지 못했지만 분명 우리는 실패했다.

내가 지금 겪는 곤경의 징후는 평범하게 다가왔다. 생리를 하지 않았고, 입안이 쓰디쓰게 말라갔으며 2주가 지나자 몸 상태가 떨어지고 메스꺼움과 함께 입덧이 시작됐다. 어느 날 점심, 회사에서 변기통 앞에 주저앉아 입안으로 손가락을 집어넣는 내 자신을 보며 나는 내가 임신을 했다는 걸 의심하지 않을 수 없었다. 그날 늦게 테스트기를 쓰자마자 의심은 확신이 되었다. 임신테스트기를 눈앞에 내려놓고 나는 덜덜 떨리는 손으로 핸드폰을 집어 들어 리처드에게 관계를 정리하겠다는 문자를 보냈다. 그는 곧바로 답장을 보내왔다. 그리고 우리는 다음과 같은 메시지를 주고받았다.

리처드: 너무 뜬금없는 일이군, 수잔. 다음 주 수요일에 만나 의논하는 게 좋겠어. 콘서트 전에 간단히 술을 한잔하는 건 어때?

나: 의논할 것도 없어. 처음부터 우리 중 한 사람이라도 원하면 언제든 정리하자고 했었잖아. 내 뜻은 그래.

리처드: 그게 벌써 몇 년 전인데. 나한테 설명은 해줘야지.

나: 그건 우리가 합의한 내용이 아니잖아.

리처드: 다음 주 수요일에 만나서 이야기를 좀 해. 당신이 불행한 줄은 꿈에도 몰랐어.

나: 난 불행하지 않아. 지난 12년간 고마웠고 즐거웠어. 앞으로 잘 지내.

그 후로 핸드폰이 여섯 번 정도 울렸지만 나는 곧장 음성메시지로 넘겼다. 결국 또다시 문자를 주고받아야 했다.

나: 제발 전화 좀 그만해. 더 이상 우리 사이에 무슨 대화가 필요해.

리처드: 알았어. 하지만 당신 마음이 바뀐다고 내가 여전히 기다릴 거란 기대는 하지 마.

나는 아이를 원하지도 않았고 낙태에 대한 도덕적, 윤리적 압박감도 없었다. 그래서 리처드와의 관계를 정리하기도 쉬웠다. 물론 그에겐 말하지 않고 임신중절술을 받고 입덧은 위장병이라고 속일 수도 있었다. 하지만 솔직히 말해 난 그에게 화가 났다. 리처드가 내게 이런 짓을 저질렀다. 내가 이렇게 불명예스러운 상황에 놓이게 된 건 다 그와의 관계 때문이었다. 생물학적으로 봐도, 남자는 아무것도 책임질 필요가 없다. 게다가 난 우리가 계획하지 않은 임신 때문에 사회가 만들어놓은 진부한 역할에 빠질 가능성 따위를 회피하고 싶었다. 가난하고 연약한 여자와 차갑고 경멸하는 애인 같은 것들. 그런 장면은 쉽게 상상할 수 있었다. 나는 리처드에게 임신 사실을 털어놓고 그는 내가 고의적으로 이런 일을 벌였다고 생각하겠지. 내가 아이를 빌미로 우리 관계를 이어나가거나 아이를 원했다고 여길 수도 있다. 그럼 나는 그에게 절대 내가 원해서 일어난 일이 아니라고 설득하겠지. 그는 남자답게 수술 비용을 지불하고 나와 함께 산부인과에 가겠다고 말할 테다. 그의 잘난 체와 연민을 지켜보느니 차라리 깨끗하고 신속하게 끝내는 게 나았다.

　수요일 저녁 일정을 포기하는 대가로 리처드를 완벽히 차단했다고 여겼는데 완전히 끝난 건 아니었던 모양이다.

✦

　"리처드. 이건 폭력이야." 나는 내 집 문 앞에 버티고 서 있는 그에게 단호하게 말했다. "발 치우고 가."

"할 말이 있어. 들어줄 때까진 못 가겠어. 잠깐 들어가서 이야기 좀 해."

어쩌면 빨리 이 일을 마무리 짓는 게 나을 것 같아 결국 내가 포기했다. 나는 옆으로 비켜서서 그를 집 안으로 들였다.

"뭔데?" 그가 거실에 들어서자마자 내가 물었다.

"수잔. 우리가 함께 보내는 시간은 내게 무척 소중했어." 그가 입을 뗐다. "당신 문자를 보자마자 수요일 저녁이 내 삶에 어떤 의미인지를 알았어. 당신이 왜 그런 문자를 보냈는지도 이해해. 당신은 지금보다 더 많은 걸 원하겠지. 물론 우리 둘 다 나이가 있으니 영원히 혼자 늙어 죽을 거란 건 아니겠지만 말이야. 지금보다 진지한 관계가 될 거란 생각은 못 했지만 어쨌든 당신과 함께한 시간을 잃을 수는 없어. 수잔. 그러니까 지금 이 집을 팔고 런던 중심가 쪽에 집을 얻는 건 어때. 우리가 좋아하는 곳들과 가까운 쪽으로 말이야. 수요일과 목요일 밤엔 당신과 함께 보내고 나머지는 서섹스에 있을게. 이렇게 조금 더 진지한 만남을 가져보는 게 어때."

리처드의 안색에 불안감이 사라지고 따스한 미소가 피어올랐다. 우리는 촛불이나 아늑한 침실 조명 아래에서, 공연장이나 술집의 어두운 조명 아래에서만 서로의 얼굴을 마주했었다. 토요일 아침 11시, 내 집 소파에 앉아 있는 그의 모습은 마치 현대미술 갤러리에 걸려 있는 오래된 명화처럼 어색해 보였다. 그는 자신의 삶을 자신에게 꼭 맞는 방식으로 정리하는 데 아주 익숙한 사람이었고, 때로 필요하다면 자신의 매너와 잘생긴 외모를 이용해 사람들을 꼬드겼다. 내가 곧 넘어올 게 분명하다는 자신감 넘치는 태도였다. 나는 그의 잘못된 확신에 조소를 터트렸다. 리처드에 대한 나의 분노는 서서히 녹았다. 나는 곧 다가올 장면이 내가 두려워했던 상상처럼 이어지지는 않으리란 생각이 들었다. 카드는 내가 쥐고 있었다. 내가 비록 임신은 했어도 연약한 사람은 아니었다.

"음, 리처드." 내가 대화를 이어나갔다. "당신 생각 참 괜찮네. 정원이 딸린 집이 좋겠지. 곧 태어날 아이를 위해서도 말이야. 적당한 크기였으면 좋겠네. 아기용 침대도 봐야 하고, 또 앞으로 필요한 물건들도 다 쟁여놔야 할 테니까. 런던 시내에 정원이 딸린 집은 요즘 얼마쯤 하려나? 물론 직장은 그만둬야 하겠지만 대출을 갚으며 나와 아이를 키우는 게 더 행복할 거라 확신해. 더 이상 저녁 데이트는 힘들겠지. 왜냐하면 런던의 베이비시터 비용은 천문학적으로 높으니까. 하지만 걱정 마. 집에서 텔레비전 앞에 앉아 음식을 시켜 먹어도 되니까. 그렇게 적어도 일주일에 두 번은 보자. 그게 중요한 거 맞지?"

정말 장관이었다. 내가 말을 이어나가는 내내, 그의 눈썹이 한껏 치켜 올라갔다. 입술 한쪽 귀퉁이도 파르르 떨렸다. 시원한 대낮에도 그의 이마엔 땀이 송골송골 맺혔고 빛나던 안색은 누렇게 떴다.

"뭐, 임신이라도 했다는 소리야?"

그가 간신히 목소리를 쥐어짰다.

"응. 괜찮으면 내가 처리해야 할 이메일이 좀 있어서. 배웅해줄게."

아무 말도 못하고 리처드는 내 뒤를 졸졸 따라 복도를 지나왔다. 나는 현관문을 열고 그가 나갈 수 있게 몸을 틀었다. 그는 내게 무슨 말이라도 하려는 듯 돌아섰지만 이내 마음을 고쳐먹은 듯 현관을 나섰다가 곧 고개를 돌렸다.

"그러니까…… 혹시 낳겠다는 건……?"

"잘 가, 리처드."

나는 인사를 하고 굳게 문을 닫았다.

그리고 나를 잘 아는 사람들이라면 응당 그랬을 정도로, 나 역시 놀랐다. 낳아야겠다는 생각이 들었다. 내가 이 아이를 원했다.

6.

버밍엄을 또다시 방문했다. 하지만 이번은 지난번과는 매우 달랐다. 불과 얼마 전까지만 해도 나는 입덧에 시달렸고, 부모님의 죽음에 따른 불가피한 영향으로 몸과 마음이 꽤 쇠약했다고 생각하니 기분이 이상했다. 내 몸 상태는 거의 정상으로 돌아왔다. 감정적으로도 기분이 꽤 좋았다. 리처드를 상대하고 임신에 대한 결정을 내렸기 때문에 나는 내 책임에 대한 확신을 가질 수 있었다. '브링크위스 & 베이츠' 사무실 접견실에 앉아, 나는 화를 내며 싸울 준비를 끝냈다.

어떤 사람들은 내가 상대하기 까다로운 여자라고 생각한다는 걸 알고 있었지만 에드워드를 제외한다면 나는 누구에게도 무례하게 굴지 않는다는 것 역시 잘 알 테다. 나는 내가 가진 나이스함에 자부심을 느낀다. 대중교통을 타면 노인에게 자리를 양보하며 종종 나보다 젊고 건강한 사람들에게 수치심을 느끼게 한다. 선물을 받으면 꼭 감사 편지를 보낼 만큼 세심하다. 비록 선물이 마음에 들지 않는다고 해도 말이다. 사람들이 잘못된 방향으로 줄을

서 있어도 절대 새치기를 하지 않는다. 내가 허튼짓을 하고 돌아다니지 않는다는 걸 믿지 않을 순 있다. 하지만 애매한 태도는 오해와 당혹감만 낳는다. 최악의 경우 상대에게 허점을 드러낼 수도 있다. 브링크워스에게는 최대한 끈질기게 물고 늘어져야 한다는 것쯤은 알 수 있었다.

나는 에드워드가 얼마나 관여했는지를 확인하기 위해 엄마의 유언장을 둘러싼 일련의 상황에 대한 자세한 정보를 요구하며 변호사에게 이메일을 보냈지만, 그는 메일을 잘 받았다는 인사는 커녕, 덜렁 상황을 설명하는 건조한 회신을 보내왔다. 그러나 이번 일을 통해 나는 임시방편으로나마 그 땅을 처분하거나 처리하는 데 필요한 검인 증서(유언장에 따라 재산 처리를 집행자에게 위임하는 증서-역주)의 효력 정지 신청을 법원에 제출할 수 있음을 알게 되었다. 물론 이렇게 가처분을 신청하면 에드워드뿐 아니라 나까지도 불편해지겠지만 고정 수입이 없는 동생과 나 사이에 누가 더 오래 버틸 수 있을지는 안 봐도 뻔했다.

내 경력과 전문지식을 고려할 때, 회사에서 내 방이 따로 없다는 건 끊임없는 좌절을 안겼다. 내가 근무하는 부서에서는 관리 책임을 가진 사람만이 혜택을 받았다. 그러나 이상하게도 내가 관리직에 도전할 때마다 나는 누락을 맛봤다. 회사는 내 경력이나 능력에 맞는 직책이 아니라고만 했다. 조직에 나처럼 복잡한 자료를 분석하는 양심적인 사람이 아무도 없다는 걸 인정할 생각이 없어 보였다. 결과적으로 나 혼자 쓰는 방이 없다는 건 결국 내가 개인적인 전화를 할 때마다 모두들 내가 하는 말을 다 들을 수 있다는 걸 뜻했다. 내가 브링크워스에게 전화를 걸어 회신을 독촉할 때마다, 나는 핸드폰을 들고 화장실로 가는 척하며 복도를 서성여야 했다. 중요한 대화를 하기엔 매우 적절치 않은 환경이었다.

마침내 변호사는 전화를 받았다.

"그린 양." 그가 말했다. "이번 건의 제 의뢰인이 그린 양이 아니라는 사실을 받아들이셔야 할 것 같습니다. 저는 동생 분의 변호사도 아닙니다. 설명해드리죠. 저는 어머님의 뜻에 따라 어머님의 재산만 처리합니다. 그린 양과 긴 전화 통화나 이메일을 왕래하는 건 집행인으로서 하지 말아야 할 의무일 뿐 아니라 불필요한 비용만 초래하는 겁니다."

브링크워스 변호사는 마치 내가 그의 말을 이해하기 어려워한다는 냥, 의도적으로 천천히 곱씹으며 말을 했고 대화 끝에 군이 친절함을 섞지 않으려고 노력한다는 인상도 받았다. 그런 유형을 나는 잘 안다. 브링크워스는 분명 소규모의 공립학교에서 교육을 받았고, 과한 등록금을 내며 받은 2류 교육으로 사람들과는 차별화된 직업을 얻어 성공했다고 굳게 믿는 타입이다. 자신의 삶에선 절대 얻을 수 없는 존경과 존엄을 변호사라는 직업을 통해 얻으려 하며, 자신의 사무실을 개업하고 자신만의 왕국을 건설했다고 믿는 것이다. 나는 그가 자신의 비서들을 하인처럼 부리며 비실비실한 여성 고객만 좋아한다는 데 모든 걸 걸 수 있었다.

"글쎄요. 브링크워스 씨도 아셔야 할 게 있네요." 내가 덧붙였다. "이번 일은 결코 그냥 넘어가지 않을 거예요. 전 제 동생이 엄마의 재산을 손에 넣기 위해 이 모든 것을 계획했다는 강한 의심을 갖고 있습니다. 그리고 적어도 당신 역시 엄마의 진정한 소망은 반영하지 않은 유언장에 공증을 하신 것에 대한 책임감을 갖고 계시겠죠."

"이런 식으로 행동하시면 그 어떤 결과도 얻을 수가 없어요. 부동산에 대한 가처분 신청은 잘못된 겁니다. 합의를 위해 한번 만나시죠. 투명성을 위해 동생 분도 동석을 하셔야 합니다. 그린 양이 이해하실 수 있도록 문제들을 분명히 처리한 후에 법원에 요청하신 부분을 취소하시고 나머지 재산 처리도 원활히 진행할 수 있도록 도와주시리라 믿습니다."

나는 그 문제를 직접 처리할 수 있으리란 생각에 기분이 좋아졌다. 그리고 곧 필요한 준비도 시작할 수 있었다.

✦

어느덧 2시 15분이었다. 브링크워스와의 만남은 2시로 예정되어 있었다. 그날 아침 지하철과 기차를 갈아타고 160킬로미터가량을 달려왔음에도 나는 약속시간 정각에 변호사 사무실에 도착했다. 그러나 에드워드는 거리 몇 개를 지나 택시를 타고 5분이면 도착할 수 있는데도 조금의 노력도 기울이지 않았다. 접수 담당자에게 문의하자 동생이 오지 않으면 미팅을 진행할 수 없다는 말을 들었다. 그놈이라면 어젯밤에 마신 술에 절어 있거나 오늘 약속을 까먹은 게 분명했다. 에드워드는 엄마의 장례식 이후로 본 적이 없었고 굳이 만나고 싶지도 않았다. 하지만 에드워드가 없으면 미팅 자체를 할 수 없었다. 나는 엄마 집에 전화를 걸어보았지만 전화 벨 소리가 몇 번 울리자마자 자동응답기로 넘어갔다. 음성메시지에는 엄마의 정중한 목소리가 아니라 소란스러운 웃음소리가 희미하게 깔린 채 에드워드의 익살스러운 농담이 들렸다. 동생 목소리를 들으니 구역질이 치밀었다. 나는 당장 변호사 사무실로 달려오라는 메시지를 남겼다.

브링크워스와의 미팅 전, 나는 임신과 관련한 것들에 일부러 관심을 두지 않았다. 꼭 필요한 때 외에는 의학적인 조언도 구하지 않았다. 나는 내가 가진 어떤 사소한 질병이라도 스스로 찾고 치료하는 걸 선호했다. 따라서 20대 후반 언젠가 병원을 찾았을 때를 제외하면 나는 굳이 지역 병원을 방문할 이유도 없었고 심지어 병원이 어디 있는지조차 몰랐다. 그러나 지금 상황에서는 병원에 들러야 할 필요성이 있었으므로 치과 예약을 구실로 삼아 일찍 퇴근을 했다.

산부인과는 낡은 초록색 카펫과 옅은 노란 벽, 밤색의 광택 페인트를 칠한 전쟁 전의 건물을 개조한 곳이었다. 확실히 바닥에 카펫을 까는 건 위생상으로도 좋지 않았다. 병원장에게 문제를 제기해도 좋을 곳이었다.

의사는 학생이라고 봐도 무방할 정도로 젊고 너무 안절부절못해서 혹시 실제로 환자를 본 적이 있는지 궁금할 정도였다. 진료 내내 그는 손등의 살갗을 벗겨내며 내 눈을 보지 못하고 왼쪽 어깨 너머 어딘가를 응시했다. 내가 임신을 했다고 말하자, 그는 눈썹을 치켜세우며 컴퓨터 화면에 띄운 내 세부 사항을 들여다보았다. 세부사항이라고 해봤자 내 이름과 생년월일 외에는 거의 적힌 게 없었다. 아마 의사는 내가 아이를 낳기보다는 폐경을 상담하는 게 적절하지 않을까 생각했던 모양이다. 의사는 내 개인적인 상황에 대한 정보를 끌어내려 애썼고, 결국 필요한 수속을 끝냈다. 일단 내 진료가 얼추 마무리되는 것 같아, 나는 고인의 가족이 고인의 의료 기록을 열람할 수 있는 권리에 대한 몇 가지 질문을 던졌다. 의사는 어렸지만 유용한 정보를 많이 알고 있었다. 요즘 의과대학은 환자를 대하는 태도보다 서류 작업에 더 열중하는 모양이다.

나는 임신과 출산에 대한 팸플릿을 한가득 안고 병원을 나섰고 오후 늦게 집으로 돌아와 대충 훑어보았다. 팸플릿은 만족한 미소를 지으며 두 손을 배로 가리는 임산부나 품에 안긴 귀중한 보자기를 자랑스럽게 내려다보며 웃고 있는 엄마들의 사진으로 가득했다. 종종 배우자의 어깨에 손을 얹은 채 배경에 숨어 있는 남자들의 사진도 있었다. 나는 본능적인 사육자와 나 사이의 어떤 연결고리가 있을까 싶어 퍽 당황스러웠다. 마치 믿을 수 없는 커버스토리를 가진 근본주의자 집단에 잠입한 스파이가 된 것처럼 느껴졌다.

팸플릿은 앞으로 몇 달 동안 무슨 일이 벌어질지, 내 몸뿐만 아니라 내 안에 자라나는 생명체의 현실을 일깨워주었다. 메스꺼움은 며칠 안에 완전히 가라앉을 예정이었다. 하지만 몇 가지 부정적인 면도 있었다. 내 또래 치곤 날씬한 배가 그렇게 우렁차게 불러오리란 상상은 할 수도 없었다. 수수하고 적당한 가슴이 모유를 생산하기 위해 거대하게 부풀 거란 상상도 어려웠다. 출산 과정에 수반되는 신체적인 교란도 그랬다. 나는 거실로 가서 내 블라우스와 슬립 사이에 쿠션을 밀어 넣고 소파 앞 거울에 내 몸을 비추어 보았다. 그리고 옆으로 돌아서서 쿠션 밑으로 손깍지를 껴서 임산부처럼 인자한 미소를 지어 보였다. 정말이지 어울리지 않는 모습이었다. 확실히 나와는 어울리지 않았다.

나는 쿠션을 빼 소파에 던져버리고는 부엌으로 돌아와 다시 팸플릿을 살펴보았다. '아기'라고 일컬어지는 태아가 약 8센티미터에 28그램 정도라는 걸 알고는 놀랐다. 나는 엄마의 죽음으로 인한 여파와 요란한 입덧으로 내 안에서 자라는 것이 단순히 세포 덩어리를 넘어섰다는 사실을 받아들이기 힘들었다. 실제 사람처럼 생각하진 않았지만 그럼에도 팸플릿을 읽고 나니 예전과는 달리 본능적인 무언가를 일깨울 수 있었다. 지금 내가 다루고 있는 건 단순히 추상적인 문제가 아니었다. 출산 예정일은 내년 3월쯤이 될 거라고 의사는 말했다. 그때쯤이면 나는 살과 피를 가진 아기를 데리고 병원에서 퇴원할 것이었다. 그건 너무 우스울 정도로 비현실적이었다. 나는 쟁반 위에 전단지를 쓸어 모으고 팸플릿을 합쳐 쓰레기통에 쑤셔 넣었다.

그날 오후 병원의 상급 의사에게 내 진료를 맡은 인턴에 대한 몇 가지 조언을 담은 이메일을 쓰고 있었다. 그때 누군가 현관문을 두드렸다. 이번엔 리처드를 확실히 물리치지 못할까 봐 현관 옆 창으로 밖을 먼저 내다보았다. 문을 두드린 건 유일한 이웃이자 윗집에 사는 케이트였다. 또 열쇠 없이 외출을 했던 게 분명했다. 이런 일을 대비해 열쇠를 맡아주면서도 썩 내키진 않았다. 케이트와 남편 알렉스가 5년 전 윗집으로 이사를 왔을 때만 해도 그녀는 젊고 잘 가꾼 전문직 여성이었다. 아마 런던 시내의 큰 회사의 인사과나 커뮤니케이션 계통 쪽에 일을 했다고 들었던 것 같다. 그녀와 알렉스 둘 다 늘 일에 빠져 살았고 실제로도 이웃들을 거의 마주치거나 소음을 들은 적도 없었다. 케이트는 이제 두 살과 갓 태어난 아이의 엄마로 살고 있었다. 알렉스는 여전히 일중독이었다. 아마 가족들에게도 나와 마찬가지로 낯선 사람이 된 게 틀림없어 보였다.

"아, 다행이다. 수잔이 집에 있네."

그녀가 제 엄마의 다리춤을 붙잡고 있는 빨간 머리의 아이에게 말했다.

"수잔이 이렇게 빨리 집에 올 줄 몰랐지? 우리가 무슨 짓을 했는지 아마 짐작도 못 할 거야, 그렇지?"

"열쇠 갖다 드릴게요." 내가 말했다.

태어난 지 몇 주 안 된 아기는 팔에 건 휴대용 카시트에 안겨 깊이 잠들어 있었다. 케이트는 행복이 아닌 순수한 의지력의 산물처럼 얼굴에 뻔뻔스러운 미소를 짓고 있었다. 한때는 14세기의 '라파엘 전파(pre-Raphaelite)' 속 그림에 나오는 여인처럼 풍만했던 머릿결이 이제는 흐늘흐늘한 미역처럼 흐느적거리고 있었다. 어쩌면 과학적인 연구를 수행할 수 있는 좋은 기회란 생각이 들어, 나는 케이트에게 잠깐 들어와 차를 마시겠냐고 물었다. 케이트는 머뭇거렸다. 왜냐하면 우리가 이웃이 된 긴 세월 동안 서로의 문턱을 넘어본 적이 없었기 때문이다. 잠시 후, 그녀는 미소를 되찾고 딸에게 눈길을 돌렸다.

"에이바, 우리 수잔 이모네 집에 들러서 차 한잔할까? 그럴까?"

놀랍게도 아이는 공포에 질려 뒤로 물러서기는커녕 미소를 지으며 고개를 끄덕였다. 나는 일가족을 이끌고 부엌으로 가서 차를 우리며 오렌지 주스를 한 잔 따랐다. 평온한 가을 오후였고, 프랑스식 창문은 나의 작은 뜰을 향해 열려 있었다. 고양이 윈스턴은 뒷벽에 늘어져 하루의 마지막 온기를 흠뻑 즐기고 있었다. 아이는 정원을 돌아다니고 있었다.

"수잔 이모는 정원이 딸린 집에 사네. 정말 좋겠네, 그렇지 에이바?"

케이트가 딸을 부르며 부엌 의자 중 하나에 털썩 주저앉아 카시트를 바닥에 내려놓았다. 케이트는 과장된 웃음을 지어 보이며 아기를 바라보았고, 아기는 "마마, 바바" 따위를 웅얼거렸다.

"집을 구할 때 정원을 고려했어야 했어요." 케이트가 아기를 바라보며 입을 열었다. "하지만 그땐 애를 둘이나 낳을 줄은 몰랐지. 그렇지? 엄마 아빠가 정원 딸린 집을 살 수 있던 형편도 아니고, 그렇지?"

아기가 칭얼거리기 시작하자 케이트는 카시트에서 아기를 안아 리드미컬하게 달랬다. 옅은 청색 우주복을 입고 있길래 자연스럽게 아들이겠구나, 생각했다.

"이름이 뭐예요?"

나는 그런 종류의 질문을 부모라면 기대하겠구나 싶어서 물어보았다.

"노아라고 해요. 정말 천사 같아요, 그렇지?" 케이트가 다시 스르르 감기는 아기의 두 눈을 바라보며 대답했다. "물론 새벽 3시에 일어나서 징징거리며 엄마 잠을 다 깨울 때만 빼고 말이야."

나는 그녀의 말을 들으며 몇 가지 탐구적인 질문을 더 이어나갈 수 있겠구나 생각했다.

"엄마가 된 기분은 어때요? 기쁜가요? 아니면 끔찍한 실수 같나요?"

"너무 좋아요. 그렇지? 항상 피곤하고 돈 모으기도 힘들지만. 노아와 에이바가 없는 세상은 상상도 못 하겠어요. 응, 그렇고말고."

지금이 아니면 다시는 없을 기회였다. 나는 숨을 깊이 삼키고 온몸의 근육을 푼 다음 용기를 잃기 전에 얼른 입을 열었다.

"제가 한번 안아봐도 될까요?"

마치 내가 래프팅을 해도 되겠냐고 물어본 사람처럼, 케이트의 당황한 표정이 얼굴을 스치고 지나갔다. 본능적으로 그녀는 아기를 가슴 가까이로 끌어안았다. 하지만 내 부탁을 거절할 적당한 핑계가 없다는 것도 알았다.

"수잔 이모한테 한번 안겨볼까?"

그녀는 마지못해 아기를 건네주며 말했다. 나는 케이트처럼 팔꿈치의 굽은 부분에 머리를 대고 수평으로 편 팔에 아기를 올렸다. 내가 예상했던 것보다 아기는 훨씬 무거웠다. 나는 순진하게도 아기가 핸드백 정도의 무게일 거라 지레짐작했지만 핸드백보다는 오히려 서류가방에 가까웠다. 아기는 부드럽고 끈적끈적했으며 깨끗한 섬유유연제와 따뜻한 우유 냄새, 그리고 옅은 오줌 냄새 같은 비린내도 났다. 의심할 여지없이 아기는 내 어색함을 느꼈다. 장밋빛 볼이 금세 일그러졌다. 나는 케이트가 했던 것처럼 아이를 달래보려 했지만 내 몸짓이 너무 거칠고 평온하지 않아서 그런지, 아기는 곧바로 울음을 터트렸다.

"오, 엄마한테 와. 아가. 피곤하고 배고파? 밥 먹을까, 우리?"

그러자마자 당황스러운 일이 일어났다. 케이트의 상의는 분명 무언가를 감춘 것처럼 틈이 있었다. 회전 책장에 가려진 낡은 저택의 비밀 문처럼. 어느 순간 그녀는 완벽하게 정상적인 모습으로 테이블에 앉아 윗도리를 들어 올리고 버튼을 풀어 헤치더니 왼쪽 가슴을 훌쩍 드러냈다. 분명 나는 지나치게 얌전을 떨거나 쉽게 충격을 받는 스타일은 아니다. 여자의 몸은 다 엇비슷하니까. 하지만 내 이웃이 내 집 부엌에서 가슴을 보여주리라는 생각은 추호도 해본 적이 없었다. 안타깝지만 그 자리에서 나는 오후 5시 전에 중요한 전화가 올 거라고 신호를 보내고 말았다. 케이트는 다시 한 번 마법을 부려 옷을 매만졌다. 하지만 아기는 식량이 끊기자 썩 만족해하지 않는 눈치였다.

"에이바, 이제 그만 가자. 수잔 이모가 할 일이 있대." 케이트가 프랑스식 창문 너머로 딸을 불렀다. 갓난아기를 카시트에 태우며 "정말 즐거운 시간이었어, 그렇지? 어른들끼리 대화를 하는 것만으로도 엄마는 기분전환이 돼, 응? 조만간 또 이런 시간을 가졌으면 좋겠네, 그렇지?" 하고 말했다.

케이트와의 만남은 지금까지 발견하지 못했던 모성적인 모습을 이끌어 내거나 아니면 엄마로 사는 삶도 괜찮다는 설득과는 거리가 멀었다. 하지만 지금까지의 경험으로 미루어볼 때, 아무리 예상치 못한 상황이라고 해도 그게 무엇이든 내게 더 유리하리란 생각이 들었다. 비록 케이트가 엄마로 사는 삶의 스트레스와 부담으로 한없이 가라앉고 있을지 모르지만, 그렇다고 내가 똑같은 모습으로 살아야 할 이유는 없었다. 한 가지 예로, 나는 돌봐야 할 남편이 없다. 내가 관찰한 바에 따르면 남편은 곧 아이를 돌보는 것만큼이나 손이 많이 간다. (아빠나 남동생만 봐도 그랬다.) 게다가 아기는 내 유전자를 물려받을 테니까 아이도 나만큼 행동이 합리적이고 온순하리란 예상이 들었다. 마지막으로 나는 직장을 그만둘 생각이 없었다. 갓난아기도 맡길 수 있는 좋은 어린이집이 분명 어딘가엔 있을 테다. 아침에 출근하며 아기를 맡기고 저녁에 찾아오기만 하면 나머지는 어린이집에서 해줄 게 분명했다. 자연히 비용은 많이 들겠지만 그런 이유로 무조건 앞으로 몇 달 안에 재산 상속을 확보해야 했다.

◆

시계를 다시 한 번 확인했다. 벌써 2시 45분을 지나고 있었다. 인터폰을 받은 안내원은 내게 에드워드가 5분 이내에 나타나지 않으면 브링크워스와의 미팅을 취소하고 일정을 변경해야 한다고 말했다. 반대 의견을 피력하려던 찰나 문이 열리며 에드워드가 모습을 드러냈다. 그의 뒤로 롭의 모습이 보여 살짝 놀랐다.

"수즈, 누나. 잘 지냈어? 권투 글러브는 챙겨 왔고?"

"늦었잖아. 대체 어디 있었어?"

"오늘 굳이 만나야 할 이유를 모르겠더라고. 유언장에 뭐라고 쓰여 있는지는 다 알잖아. 근데 끌려왔지. 평화를 유지하는 게 좋다고 여기 구닥다리 롭이 말하더라고. 롭은 늘 세상에 긍정적인 영향을 주려고 노력하거든."

에드워드가 싸구려 소파에 털썩 주저앉더니 그대로 담뱃잎을 종이에 말기 시작했다.

"에드 그린입니다. 대표님을 뵈러 왔습니다." 에드워드가 접수대 너머 안내원에게 말했다. "걱정 마. 이따가 피려고 만든 거니까." 그가 담배를 다 말더니 귓바퀴에 찔러 넣으며 말했다.

"수잔, 안녕하세요." 문 앞을 어슬렁거리던 롭이 말했다. "오늘은 두 사람이 문제를 잘 해결했으면 좋겠네요."

롭은 마치 우리가 친한 사이인 것처럼 미소를 지었다. 어림도 없는 소리였다. 그의 모습은 진흙으로 뒤덮인 부츠에 더러운 전투복 바지, 노동자들이나 입을 것 같은 낡은 점퍼 차림이었다. 굳이 육체노동을 한다고 해서 저런 옷차림일 필요는 없다고 생각했다. 이런 차림이 자신을 굳건하고 믿음직스럽게 드러낸다고 믿는 모양새 같았지만 글쎄, 별로 그렇게 보이진 않았다.

"당신도 미팅에 들어오는 건 아닐 거라 믿고 싶네요." 나는 롭에게 말했다. "이건 어디까지나 가족 일이에요."

"농담이시죠? 제 상태를 좀 봐요. 게다가 전 지금 너무 피곤해요. 아침 7시부터 진흙탕에 빠졌거든요. 양로원을 짓는 기초공사를 하다가 왔어요. 미팅 끝나고 역까지 태워다 드려야 하면 연락주세요. 5분 거리에 있을 테니까."

롭은 내가 앉아 있는 쪽으로 다가와 옷에 달린 수많은 주머니 중 하나를 뒤적거려 명함을 꺼냈다.

로버트 리스 조경 전문 학사
정원 설계 및 조경 서비스
계획부터 공사까지

나는 명함을 훑어보고 다시 내밀었다.

"고맙지만 그럴 필요는 없을 것 같네요. 콜택시 번호도 이미 알고 있으니까."

"로버트. 누나한테 너무 잘해줄 필요 없어. 누나라면 너 정도는 쉽게 녹다운 시킬걸."

그때 안내원의 인터폰이 울었다.

"그린 양, 그린 씨?" 그녀가 말했다. "브링크워스 씨가 기다리고 계십니다."

7.

안내원은 우리를 천장이 낮고 창문이 없는 복도로 안내했다. 바닥부터 무릎 높이까지는 고무줄로 묶인 누런색의 파일이 줄지어 쌓여 있었다. '증거물', '진술서', '증거품' 등등과 같은 단어로 표시된 검은색 철제 파일들, 그리고 노란색 종이뭉치는 분홍색 끈으로 묶여 있었다. 법에 대한 전문 지식으로 무장했다고 주장하는 회사치고는 복도에 아무렇게나 쌓아놓은 파일들이 얼마나 고객에게 무관심한지를 잘 드러내고 있었다.

복도 끝에 있는 문 너머로 나는 마호가니 책상에 앉아 있는 포근한 인상의 붉은 안색을 가진 한 남자를 보았다. 책상 위로 쌓인 폴더와 파일, 서류 뭉치 때문에 얼굴은 거의 보이지 않았다. 이 거만한 외모의 남자가 틀림없이 브링크워스였다. 우리가 다가오는 소리를 들은 변호사는 과시하듯 훑어보고 있던 서류에서 눈을 들고 반달모양 안경을 슬쩍 고쳐 썼다. 만약 이런 행동으로 사법적 권위를 과시하고 싶었던 거라면 정말 사람을 잘못 봤다. 나는 저런 유형의 사람을 다루는 데 꽤나 익숙하다. 그리고 저런 사람들의 콧대를 어떻게 꺾어야 하는지도 아주 잘 안다. 우리가 사무실로 들어서자, 그가 일어나서 손을 내밀었다. 에드워드에게 먼저, 그리고 나를 향해서.

"아, 그린 씨. 드디어 뵙는 군요. 오늘 미팅이 제대로 열릴지 궁금하던 참입니다. 앉으세요."

브링크위스는 쿠션이 푹 꺼진 의자 두 개를 향해 손짓했다. 두 의자 모두 변호사가 앉는 의자보다 한 치는 낮았다. 변호사가 커다란 통창을 등지고 앉은 바람에 나는 잔뜩 눈살을 찌푸렸다. 그런 명백한 전략들을 써도 결코 나를 불안하게 만들 순 없었다. 에드워드는 평소처럼 팔짱을 끼고 반항적인 표정을 지으며 내 옆 의자에 털썩 주저앉았다.

방 옆쪽 책장에는 먼지가 뿌옇게 쌓이고 갈색으로 얼룩진《할스베리의 영국법》, 잿빛의《할스베리의 법령》그리고 청색의《영국 판례 주석서》등이 꽂혀 있었다. 아마 한 번에 잔뜩 사놓고 지금껏 열어본 적도 없을 터였다. 가장 먼 구석 쪽에 자리 잡은 작고 빽빽한 책상엔 여드름 흉터와 비듬이 가득한 젊은 청년이 앉아 있었다. 브링크위스는 시원찮다는 손사래와 함께 수습 변호사 대니얼이라고 소개해주었다. 젊은이는 우리의 미팅을 전부 수기하면서도 자신의 소개에는 얼굴을 붉혔다. 그러고는 변호사들이 쓰는 파란색 노트의 표지만 멀뚱멀뚱 매만졌다.

"좋아요, 브링크위스 씨. 엄마가 어떻게 이 유언장을 작성하게 되셨는지부터 여쭤봐야겠네요. 엄마의 뜻을 전부 반영했다고 보긴 어려워서요."

내가 말문을 열었다.

"성급하시네요, 그린 양. 우선은 유언장부터 확인하고 그다음에 하나씩 이야기해봅시다."

브링크워스는 책상 위의 파일을 뒤적거리며 필요한 집중력을 발휘하지 못했다. 허겁지겁 뛰어온 대니얼의 도움으로 그는 마침내 가장 멀리 떨어진 서류더미 바닥에서 얇은 파일을 꺼냈다. 그 바람에 서류 무덤이 와르르 무너질 뻔했다.

"아, 그렇죠. 고인이 된 패트리샤 그린 부인. 주택, 예금 계좌, 주택 융자에 수령인은 두 분이시고. 간단하네요. 여기 유언장 사본 한 부씩 받으시고 정확한 조건을 확인해보시죠."

변호사는 전쟁통 같은 책상 너머로 문서 2부를 각각 전해주었다. 내 몫의 사본이 눈앞에 드러났다.

"계좌에 약간의 예금이 남아 있네요. 중형급 세단 한 대 정도는 충분히 뽑으실 수 있을 만큼이에요. 견해 차이를 합의하시면 수표는 바로 보내드릴 수 있습니다."

브링크워스가 내 앞으로 내놓은 가상의 중형차 따위는 알고 싶지도 않았다. 런던에 살면서 굳이 운전을 배우거나 차를 살 필요성을 느낀 적은 없었으니까. 고통을 즐기는 마조키스트들이나 금속 갑옷을 입고 십자군 전사처럼 대륙을 종횡무진 하는 예의 없는 대도시 운전자들과 싸움을 벌이고 싶을 것이다. 그보다는 보통 사람들처럼 지하철을 타고 타인과 눈을 마주치지 않으며 다녀도 충분했다. 나는 브링크워스의 어리석음을 무시하고 어떻게 이렇게 의심스러운 유언장이 작성되게 되었는지에 대한 경위를 물어보앗다. 나한테는 당연한 요구였다. 변호사인 그도 명명백백 경위를 밝혀야 할 의무가 있었다. 이 일의 배후에 다른 사람이 있었다는 경위 말이다.

"네, 네. 따님의 불만은 제가 잘 알고 있죠. 하지만 시간을 낭비하기 전에 먼저 제안드릴 것이 있습니다." 변호사는 에드워드를 향해 말했다. "아시다시피, 그린 씨. 누나 분의 가처분 신청으로 제 손이 묶여버렸습니다만, 유언장은 적법하게 작성되고 실행되었으며 동생 분은 주택에 계속 거주할 권리가 있습니다. 그렇지만 가급적이면 법적인 절차 없이 문제를 원활하게 타개하는 편이 좋겠죠. 제가 제안하는 건 이렇습니다, 그린 씨." 변호사가 에드워드를 향해 청색 볼펜을 쿡 찌르며 말했다. "이 집을 일정 기간, 뭐 예를 들어 12개월 이내에 비운다고 합의를 보시고, 누님 분은 요청을 철회하시고 제가 주택을 처리할 수 있게 위임하시는 겁니다." 이 부분에서 변호사는 나를 향해 볼펜을 들이밀었다. "두 분 모두 독자적으로 법률 자문을 구하고 싶어 하실 수도 있지만, 어떤 변호사에게 상담을 받으시든 제가 말씀드리는 게 완벽한 해결책이라는 걸 곧 알게 되실 겁니다."

브링크워스는 〈타임스〉의 십자말풀이를 끝내고 자랑하는 허세 가득한 남자처럼 자기 만족감에 취해 펜을 툭 던지고는 의자에 등을 기대었다. 대니얼은 곰보 자국이 가득한 얼굴을 들어 올리고는 자신의 훌륭한 스승에게 거의 박수갈채를 보내는 듯 반짝이는 눈빛을 발사했다.

"서류는 더 볼 필요도 없어요, 변호사 양반." 에드워드가 말했다. "난 동의 못 합니다. 엄마가 바라시던 대로 할 거요. 내가 1년 정도 살다가 집을 비워야 했으면 엄마도 그렇게 쓰셨을 거요."

"나도 동의 못 해요. 전 엄마의 유언장이 음모로 가득한 범죄의 산물이라는 걸 증명할 작정이니까요. 만약 변호사님이 인정을 하지 않는다면, 법원에서 인정해주겠죠."

변호사가 내 말에 동요하기를 기다리는 사이, 내 아랫배가 알싸해졌다. 마치 내 안의 작은 새가 갇혀서 도망치려는 것처럼 섬세하게 움직이는 게 느껴졌다. 새의 날개가 펄럭이다가 멈추고, 쫑쫑 뛰다가 또 멈추었다. 배가 아픈 느낌이나 배고픔과는 상당히 달랐다. 그보다는 조금 간지러운 느낌. 어쩌면 이게 싸움에 대비하기 위해 분비된 아드레날린의 부작용은 아닐까 싶었다. 나는 앉아 있던 자세를 고치고 다리를 꼬아보았다. 그렇게 하면 이 이상한 움직임을 멈출 수 있을 거라 생각했다.

"그린 양." 변호사가 구리로 만든 지칼을 집어 짜증이 난다는 듯 자신의 앞에 놓인 파일을 두드리며 말했다. "저와 어머님의 만남에서 대니얼이 기록한 내용을 보시면 어머님이 유언장에 관한 아주 구체적인 지시사항을 말씀하셨다는 걸 알 수 있으실 겁니다. 다음을 들어보시죠. '의뢰인은 아들과 딸에게 정확히 절반씩 부동산을 증여한다. 괄호 열고 에드워드와 수잔, 괄호 닫고. 아들 에드워드는 현재 의뢰인과 함께 거주 중이다. 의뢰인은 에드워드가 생활을 영위하기 위해 준비할 시간이 필요하다고 생각한다. 변호인은 의뢰인에게 가족의 주택에 대한 종신 재산 소유권을 증여할 수 있다고 설명한다. 의뢰인은 아주 훌륭한 의견이라고 말하며 변호

인의 조언에 감사하다고 한다.' 자, 들어보셔서 아시겠지만 어머님
은 아드님이 그 집에 단기라도 거주할 수 있기를 원하셨습니다."

"맞는 말이요, 변호사 양반."

에드워드가 찬성의 뜻으로 엄지손가락을 치켜들었다.

뱃속의 펄럭이는 움직임이 다시 느껴졌다. 벌새나 잠자리, 거대
한 매의 모습이 내 머릿속에 그려졌다. 상상을 집어치우고 브링크
위스의 허점에 집중하기 위해 나는 있는 힘껏 노력했다. 나는 복
부의 근육을 긴장시키고 척추를 곧게 폈다.

"하지만 단기적으로 머무를 권리가 아니잖아요. 그렇지 않나
요?" 내가 반박했다. "에드워드는 그 집에 원하는 만큼 오래도록
거주할 수 있어요. 엄마의 생각은 완고해 보이지만 최근 두 번이
나 뇌졸중을 겪으셨어요. 압박에 취약한 상태였단 뜻이에요. 엄마
의 상태를 그때도 알고 계셨나요? 노쇠하고 연약하고 나이가 있
으신 의뢰인의 건강 상태에 대해 시간을 내서 알아보셨냐고 묻는
겁니다."

"제가 의뢰인의 지병에 대해 인지를 하고 있었는지 아닌지는 중
요하지 않습니다. 어머님은 분명 빈틈없고 명석한 분이셨습니다.
고인의 유언이 따님의 소망에 부합하지 않는다고 해서 의뢰인의
정신 상태에 의심을 품는 건 아무런 도움이 되질 않아요."

"그것 참 옳은 말씀이오." 에드워드가 끼어들었다.

이제 내 뱃속의 작은 동물은 산만하고 성가신 존재가 되고 있었
다. 나는 다시 자세를 고쳐 앉으며 의자 가장자리를 짚고 몸을 앞
으로 숙였다. 제멋대로 파닥거리는 몸 상태가 브링크위스나 에드

워드와의 싸움에 허점이 되고 싶지 않았다. 솔직히 말해 나는 평점심을 잃고 있었다.

"봐, 에드워드." 내가 몸을 틀어 동생을 향해 말했다. "이 논의에 도움이 될 말이 아니면 그냥 다물어. 혹시 뭐라도 한 마디를 하고 싶다면 여기서 네 역할에 대해 솔직히 털어놓는 건 어때? 엄마가 정말 너 없이 유언장을 혼자 쓰고 공증을 받았다고? 너 혼자서 꾸민 짓이야? 아니면 여기 브링크워스 씨의 도움을 받은 거야?"

"맞아. 나랑 여기 변호사 양반은 매일 밤 불스 헤드에서 만났지. 술에 꼴은 날이면 우리 집에서 자고 가고. 정말 그렇게 생각하는 거야, 수즈?" 에드워드는 한껏 비웃었다. "참고로 내가 이 일에 관여한 건 딱 하나야. 몇 주 전에 엄마가 유언장을 썼다고 말해줘서 미리 알고 있었다는 거. 그게 전부야. 그게 시작이자 끝이라고. 생전에 변호사를 만난 적도 없고, 이곳에 와본 적도 없고, 엄마한테 유언장을 쓰라고 압박하거나 엄마가 돌아가신 후에도 그 집에 살고 싶다고 말한 적도 없어. 수즈. 이 모든 걸 적어두고 싶어? 어때, 대니. 자네도 적어둘 테야?" 동생은 다시 한 번 얼굴이 벌게진 그 불쌍한 수습 변호사에게 고개를 돌렸다. "엄마는 날 도와주고 싶었을 뿐이라고. 어쩌면 엄마는 내가 런던으로 도망친 게 아니라 이 동네에 머무르며 엄마를 모신 것에 대한 보답을 해주고 싶으셨을 수도 있고."

"여기 머물며 엄마를 모셔? 웃기지 마."

나는 파르르 울리는 뱃속의 태동을 진정시키기 위한 마지막 시도로 자리에서 일어섰다. 에드워드는 아마 내가 공격적으로 보이기 위해 자리에서 일어났다고 믿을 것이다. 같이 덩달아 자리를 박차고 일어섰기 때문이다. 매일 밤 술집에서 벌어지는 싸움에 의한 본능적인 반응 같았다. 150센티미터를 간신히 넘기는 내 키에 비해 에드워드는 비록 남자치고는 작지만 나보다 15센티미터 이상 크다. 나는 한 걸음 뒤로 물러섰다.

"엄마가 어쩔 수 없이 너랑 같이 사신 거지." 나는 말을 이어나 갔다. "네가 엄마한테서 독립을 해도 번번이 그 집으로 기어 들어 갔잖아. 엄마 때문이 아니라 빈둥거리면서 집세 안 내고 살려고 엉겨 붙은 거지. 기생충처럼."

"그런 양, 그런 씨……."

"개소리 하지 마." 에드워드가 손가락으로 내 어깨 언저리를 쿡 쿡 찌르며 소리쳤다. "엄마를 모시고 장을 보러 가고, 마당에 잔디 를 깎고. 그 집에 허드렛일은 내가 다 했어. 그리고 엄마와 늘 함 께 있던 건 나라고. 엄마가 아팠을 때 누가 간병했어? 넌 뭐 했어? 몇 달에 한 번 잠깐 얼굴이나 비추고 갔지. 그래놓고 자식으로서 도리를 다했다고 자위하면서 말이야. 내가 누나보다 더 자격이 있 다고 생각하신 게 그렇게 이상한 일이야?"

"내가 너보다는 엄마랑 더 가까웠어. 일주일에 한 번씩 꼭 전화 통화도 했고. 엄마 인생에 일어나는 모든 일은 내가 다 알고 있었 다고. 게다가 난 너처럼 한량이 아니라 직장이 있다고."

"그만하시죠." 브링크워스가 손바닥으로 책상을 세게 내리쳤다. "두 분 다 그만하지 않으시면 대니얼을 불러 두 분을 밖으로 모시 겠습니다."

하지만 그의 부하는 자기 자리에서 몸을 작게 웅크릴 뿐이었다.

태동은 정말 끈질기게 이어지고 있었다. 마침내 내 안에서 무언가가 움직인다는 느낌이 아니라 무언가가 정말 내 몸 안을 휘젓고 다닌다는 걸 깨달았다. 전혀 유쾌하지 않은 기분이었다. 영화 〈에일리언〉의 한 장면이 머릿속에 그려졌다. 존 허트의 캐릭터가 인간 인큐베이터가 되어버린 그런 극적인 장면. 나는 본능적으로 치마의 허리 라인 밑으로 손을 갖다 대었다. 겉으로 만져보기엔 평소처럼 평온했다. 에일리언 같은 건 튀어나오려 하지 않았다.

"대체 그 돈이 왜 필요해, 누나?" 에드워드가 나의 분노와 브링크위스의 간청을 무시하며 말을 이어나갔다. "런던에서 얼마나 멋진 커리어를 쌓았는지, 얼마나 근사한 집구석에 사는지, 입만 열면 자랑이잖아. 나는 누나가 아니라서 엄마 집이 진짜로 필요하다고."

나는 순간 머뭇거렸다. 에드워드에게 임신 사실을 알릴 생각은 추호도 없었다. 동생이 상관할 일이 아니었다. 나는 엄마의 재산 문제만 일단락되면 동생과도 연락을 끊을 작정이었으니까. 게다가 내가 얻을 수 있는 건 아무것도 없었다. 에드워드는 죽을 때까지 그런 한량으로 살 테고, 그에게 조카가 생긴다고 해서 달라질 건 아무것도 없었다. 반면 리처드에게 털어놓은 건 마법사의 모자에서 카드나 토끼를 꺼내 보이는 것처럼 놀랄 만큼 재미있었지만.

"네가 물으니, 에드워드. 나 임신했어."

결국 내가 털어놓았다.

에드워드는 말없이 나를 위아래로 훑어보더니 손가락으로 기름기 많은 머리카락을 쓸어 올리고는 고개를 저으며 웃음을 터트렸다.

"시도는 좋았어, 수즈. 고작 생각했다는 게 그거야? 누나는 내가 진짜 바보 천치 같아?"

브링크워스와 에드워드의 미팅은 내 계획대로 진행되지 않았다. 어쩌면 변호사에게 과실이 있음을 받아냈거나 에드워드에게 내 뜻을 관철시킬 수 있으리라 기대한 내가 바보였을지도 모르겠다. 그럼에도 불구하고 우리 세 사람은 서로의 의견만은 확실하게 알 수 있었고, 브링크워스에게 내가 정의를 이룰 때까지는 결코 멈추지 않는 여자라는 것도 확실히 각인시켰다.

✦

그날 오후 늦게 런던으로 돌아오는 기차에서 나는 엄마의 유언장 사본을 꺼내 다시 살펴보았다. 각 조항은 변호사가 말한 그대로였고, 명백히 오류라고 할 만한 부분도 없었다. 나는 유언장의 증인 서명이 날인된 마지막 장으로 눈길을 돌렸다. 엄마의 날인은 내가 기억하던 것과는 조금 달라 보였다. 전체적인 모양이라기보다 특징 같은 것들이. 평소보다 소심하고 약간은 머뭇거렸던 것 같기도 하고, 평소보다 가늘고 흔들리는 필체였다. 과연 엄마가 서명을 남기는 것에 의문을 가졌던 건지, 아니면 서명 당시 주변 상황에 압박을 받고 있었던 건지 궁금했다.

나는 브링크워스가 지금껏 내게 알리지 않은 두 명의 증인에 집중했다. 한 명은 실비아 이모였다. 내가 알기론 에드워드와 이모는 결코 동맹이 아니었다. 이모가 유언장의 내용을 비밀로 삼았다고 밖에 생각할 수 없었다. 그렇지 않았다면 이모가 굳이 유언장에 증인으로 서명을 남길 리 없었을 테니까. 또 다른 증인은 롭이었다. 동생의 가장 친한 친구이자 소울메이트. 하, 이제야 모든 게 말이 되네! 그렇게 생각할 수밖에 없었다. 만약 동생이 자신의 행적을 감추고 유언장에 대한 법적 조사를 막고 싶었다면, 자신과 가까운 사람들로 증인을 세워서는 안 됐다.

유언에 대한 법적 소송을 준비하기 위해서는 실비아 이모와 롭을 만나 이야기를 나누고 진술을 받아내야 했다. 이모의 경우는 문제가 되지 않겠지만 롭은 까다로울 수 있다. 롭에게 정보를 어떻게 얻어낼 수 있을지는 아주 신중하게 고민해야 할 문제였다. 에드워드의 놀음에 놀아나지 않을 준비는 다 되어 있었지만, 그럼에도 오랜 동창이자 법을 잘 알고 있는 브리짓을 만나 한 시간 정도 약간의 법적 조언을 받는 게 완전히 낭비는 아닐 것이다. (물론 현재 몸 상태에 따라 달라지긴 하겠지만.)

나는 서류를 가방에 넣어두고 옆 자리에 놓아두었던 소포를 열었다. 지난 주, 장례 지도사로부터 연락을 받았었다. 몇 번이나 시도했지만 에드워드와 연락이 되지 않는다고 했었다. 그래서 언제 어머니의 유골을 수령할 건지, 혹은 동생에게 메시지를 전하거나 아니면 내가 직접 방문할 수 있는지를 물어보았었다. 딱히 감정적인 사람도 아니고, 요즘 들어 다른 절박한 걱정에 빠져 있던 나는 엄마의 유골에 대해서는 솔직히 신경 쓰지 않고 있었다. 그러나 에드워드보다는 직접 연락을 받은 내가 처리하는 게 더 낫다는 계산이 들었다. 동생에게 맡기면 엄마의 유골을 버스나 마권 판매소에 놓고 오거나, 술집 앞마당처럼 엄마와 하등 상관없는 장소에 뿌려버릴 게 분명했다. 변호사 사무실에 약속을 잡은 후, 나는 장례 지도사에게 테이프로 꽁꽁 포장한 무겁고 들고 다니기도 어려운 판지 소포를 받았다.

✦

27년 만에 장례식장의 초인종을 울리자 기분이 퍽 이상했다. 에드워드가 장례 준비를 모두 도맡았고, 굳이 엄마의 시신을 보고 싶은 마음도 들지 않았기 때문에 엄마의 죽음 이후로 장례식장을 또 방문할 이유는 없었다. 내가 굳이 뭐하러? 에드워드가 시신을 확인했고 의사가 엄마의 사망 증명서를 작성해주었다. 남동생이 온갖 종류의 위험한 행동을 일삼기는 하지만 엄마를 살해하거나 감금하고, 자연사로 죽은 다른 여성의 시신을 가져와 위장했을 거라는 의심은 전혀 들지 않았다. 안내실에서 엄마의 유골이 나오기를 기다리며 나는 아빠 장례 때와는 전혀 다른 느낌이었다는 걸 떠올렸다.

아빠가 돌아가셨을 때 나는 열일곱이었다. 당시 나는 지금보다 더 융통성이 없었다. 아직 완전히 튼튼해지지 않은 어린 식물과 같은 사춘기 시절이었고, 아빠의 시신을 내 눈으로 확인하는 게 중요하다고 느꼈다. 아마도 그건 아빠와 나의 관계가 복잡했고, 또 아빠가 돌아가셨을 때의 나이와 죽음의 성격 때문일 것이다.

이유가 무엇이든 간에 아빠가 돌아가시고 며칠 후 나는 학교에서 집으로 돌아오던 길에 장례 지도사를 다시 만나보기로 결심했다.

내가 마지막으로 본 아빠는 제멋대로 기른 머리카락이 어깨를 덮고 수염은 하나도 다듬지 않은 모습이었으나 관에 누워 있던 아빠는 깨끗이 면도한 얼굴에 머리카락도 잘 빗어 넘긴 모습이었다. 평소에 입고 다니던 초라한 행색 대신, 아빠는 비단 같은 흰 천을 입고 있었고 목에는 소년합창단의 유니폼 같은 긴 칼라가 올라와 있었다. 평화롭게 잠들었다는 진부한 표현처럼 아빠는 마침내 평화로워 보였다. 왼쪽 눈꺼풀과 속눈썹 사이에 끼워놓은 손가락 한 마디만 한 짧은 무명천 조각에서 유독 이질감이 느껴졌다. 빼드리고 싶었다. 나는 엄지와 검지로 천을 잡아 당겼다. 힘껏 당겼지만 빠지지 않았다. 아빠의 두 눈꺼풀 사이에 단단히 끼워져 있었다. 더 힘껏 당기자, 아빠의 눈이 번쩍 뜨이고 내 손가락 끝에 흰 솜뭉치가 덜렁거렸다. 나는 솜뭉치를 집어 던지고는 장의사의 조수를 밀치고 뛰어나왔다. 다음 날, 엄마가 장의사를 만나 내 책가방을 가져왔다.

기차에 앉아 나는 내가 정확히 무슨 일을 처리해야 하는지 곰곰이 생각해보았다. 우선 화장품 파우치에 가지고 다니던 금속의 손톱 정리줄을 꺼내 소포를 감싼 테이프를 뜯었다. 상자를 열자 플라스틱 상자 따위를 기대했던 내 예상과는 달리, 멋진 직사각형의 나무 유골함이 나왔다. 유골함을 소포에서 꺼내 내 앞의 테이블 위로 올려보았다. 지난 30분간 핸드폰으로 이혼에 대해 온갖 검색을 하던 대각선에 마주앉은 여자가 유골함을 보자마자 나를 이상한 눈으로 쳐다보았다. 어떤 사람들은 오지랖이 지나치게 넓다.

나는 유골함을 돌려가며 모든 각도에서 살펴보았다. 부드럽고 윤이 나는 참나무 유골함이었다. 뚜껑에는 엄마의 이름과 생년월일이 적힌 소박한 은판이 새겨져 있었다. 마치 내가 스스로 내 유골함의 명판을 새길 수 있다면 나도 똑같은 걸 선택했을 것 같다. 나는 에드워드가 이런 유골함을 주문하는 번거로움을 감수했다는 사실에 적잖이 놀랐다. 그러나 정말로 동생이 엄마의 유골을 신경 썼다면 장례식장의 성화에 회신을 했을 것이다. 엄마의 유골함과 뼛가루를 어떻게 해야 할지 알 수 없었다. 하지만 적어도 내가 안전하게 보관하는 게 낫지 않을까 싶었다. 결국 그게 제일 중요하니까.

◆

이튿날, 산부인과 검진이 오후에 예약되어 있었다. 나는 상관인 트루디에게 임신 사실을 털어놔야 한다는 사실을 받아들여야만 했다. 오후 반차를 쓰려면 임신 사실을 말해야 했다.

아침 일찍, 다른 동료들이 출근하기 전 나는 일찍이 트루디의 사무실을 찾아갔다. 굳이 내 사생활에 대한 것들을 다 털어놓지 않을 수도 있지 않을까 하는 한 가닥의 희망을 갖고 가능한 사무적인 태도를 유지하고 싶었다. 트루디의 사무실 문을 두드린 나는 이내 내가 임신했다는 사실을 털어놓고 바로 나왔으며, 오후 반차도 허가받았다.

"오, 수잔. 정말 좋은 소식이네. 정말 이보다 좋은 소식이 없어요."

트루디는 책상을 비켜 나와 나를 껴안았다. 트루디의 팔은 해군만큼이나 튼튼했다. 아마 어린 자녀들을 키우며 기른 생활 근육인 것 같았다. 어떻게 하면 벗어날 수 있을까 하는 생각만으로도 수 초가 흘렀다. 나는 슬금슬금 무서워졌다. 마침내 그녀는 손아귀를 풀고 뒤로 물러선 다음 나를 바라보았다.

"언젠가 수잔에게도 이런 일이 일어나기를 항상 바랐어요. 내가 뭘 도와줄까, 필요한 게 있으면 뭐든 말해요. 아, 정말 좋은 일이 네요."

트루디의 반응이 내가 방금 전달한 정보와 비례하지 않아 놀라웠다. 트루디가 나를 껴안고 헛소리를 지껄이기 전에 얼른 내 자리로 돌아왔다. 사무용품을 정리하고 내 서류뭉치와 책상 가장자리가 나란한지 확인한 다음 늘 하던 대로 선인장을 돌보았다. 화분을 약간씩만 당기면 다육이 하나 정도는 더 가져다 놓을 수 있을 것 같았다.

그날 저녁 나는 소파에 앉아 모차르트 바이올린 협주곡의 편안하고 수학적인 선율에 몸을 맡긴 채 산부인과에서 받아온 세 장의 초음파 사진을 살펴보았다. 모니터로 보았을 때는 초음파 상에 정확히 무엇이 태아인지 알아보기가 힘들었다. 집에 와서 독서용 안경을 쓰고 사진을 살펴보니 커다란 머리와 눈동자 같은 까만 점, 그리고 팔과 다리가 붙어 있는 것 같은 말린 새우처럼 동그란 태아를 발견할 수 있었다. 사람처럼 보이진 않았지만 그래도 모든 기관이 다 제대로 갖춰 있었다. 아니 적어도, 배에 젤을 바르고 초음파 기계를 작동시키던 의사는 그렇게 말했다.

초음파 검사 후에 조산사는 나를 눕혀놓고 배를 누르고 콕콕 찌르며 몇 가지를 물어보았다. 내 나이가 마흔다섯이라고 털어놓았지만 예상과 달리 조산사는 전혀 개의치 않았다.

"요즘은 40대 산모도 많아요." 그녀는 피 검사를 위해 내 팔에 바늘을 찔러 넣으며 대꾸했다. "사람들이 생각하는 것처럼 아주 드문 일은 아니에요. 어제 내진한 한 산모는 52살이었는걸요. 산모님도 그간 건강관리며 자기관리를 잘하신 거예요. 지금처럼만 하세요."

하지만 한 가지 조심해야 할 점이 있다고 조산사는 알려주었다. 내가 다운증후군을 가진 아기를 낳을 위험이 높은 나잇대라고 말이다. 검사결과가 바로 나오진 않았다. 그러나 벌써부터 걱정을 할 필요는 없다. 일이 잘 풀리지 않을 수는 있겠지만. 하지만 만약에 특별히 관심을 요하는 아기가 태어날 수도 있으므로, 어떤 식으로든 확실히 하기 위해 양수 검사를 받아야 할 수도 있었다. 검사를 받다가 유산을 할 수도 있으니 며칠 고민을 좀 해보라고 조산사는 말했다. 그러나 나는 주저할 이유가 없었다. 검사를 받는 게 논리적으로 맞는 말이었으니까. 어떤 문제를 평가할 때는 모든 사실을 다루는 게 중요하다. 게다가 아기를 갖는 건 내게 새로운 도전이고, 합병증으로 인해 예기치 못한 일에 휘말리고 싶지는 않았다. 너무 빠르고 확신에 넘치는 결정을 한 산모는 내가 처음인지, 조산사는 오히려 불안해했다.

흐릿한 초음파 사진을 보며 나는 내가 옳은 결정을 내렸다고 확신했다. 지금도 그렇다. 만약 검사 결과에 따라 임신 중절을 해야 한다 해도, 어쩔 수 없다. 그럼 몇 주 전 나로 돌아가면 그만이다. 그때도 내 삶은 완벽했다. 양보단 질이다.

밤이 깊어가자 몸도 고단했다. 나는 어린 시절 해변에서 가져온 암모나이트 화석 뒤로 초음파 사진을 조심스럽게 고정해 벽난로 위에 올려놓았다. 소파를 정리하고 스탠드 조명을 전부 끈 다음 갓 광을 낸 참나무 손잡이를 당겨 거실 미닫이문을 닫았다. 엄마의 유골함은 적당한 크기와 모양, 무게로 내 커피 테이블과 완벽하게 어울렸다. 아마 엄마는 개의치 않을 것이다. 늘 실용성을 중시하는 분이었으므로 잘 어울리는 장식품이 되었다는 것에 기뻐하실 거다.

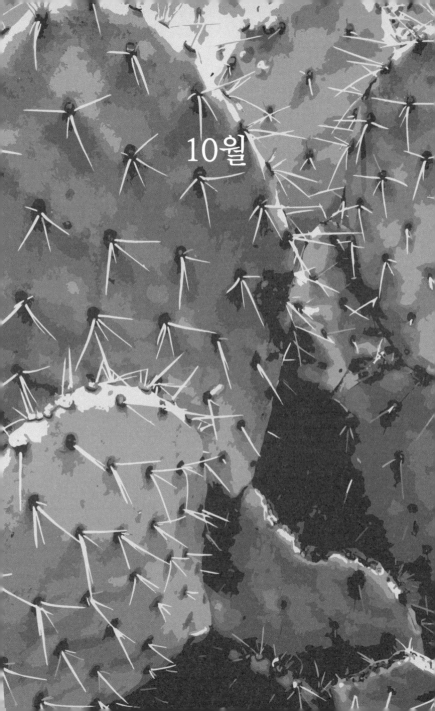

10월

8.

　10월은 내가 가장 좋아하는 달이다. 10월이 된다는 것은 곧 나의 에너지도 곧 올라간다는 신호이기도 하다. 나는 여름을 즐기는 사람이 아니다. 더운 날씨와 헐벗은 옷은 정말 싫다. '제대로 된' 여름휴가를 즐기라는 동료들에게 나는 사람들이 해변이나 수영장을 찾아 게으름을 피우는 시간을 이해할 수 없다고 한다. 그럼 사람들은 못 말리겠다며 "아, 수잔!" 하는 반응을 보이곤 하는 것이다. 다행히 10월이 되고 가을의 인디언서머까지 지나가자, 나는 곧 무거운 직물로 된 옷과 두꺼운 카디건을 기꺼이 입어 사람들의 관심을 피하고 상식적인 옷차림을 갖출 수 있었다. 그러나 이번 달은 정말이지 활기차지 못한 시작이었다.

　토요일 새벽 3시가 지날 무렵에서야 나는 불편한 잠에 빠져들 수 있었다. 길 건너편에서는 운동광 부부의 10대 자녀들이 떠들썩한 파티를 벌이고 있었다. 전날 밤 11시부터 시끄러운 음악소리가 쿵쿵 내 머릿속을 두드리는 중이었다. 분명 저 애들의 부모는 철면피이거나 고통을 즐기는 부류일 게 분명했다.

몇 년간 나는 내 집을 둘러싼 끊임없는 소음에 익숙해져 왔다. 자동차 경적이나 경찰차의 사이렌 소리, 버스와 기차의 소음이나 거리에서 터져 나오는 흥분에 찬 외침까지. 이 모든 것들이 런던에 산다는 이유로 치러야 하는 대가였다. 하지만 길 건너에 사는 10대 아이들은 늘 음악 소리를 비상식적인 수준으로 크게 틀고 내인내심도 점점 한계에 부딪치는 중이었다. 너무 짜증이 나서 경찰에 민원을 넣을까 싶기도 했다. 예전이라면 당연한 일이었지만, 경찰은 그럴 때마다 별일 아니라는 식으로 치부했고, 되레 신고를하는 내가 예민한 사람이라고 굴었다. 설령 이번 일에 민원을 넣는다고 해도, 젊은 애들은 경찰이 갈 때까지만 소리를 줄였다가더 큰 소음을 낼 게 분명했다.

처음엔 쿵쿵 울리는 소리와 비트가 음악인 줄 알았는데, 갓 든선잠에서 빠져나오자 누군가 우리 집 현관문을 두드리는 소리라는 걸 깨달았다. 사람들이 함께 쓰는 공동 복도에 불량한 파티광이 장난을 치는구나 싶었고, 항의를 하기 위해 현관문을 활짝 열었다. 그러나 내 예상과 달리 술 취한 청년이 아니라, 얼굴이 창백하게 질린 케이트가 서 있었다. 케이트는 갓난아기가 누워 있는카시트를 꼭 움켜쥐고 있었다. 빨간 물방울무늬 파자마에 슬리퍼,그리고 방수 재킷을 껴입은 이상한 차림새였다.

"세상에, 수잔. 집에 있었네요."

그녀가 음악 비트 소리 위로 외치고 있었다. 무언가 심각하게잘못된 일이 벌어진 것 같았고 평소처럼 예의를 갖출 수 있는 상황도 아니었다.

"이렇게 한밤중에 아파트 열쇠를 잊은 건 아니겠죠?"

"노아 때문에요." 케이트가 숨도 쉬지 않고 입을 열었다. "열이 너무 심해요. 도무지 떨어지지가 않아요. 할 수 있는 건 다 해봤어요. 해열제, 이부프로펜도 먹이고 옷도 다 벗기고 차가운 천으로 몸도 닦였어요. 방금 119에 신고를 했더니 응급실로 가야 한대요. 근데 앰뷸런스를 기다릴 수가 없어요. 차로 데려가야 할 것 같은데 에이바가 자고 있어요. 데리고 갈 순 없는데. 제가 병원에 다녀올 때까지만 큰 애를 좀 부탁해도 될까요? 저희 집에서 주무셔도 돼요. 그냥 제가 없을 때까지만 아이 곁에 있으면 돼요. 엄마가 금방 갔다 온다고 해주세요. 정말 죄송한데 달리 부탁할 사람이 없어요."

나는 아기를 바라보았다. 뺨이 잔뜩 달아올랐고 드문드문 난 머리칼이 땀에 절어 있었다. 팔다리가 힘없이 늘어져 있었다. 깨어 있지도 않고 잠들어 있지도 않은 것처럼 보였다. 아기를 보고 있으니 이상하게 목이 따끔거렸다.

"알렉스는요?" 나는 이 위기를 벗어날 대안이 있기를 바라며 물었다. "아빠가 아이를 볼 순 없나요?"

"남편이 집에 없어요. 얘기가 길어요. 제발요, 수잔. 제발요. 당장 병원에 가야 해요. 여기 열쇠를 드릴 테니까 집에만 있어주세요. 편하게 있어도 돼요. 일단 병원에 가서 무슨 일인지 바로 연락드릴게요."

케이트는 복도를 따라 뒷걸음질 치다가 곧장 자기 차를 향해 내려갔다. 케이트는 늘 내 거실 창문 밖에 주차를 하곤 했다. 나는 그녀를 따라 현관까지 따라갔다.

"한두 시간 정도는 봐드릴 수 있어요." 내가 케이트의 뒤를 따르며 외쳤다. "하지만 도와주실 분을 최대한 빨리 찾으셔야 해요. 내일은 일정이 꽉 차 있거든요. 아기가 괜찮았으면 좋겠네요." 나는 얼른 덧붙였다.

케이트는 대답도 없이 카시트를 조수석에 묶고, 차를 빙 둘러 뛰어갔다. 곧 타이어가 끼익 소리를 내며 차가 달려 나갔다.

정말 불편한 상황이 아닐 수 없었다. 나는 이튿날 쇼핑 계획을 촘촘히 세워두었다. 오늘 푹 자는 게 무엇보다 중요했다는 뜻이다. 입덧은 이제 아득한 추억이었고, 마라톤 선수처럼 보이던 모습에서 투포환 선수처럼 변해가는 중이었다. 치마나 바지의 단추를 열어도 더 이상 평상복 차림을 유지할 수 없는 단계란 뜻이었다. 당장 입을 수 있는 임부복이 간절했다.

나는 공을 들여 임부복을 찾아보고 10월부터 내년 3월, 출산까지 입을 수 있는 최소한의 옷장을 들이기로 계획했다. 신축성이 있는 검은색 바지 두 벌(와이드바지와 일자바지)과 같은 느낌의 스커트 두 벌(무릎 길이 하나와 긴 치마 하나). 긴 소매 상의 일곱 벌은 각각 검은색, 회색, 흰색으로 구입하고 먹색 니트 카디건 두 벌(촘촘한 파인 게이지 하나와 느슨한 헤비 게이지 하나씩), 임산부용 속옷 세트, 물론 자세한 건 굳이 설명하지 않겠다. 내일은 사이즈에 맞는 제품을 입어보고 구매하기만 하면 되었다. 오전 8시 반에 집에서 나와 1시 반까지 쇼핑을 하고 돌아와 법률 조사를 위해 오후를 보낼 계획이었다. 이 혼란스러운 밤은 나의 촘촘한 일정에 분명 영향을 미칠 것이었다.

✦

집으로 돌아와 케이트의 현관 열쇠를 집어 들었다. 이불과 베개도 챙겼다. 어떤 경우에도 나는 다른 사람이 쓰던 침대 시트 위에서 잘 생각이 없다. 일단 케이트의 아파트로 들어간 나는 소파에 이불을 깔고 주변을 살폈다. 우리 집과 동일한 평수임에도 거실이 훨씬 작아 보였다. 아마 바닥에 흩어져 있는 육아용품 때문인 것 같았다. 퍼즐 조각과 레고 블록, 다양하게 쌓여 있는 무시무시한 플라스틱 조각들까지 놀이 매트와 기저귀 깔개, 신생아용 흔들의 자, 유아용 변기까지 마치 동물병원처럼 가득 차 있었다. 왜 아기를 낳았다고 해서 집이 더러워져야 하는지 도무지 이해할 수 없었다. 내가 곧 이런 환경에서 산다고는 믿을 수가 없었다.

복도를 살금살금 걸어가 침실을 들여다보았다. 거대한 버섯 모양의 수면램프가 부드러운 빛을 내고 있었다. 한쪽 벽엔 더블 침대가 놓여 있고 발밑으로는 바구니 모양의 요람이, 반대편 벽엔 유아용 침대가 놓여 있었다. 정말 끔찍하게 비좁은 방이었다. 엄마의 유산을 받는다면 방 두 개짜리 아파트를 얻을 수 있으니 얼마나 감사했는지 모른다. 길 건너편의 쿵쿵거리는 음악 소리에도 불구하고 아이는 작은 침대에 사지를 쭉 펴고 곤히 잠들어 있었다. 나는 바닥에 지저분한 장난감을 집어 들었다. (어린이 TV 시리즈의 인기 있는 캐릭터 인형이었다.) 인형을 잠자는 아이 곁에 놓고 발로 차버린 이불도 덮어주었다.

그다음 거실만큼이나 어수선한 부엌으로 살금살금 걸어갔다. 싱크대에는 설거지를 하지 않은 접시들이 쌓여 있고, 테이블과 상판에는 청소를 하지 않은 음식 자국이 넘쳐흘렀다. 이런 상황에서는 절대 잘 수 없었다. 결국 나는 조금 피곤한 상태가 필요했고 육체노동을 택했다. 서랍에 뜯지 않은 노란 고무장갑, 세제, 바닥 청소용품을 찾고 작업을 시작했다. 일단 부엌이 티끌 하나 없이 깨끗해지자, 나는 거실로 옮겨갔다. 바닥에 널브러진 장난감을 줍고 선반 등을 정리한 다음 바닥에 깔린 러그를 다시 깔고 소파 위의 쿠션도 정리했다. 청소를 모두 마칠 때쯤 시간은 어느덧 5시 반이었고, 길거리의 음악소리도 잦아졌으며 나는 피곤했다. 한쪽 구석의 조명을 끄고 소파에 앉아 보았다.

소음공해로 공격을 받지 않더라도 나는 늘 잠드는 데 어려움을 겪어왔다. 눈을 감았는데도 경계를 하지 않으면 끔찍한 일이 일어날지도 모른다는 불안감이 늘 나를 엄습했다. 잠을 청하려고 하면서, 아빠가 술집에서 돌아오기만 기다리며 깨어 있던 어린 시절을 떠올렸다. 그때 내 침실은 현관과 복도 바로 위에 있었다. 걷는 소리만 들려도 아빠가 어떤 상태인지 곧바로 알 수 있었다. 만약에 아빠가 현관문을 한 번에 열면 상태가 괜찮고, 열쇠를 떨어뜨리거나 열쇠구멍을 더듬어 찾는 기척이 들리면 상태가 안 좋다는 뜻이었다. 현관문을 조용히 닫는다, 그럼 취하지 않은 거고 쾅 닫으면 만취였다. 복도를 가로지르는 아빠의 발소리가 가벼우면 괜찮은 거고, 무겁거나 비틀거리면 좋지 않은 뜻이었다. 유리잔에 콸콸

물을 따르는 소리가 들리면 좋은 거고, 물병이 잔에 달칵달칵 부딪치면 나빴다. 아빠가 곧장 침실로 향하면 좋은 일이고 만약 이탈리아 오페라를 큰 소리로 틀기 시작하면 그야말로 만취였다. 가끔 나는 에드워드도 같은 생각을 하며 깨어 있었을지 궁금했지만 알 수 없었다. 한 번도 물어본 적은 없었으니까.

기억을 머릿속 너머로 밀어 넣자 누군가 어깨를 톡톡 두드렸다. 희미하게 새어 들어오는 거리의 불빛 너머로 아이가 서 있었다. 아이는 봉제 장난감을 움켜쥐고 호기심 어린 표정으로 나를 내려다보고 있었다.

"안녕, 수잔 이모야. 아래층에 사는. 기억나지?" 내가 물었다. 아이는 이 상황이 전혀 이상하지 않다는 듯 고개를 끄덕였다. "엄마가 급한 일이 생겨서 한두 시간 정도 이모가 있는 거야. 알겠지?"

아이는 고개를 한 번 더 끄덕이고는 내 위로 올라타더니 내 몸과 소파 뒤 사이의 좁은 공간을 비집고 들어왔다.

"미안하지만 둘이 자기엔 좀 비좁은 걸. 그만 침대로 돌아가, 착하지?"

나는 아이를 다독였다. 아이는 그러나 고개를 도리도리 저으며 두 눈을 꼭 감았다.

"얼른 가야지, 착하지. 이모도 자야 하고 너도 자야지."

나는 조금 더 엄한 목소리로 타일렀다. 하지만 아이는 다시 고개를 저으며 두 눈을 더욱 힘껏 감았다. 나는 어린 아이를 다루는 요령 따위가 없다. 이성과 논리에 순응하는 사람들과 함께하는 게 훨씬 편한 사람이다. 아이가 내 지시를 따르도록 한 번 더 타일렀지만 결국 나는 소파를 버리고 유아용 침대를 택했다. 침대는 너무 작아 태아처럼 몸을 웅크려야 겨우 누울 수 있었다. 몇 분이 되지 않아 아이가 다시 나타나더니 내 몸을 타고 올라 벽 옆의 좁은 틈으로 몸을 비집고 들어갔다.

"꼬마야. 이건 용납이 안 되는 짓이야."

내가 말했다. 하지만 아이는 이미 눈을 감고 자는 척을 했다. 아무런 성과도 얻지 못하고 나는 소파로 돌아갔고, 다시 한 번 아이는 나를 따라왔다. 조금 더 건설적인 목표에 고집을 부렸다면 오히려 나는 아이의 끈기를 장점으로 여겼을지 모른다. 하지만 나는 입을 닫은 채 다시 침실로 향했다. 이 고집 센 아이가 나를 따라올 것이라 믿어 의심치 않았다. 문을 잠글까 했지만 아이가 울지도 몰랐다. 지친 나는 부부의 더블 침대로 향했다. 남이 쓰던 침대 시트가 몇 시간 전만큼 혐오스럽지 않았다. 예상했던 대로, 곧 침대 위로 자그마한 발이 올라와 매트리스를 두드렸지만 적어도 두 사람이 눕기엔 충분했다. 막 잠에 들던 찰나 (아이도 마찬가지인 것 같았다.) 침대 옆 탁자에 놓인 전화벨이 울렸다.

"수잔, 케이트예요. 제가 깨웠죠? 방금 검사가 끝났는데 다 괜찮아요."

"집은 걱정 마요." 내가 간신히 말을 이었다. "아이가 엄마를 찾지 않네요."

"노아가 편도선염이래요. 항생제를 맞혔어요. 일단 열이 내릴 때까지 몇 시간 정도는 더 지켜봐야 할 것 같아요. 알렉스하고는 연락이 아직 안 됐는데, 최대한 빨리 연락 달라고 메시지는 남겨

났어요."

"남편분이 멀리 계세요? 집에 들어오는 데 얼마나 걸릴까요? 저도 중요하게 처리할 일이 있어서요."

"어디 있는지 도무지 모르겠어요. 남편은 집을 나갔어요. 아마 여자친구랑 같이 있을 거예요."

상대의 상황에 적당한 유감을 표현하면서도 나는 가능한 빨리 도와줄 사람을 찾아달라고 부탁했다. 케이트의 부모님은 중부 쪽에 살고 계셔서 올 수가 없고, 친구들은 모두 가족 일정이 있거나 런던에 없다고 했다. 나는 케이트에게 내 핸드폰 번호를 알려주고 도와줄 사람을 찾으면 바로 연락을 달라 했다.

내가 케이트와의 통화를 끝마쳤을 때쯤, 아이는 이미 똑바로 앉아 밝은 눈으로 하루를 준비하고 있었다.

"아직 일어날 시간 아니야." 나는 아이를 침대 너머로 부드럽게 밀며 설명했다. "한두 시간 정도 다시 자자."

하지만 아이는 꿈틀거리며 내 품에서 벗어나 침실을 뛰쳐나가더니 잠시 후 책을 한아름 들고 돌아왔다. 아이를 무시하려 애썼지만 너무 집요했다. 결국은 현실감이라고는 하나도 없는 동물과 장소, 상황에 대한 이야기를 읽어주었다. 한 시간 정도 흘렀을 때, 나는 시련의 종말을 알리는 전화를 기다리는 동안 시간을 조정하더라도 원래 일정을 고수하는 게 낫다고 결심했다. 그래서 아이에게 날씨에 맞는 옷을 입히고 덜 지저분한 장난감을 골라 나의 아파트로 돌아왔다. 아이가 나를 쫓아오겠다고 고집을 부려, 내가 아침식사를 준비하는 사이 텔레비전 앞에 앉혀놓았다. 물론 내 자식이라면 절대 하지 않을 짓이었다. 아이는 뮤즐리도 조금 깨작거리고 제 몫의 자몽 주스도 마시는 둥 마는 둥 했다. 나중에 분명후회할 게 분명했다. 아침식사 후 나는 아이에게 곧 지하철을 탈예정이니 바르게 행동하라고 시켰다. 아이는 고개를 끄덕이며 알았다고 했다.

✦

지하철역에 다다라 나는 매표소 뒤에 웅크리고 있는 삐쩍 마르고 늘 시무룩하며 심술궂은 직원에게 어린이용 원데이 티켓을 달라고 부탁했다.

"어린 아이는 돈 낼 필요 없어요. 몇 살이에요?"

직원은 평소와 달리 환하게 웃으며 물었다. 뼈만 앙상한 손가락을 흔들자, 아이는 수줍게 손을 흔들어 보였다.

"저도 모르겠네요. 몇 살 같아 보여요?"

"모른다고요?"

직원의 눈이 의심으로 가늘어졌다. 나는 아이를 처음 만났을 때를 떠올렸다.

"글쎄요. 아마 네 살은 안 됐을 거예요."

"저 두 살이에요."

"아, 말을 할 줄 알긴 아는구나." 나는 깜짝 놀라 물었다.

지하철에 탄 채로 유모차에 탄 아이를 돌본다는 건 생각보다 훨씬 어려운 일이었다. 에스컬레이터에 탈 때마다 나는 멈춰 서서 아이의 안전벨트를 풀고 유모차를 접고, 움직이는 계단에 오르며 동시에 아이를 붙잡아야 했다. 에스컬레이터에서 내릴 땐 다 반대로 해야 했다. 이 모든 것이 물소 떼처럼 움직이는 다른 승객들 틈에서 이루어졌다.

그리고 이 짧은 거리를 움직이는데 얼마나 많은 에스컬레이터를 타야 하는지 믿을 수가 없었다. 첫 번째 목적지에 도착하기 전 이미 두 번이나 환승을 하고 수많은 계단을 올랐다. 나는 지하철 담당자들에게 교통 시스템에 대한 민원 이메일을 보내야겠다고 결심했다. 열차에 올라타서는 다른 사람들을 피하는 게 평소보다 훨씬 힘들다는 걸 깨달았다. 사람들은 계속해서 아이를 쳐다보고 나를 보며 웃었다. 어떤 사람들은 심지어 아이의 이름이나 나이 같은 정보를 계속해서 물어보기도 했다. 우리 둘이 즐거운 외출을 하는 사이 좋은 모녀처럼 보이는 모양이었다. 나는 관심이 별로 없지만, 황금빛 곱슬머리에 장밋빛 뺨, 크고 파란 눈을 가진 아이가 꽤 귀여운가 보다. 물론 아이를 좋아하는 사람에게 말이다.

우리는 내 목록에 있는 첫 번째 매장에 예정보다 72분 늦게 도착했다. 입어보고 싶은 임산부복을 집어 들고 탈의실로 갔다. 유모차가 탈의실 칸막이 안에 들어가지 않아 복도에 놓고 아이는 바닥 구석에 내려놓아야 했다. 내가 옷을 벗자마자 아이는 배가 고프다고 투덜대기 시작했다. 나는 에이바에게 아침을 충분히 먹지 않은 네 탓이라고 설명했다. 나는 내 몫의 아침을 다 먹었고 충분히 배부르다고 말이다. 아이는 자신의 행동에 책임을 지지 못하고 계속해서 칭얼거렸다. 나는 아무런 관심도 주지 않고 옷의 품질, 기능, 외관을 평가했다. 계속해서 옷을 보는데 가게 점원이 커튼 쪽으로 몸을 수그려 혹시 무슨 일이 있냐고 물었다. 나는 아이가 제멋대로 칭얼거린다고 설명했지만, 점원은 그럼에도 불구하고 아이에게 미안하다는 표정을 지어 보였다.

얼마 후, 우리는 두 개의 무거운 쇼핑백을 들고 지하철역으로 되돌아갔다. 칭얼대는 아이를 위해 과일 가게에 들러 바나나를 사서 껍질을 벗기고 내밀었다. 아이는 손가락에 바나나를 들고 코트와 치마 그리고 유모차 옆에 바나나를 문질렀다. 나는 아이에게 왜 그런 행동이 용납될 수 없는지를 차분히 설명했지만, 아이는 알아들을 수 없는 말을 계속 소리쳤다. 내가 알아들은 단어는 고작 "엄마", "집" 그리고 "사탕" 같은 것뿐이었다. 아쉽게도 나머지 쇼핑은 5분 간격으로 아이에게 초콜릿을 쥐어주어야 할 수 있었다.

아이를 돌보다 보니 자연스레 다루기 힘들었던 에드워드가 떠올랐다. 에드워드도 자기가 원하는 걸 얻을 때까지 유모차에 앉아 계속해서 발차기를 하고 목청껏 비명을 질러댔다. 엄마는 나에게 하던 것과는 전혀 다른 방식으로 에드워드를 달랬다. 아마 어릴 때 동생의 몸이 좋지 않았던 까닭이리라. 대체 어디가 아팠는지는 정확히 알 수 없다. 아무도 나에게 동생의 상태를 설명해주지 않았고 나도 후에라도 굳이 물어볼 생각이 없었다. 선천적으로 위장이 안 좋았던 것 같다. 살면서 몇 차례 수술도 했었으니까.

에드워드가 병원에 있던 여름 내내 엄마는 내게 참 멀리 계셨다. 대부분의 시간은 아빠와 나뿐이었다. 놀랍게도 엄마가 부재중이자 아빠는 집안일을 책임졌다. 심지어 나와 놀아주기도 했다.

내 기억으로 그해 여름은 내내 화창했다. 아빠와 나는 펍 정원에서 점심시간을 보냈다. 나는 매일 닭고기맛 감자칩과 레모네이드를 먹었다. 저녁은 항상 마멀레이드 샌드위치나 옥수수가 들어간 도넛 모양의 스파게티 통조림처럼 몸에 좋지 않은 걸 먹었다. 그리고 엄마와 에드워드가 퇴원해 집으로 돌아오자 아빠는 원래대로 돌아갔고, 재미있던 일상도 끝났다. 동생이 자고 있을 때 방해하지 않기 위해 집 안을 살금살금 돌아다녀야 했고, 혹시나 상처를 입힐까 봐 같이 놀지 못하게 했다. 아빠의 전적인 관심을 받는 대신, 나는 엄마가 에드워드를 돌보지 않을 때를 노려 엄마의 관심을 받는 이상한 경쟁을 다시 시작했다. 비록 두 살밖에 되지 않았어도, 동생은 환자라는 지위를 십분 이용하며 보살핌을 받는 자가 가지는 권위를 즐겼다.

✦

집으로 돌아왔을 때는 이미 오후가 다 지난 시간이었고 케이트로부터는 아직 아무런 소식이 없었다. 집에 오는 길은 유모차와 아이 외에도 에스컬레이터를 오르고 내리는 일에 쇼핑백 가방까지 있어 유독 더 힘들었다. 전날 밤을 거의 지새웠기 때문에 몸은 축축 늘어졌다. 나는 쇼핑백을 부엌에 내버려두고 아이와 함께 침대에 웅크렸다. 우리는 눕자마자 곧바로 잠에 빠졌다.

그리고 저녁이 되어 일어난 우리는 로스트 치킨과 으깬 감자, 콩으로 저녁을 때웠다. 꽤 괜찮은 식사라고 여길 즈음, 안식이 찾아왔다. 케이트가 부엌으로 들어서자마자 아이는 자리를 박차고 일어나 제 엄마에게 달려갔다. 누구라도 봤다면 아마 몇 달 만에 만나는 사이인 줄 알았을 테다. 케이트는 평온하게 잠이 든 아기가 들어 있는 카시트를 바닥에 내려놓고 저녁을 먹던 아이 옆에 앉았다. 그리고 내게 아기의 체온이 내려가서 항생제를 투여 받고 퇴원했다고 설명했다.

"도와줘서 너무 고마워요." 케이트가 말했다. "회사에 전화를 해 보니 알렉스는 사르디니아 섬에 있다네요. 정말 큰 신세를 졌어요."

"별일 아닌데요, 뭐." 나는 식탁을 치우기 위해 일어서며 말했다. "그래도 또 이런 일이 있을지 모르니까 언제든 도와줄 비상연락망을 만들어놓는 건 어때요."

도와주려고 서 있던 케이트가 부엌 한구석에 쌓여 있던 임부복 쇼핑백 더미를 발견했다. 그녀가 내 배를 흘끗 내려다보았다.

"아, 임신하셨구나. 축하드려요. 애 아빠는 어디 있어요?"

그녀가 물었다. 마치 내가 찬장 속에 애 아빠를 숨겨놨을지도 모르겠다는 듯한 말투였다.

"없어요. 애 아빠."

"뭐, 그럼 우리 둘이 서로 도와주면 되겠네요. 싱글맘 둘이서. 같이 잘 지내봐요."

"정말 좋겠네요."

나는 대답했다. 내 말투가 썩 진심이라고 생각하는 눈치였다.

금요일 저녁엔 늦게까지 일하며 돌아오는 월례 부서 회의에 제

출할 서류를 준비했다. 사람들의 목표치를 높일 수 있는 효율적인 방안을 몇 가지 준비했고, 아마 동료들도 좋아할 거라고 확신했다. 참고로 우리 부서에는 말도 안 되는 시간 낭비가 너무 많다. 살펴보니 근무 시간에 사람들이 필요 이상으로 너무 많은 음료수를 마신다는 걸 깨달았다. 의심할 여지없이 사람들은 목이 마르지 않아도 무언가를 마셔야 할 차례라고 생각해서 자리를 비웠다. 게다가 나는 종종 두 명 이상의 사람들이 동시에 탕비실에 머물며 커피포트 옆에 서 있는 것도 목격했다. 한 사람이 차나 커피를 만드는 데에도 분명 불필요한 시간이 소요됐다. 따라서 나는 탕비실을 사용하고 무언가를 마실 차례를 기록해 시간표를 만들었다. 이게 얼마나 과학적인 타당성을 갖고 있느냐는 논쟁의 여지가 없었다.

나는 또 동료들이 오픈형 사무실을 가로질러 자신의 책상에서 다른 사람의 책상으로 서류를 갖다주고 가져오는 데에도 불필요한 시간이 낭비되고 있다고 언급했다. 사람들은 서류만 옮기는 게 아니라 꼭 책상 주변을 어슬렁거렸다. 나는 일과 관련 없는 사담이 얼마나 불필요한지에 대해 생각했다. 만약 사람들이 물리적으로 서류를 주고받지 않고 이메일로 주고받는다면 굳이 사담을 나누느라 시간을 낭비하지 않아도 될 것이다. 다른 몇 가지 아이디어도 문서화했다. 내 방법을 따르면 직원 한 명당 하루 평균 20분은 더 일에 집중할 수 있을 거라 계산했다. 트루디가 내 방식을 택한다면 직원 한 사람당 목표치를 최대 4.5퍼센트까지 늘릴 수 있을 것이다.

퇴근을 할 때쯤 밖은 이미 저물고 하루 종일 꾸물거리던 하늘에서는 비가 쏟아지고 있었다. 잘 펼쳐지지 않는 우산을 만지작거리고 있는데, 담배를 피우는 사람들이 모여 있는 출입구 쪽 저편에서 낯익은 얼굴이 나타났다. 리처드였다. 그를 만나 이야기를 한 지도 꽤 오래 전이었다. 그 후로도 몇 번 전화가 걸려오긴 했지만 한 번도 받은 적은 없었다. 우리 사이에 더 할 얘기가 남아 있던가? 그는 한동안 흡연구역 구석에 서 있던 모양이었다. 머리카락은 축축했고, 짙은 남색 오버코트는 비에 흠뻑 젖어 있었으며 속눈썹 끝엔 빗방울이 뚝뚝 떨어지고 있었지만 그럼에도 여전히 근사했다. 리처드를 보고 있으니 오래전 흑백 영화 〈제3의 사나이〉의 오손 웰즈가 떠올랐다. 의지와 상관없이 뱃속이 찌르르 울렸지만 나는 본능을 억눌렀다.

그와 이렇게 예민한 대화를 나눌 기분이 아니었다. 특히 내가 준비되지 않은 상황이었으므로, 나는 그를 외면한 채 지하철역으로 향했다. 이렇게 손쉽게 그의 손아귀에서 벗어날 수 있을 거라 생각했다니 내 착각이었다. 내가 자리를 벗어나기도 전에 리처드는 내 소매를 잡아 당겼다.

"수잔."

그가 말했다. 러시아워가 지난 시간의 교통체증과 빗소리, 물웅덩이를 지나가는 자동차 바퀴의 소용돌이 소리가 뒤섞여 들렸다.

"나랑 잠깐 이야기는 할 수 있잖아?" 그는 내 배를 향해 눈을 깔며 말했다. "우리 아기 이야기 말이야."

나는 외투를 움켜쥐며 대꾸했다.

"우리 아기라고 굳이 할 필요 없어. 당신 역할은 충분히 다했어."

"어디 조용한 실내로 가서 이야기 좀 해. 길거리에서 이런 얘기를 하는 건 너무 하잖아."

"둘이 어딜 가서 이야기를 해. 당신 도움 필요 없으니까 안심해도 돼."

"수잔. 당신이랑 마지막으로 만났을 때 일부러 겁을 줬다는 걸 알았어. 당신이 독립적인 사람이라는 걸 증명하고 싶었겠지. 그 점은 존경해. 하지만 내가 아빠 역할을 할 기회를 준다면 재정적으로나 실질적으로나 얼마나 일이 쉬워질지 생각해봐. 나도 그동안 몇 가지 생각을 좀 해봤어. 나도 이 아기에 책임을 질 준비가 되어 있어. 기꺼이 내 역할을 하고 싶다고."

나는 이미 결정을 내렸고 흔들릴 사람이 아니라는 걸 상기했다. 오늘은 이미 충분히 긴 하루였고 나는 피곤했다. 단단하던 나의 내면에 틈이 벌어지기 전에 리처드를 처리해야 했다.

"아니, 당신이 틀렸어. 난 아무것도 증명하고 싶지 않아. 그냥 당신이 떠나도 좋다는 걸 분명히 말하고 싶었을 뿐이야. 우리 관계는 오로지 합의한 내용에 따랐던 것뿐이고, 이제 그 관계가 끝난 거야. 당신이 책임져야 할 건 아무것도 없어."

"하지만 서로 협의한다면 합의 조건을 재협상 하지 않을 이유는 없어." 그는 아주 노련한 외교관처럼 말했다. "우리가 이해한 최초의 목적은 오직 상호간의 오락과 즐거움뿐이었고, 이제 건강한 아이를 양육하는 것도 포함시키면 되잖아. 우리가 함께 노력한다면 이거야말로 가장 성공적이고 서로에게 이익이 되는 일 아니겠어."

"저기, 리처드." 나는 눈을 가리는 머리카락을 쓸어 넘기며 말했다. "당신이 아빠가 되고 싶지 않다는 것도 알고 나 또한 당신이 없어도 이 아기를 혼자 잘 키울 수 있어. 잘 생각해보면 고작 생물학적 이유로 앞으로의 18년간 관계를 지속하는 게 얼마나 말도 안 되는 일인지 깨달을 거라고 생각해. 솔직히 생각해봐. 이게 정말 당신이 원하는 일인지."

"그럼 당신이 원하는 건 뭔데?"

"내가 원하는 건 그냥 이 비를 좀 피하고 싶을 뿐이야. 집에 가서 저녁도 먹고 싶어."

"저 애의 절반은 내 유전자야." 그가 손가락으로 내 배를 가리키며 말했다. "당신 혼자 만든 게 아니라고. 반은 나야. 나처럼 생기고, 나처럼 생각하고, 나처럼 걷고 말할 거라고. 아기의 미래에 대한 내 몫의 권리를 포기하고 싶지 않아. 손주를 바라는 내 어머니도 계시고."

"그건 당신이 결정할 일이 아니야." 나는 약간 짜증을 내며 그의 손을 뿌리쳤다. "당신이 옳다고 믿는 일을 하고 싶어 하는 건 이해해. 하지만 그게 우리 모두에게 최선은 아니라는 내 생각을 믿어. 그럼 나 먼저……."

나는 고장난 우산을 꽉 찬 쓰레기통에 밀어 던지고 운 좋게 어둠 속에서 다가온 택시를 불러 세웠다.

"상식적으로 생각해. 아니면 내 변호사가 곧 연락을 할 테니까."

그가 나를 불러 세우며 덧붙였다. 정말이지 택도 없는 소리를 아무렇지도 않게 했다.

9.

　며칠간 실비아 이모와 통화를 하려고 애썼지만, 전화를 걸 때마다 오랜 흡연으로 허스키해진 프랭크 이모부의 기침소리나 웬디, 아니면 크리스틴의 낄낄거리는 웃음소리만 들을 수 있었다. 몇 번은 전화기 너머로 실비아 이모의 "없다고 해." 아니면 "미안하지만 지금 못 받는다고 나중에 전화하겠다고 해." 하는 소리도 들렸다. 그러나 이후로 다시 전화가 걸려온 적은 단 한 번도 없었다. 한번은 이모가 치아 미백을 받아서 말을 잘 못한다며, 웬디와 크리스틴, 그리고 이모가 그다음 주 주말 런던에 와서 피부 관리를 받고 웨스트엔드의 뮤지컬을 볼 계획이라고 했다. 두 사람이 스파에서 관리를 받는 동안 내가 이모를 모시고 관광을 하면 어떨까 싶었다.

　"하지만 나도 관리는 받고 싶은걸. 우울한 옛 박물관이나 돌아다니며 시간을 보내고 싶진 않구나."

　실비아 이모는 치료받아 욱신거리는 이로 간신히 웅얼거렸다.

　결국, 이모의 이해하기 어려운 이야기를 듣고 내린 유일한 결론은, 더 나은 방법이 있었음에도 불구하고 이모와 사촌들과 함께 스파에 가는 것뿐이었다. 나는 그런 곳에 자주 가본 적이 없다. 그런 곳에 가서 돈과 시간을 쓰는 게 실은 자신의 자존감과 반비례한다고 믿어왔기 때문이다. 우리 이모나 사촌들처럼 말이다. 하지만 웬디는 반나절 이용권만 구매하면 나머지는 아무것도 걱정할게 없다며 나를 안심시켰다.

한때 리처드와 함께 보내던 런던의 고급 호텔에 위치한 스파에 도착한 시간은 아침 9시 반이었다. 사촌들과 이모는 아직 도착 전이었다. 세 사람이 오기엔 좀 이른 시간이었다. 대리석 바닥부터 거울처럼 광이 나는 벽과 흠잡을 데 없는 피부의 리셉션 안내원까지, 모든 게 반짝였다. 고요한 적막을 깨는 건 입구 맞은편 돌로 만든 작은 분수대에서 뿜어져 나오는 물소리만이 유일했다. 공기는 묵직했고 표백제 냄새가 가득했다.

"오늘 예약하셨나요? 혹시 안 하셨으면 단품이나 세레니티, 활력 패키지를 선택할 수 있어요."

얼굴에 윤이 나는 여자가 단조로운 말투로 설명했다. 나는 굳이 시술을 받고 싶진 않으며 그저 스파 입장만 원한다고 말했다. 입장만으로도 비용이 어마 무시했다.

자수가 새겨진 수건과 가운을 받은 나는 내가 태어나 본 것 중 가장 실용적이지 못한 수영복을 갖춰 입은 여자들이 가득한 탈의실로 향했다. 임신한 이후로는 검은색 전신 수영복을 입지 않았다. 쫑쫑한 천이 내 배를 감싸고 부풀기 시작한 가슴을 짓누르는 게 불편할 거라는 걸 이미 알고 있었기 때문이다. 수영복은 그다지 문제가 아니었다. 그보다 훨씬 더 중요한 문제들을 염두에 두

135

고 있었다.

나는 가운을 입고 허리띠를 단단히 이중 매듭으로 묶었다. 전날 도서관에서 대출한 두툼한 《트리스트럼(Tristram)》과 《쿠츠 유언 공증(Cootes Probate Practice)》이 들어 있는 서류 가방을 들고 수영장 쪽의 '평온 구역'으로 향했다. 야자수와 무성한 활엽수, 일광욕 의자 따위로 꾸며져 마치 리셉션과 비슷한 분위기를 자아내고 있었다. 공기는 후텁지근하고 답답했다. 그중 절반은 이미 사람들이 차지하고 있었다. 토요일 아침을 건설적으로 보내지 않는 사람이 얼마나 많은지 놀라울 지경이었다. 구역을 가로지르며 나는 라운지에 기대 서 있는 남자들이 모두 여자처럼 매끈하고 제모까지 완벽하게 끝냈다는 데 놀랐다. 나는 구석진 자리를 찾아 독서용 안경을 쓰고 법전을 펼쳤다.

그 후로 한 시간쯤 후에 실비아 이모, 웬디, 크리스틴이 약간 떨어진 탈의실에서 나왔다. 장례식이 끝난 후 처음 만나는 것이었으므로 서로를 반기며 뺨에 입을 맞추는 것도 받아들일 수밖에 없었다. 왼쪽 의자는 이모가, 오른쪽 의자는 가운을 벗어버린 두 사촌이 차지했다. 두 사람 모두 청록색 수영복에 금발찌를 차고 빳빳한 금발 머리는 정교하게 틀어 말아 올린 모양이었다. 쌍둥이가 서른아홉의 나이에도 같은 옷을 입고 자기 가족과 그렇게 오랜 시간을 보낸다는 건, 다시 말해 자기 강박에 시달리는 두 사람의 엄마의 영향으로 말미암아 뿌리 깊은 정체성의 문제를 겪는다는 뜻이었다. 수영장 테마에 알맞게 트로피컬 프린트 무늬의 옷을 걸쳐 입은 이모는 최근 스페인의 휴가지에서 돌아온 게 분명해 보였다.

통통한 몸은 낡은 권투 글러브의 가죽 같은 짙은 갈색으로 태워져 있었다. 창백하고 앙증맞았던 돌아가신 엄마와는 정말 달랐다.

사촌들과 나는, 어린 시절 내가 기억하는 것보다 훨씬 더 많은 시간을 보냈다. 이모와 이모의 가족들은 버밍엄에서 우스터의 넓고 화려한 집으로 이사를 가기 전만 해도 일주일에 한 번 우리 엄마와 함께 시간을 보냈다. 어렸으므로 우리는 그저 엄마와 이모를 따라다닐 수밖에 없었다. 이상하게도 엄마와 이모는 공통점이 거의 없었지만 함께 시간을 자주 보내며 수다를 떨고 남의 험담을 했다. 두 사람이 편하게 시간을 보내기 위해 아이들은 뒷마당이나 거리로 내몰렸다. 작별 인사를 할 때가 되면, 엄마는 종종 두 눈을 붉게 물들였다. 나는 그제야 우리 아빠의 행동이 두 사람의 주된 이야깃거리라는 걸 알 수 있었다.

사촌들보다 여섯 살이나 많다는 이유로, 엄마와 이모가 없으면 내가 명목상 보호자가 되었다. 굳이 '명목상'이라는 단어를 쓴 건, 이 교활하고 버릇없는 아이들을 통제하는 게 불가능했기 때문이다. 내 나이 대에 아이들을 통제하기에는 둘과 별다른 관계도 없었고 아무리 내가 키가 크고 똑똑하고 힘이 세도 불가능에 가까웠다. 사촌들은 에드워드가 우리 엄마에게 받는 것보다 훨씬 더 커다란 관심을 받고 살았다. 이모에게 달라붙어 약간의 애교만 부리면 간식, 장난감, 애완동물까지 원하는 건 다 얻어낼 수 있었다. 두 사람은 나를 싫어한다는 걸 굳이 감추지 않았다. 아마도 내가 두 사람의 넋두리나 징징거림에 반응을 해주지 않아서였던 것 같다. 반대로 사촌들은 에드워드를 영웅으로 숭배했다. 동생의 반항적인 태도는 두 사람을 흥분시켰고 닮아가려고 노력하는 모습도 보였다. 우리 넷이 함께 있을 때 논쟁이나 의견 충돌이 일어나면 에드워드와 사촌들이 한편을 먹고 나를 괴롭혔다.

가령 내가 열세 살쯤 되었을 때였다. 에드워드가 열 살이나 열한 살쯤이었고 사촌들은 일곱 살쯤. 늦여름이었고, 학교에서 돌아오면서 두려움과 동시에 약간은 설렜다. '두려운 건' 내가 이미 그 나이부터 혼자 지내는 시간을 좋아했기 때문이었고 그럼에도 '설레었던 건' 학업적 성공이 내가 통제할 수 있는 삶의 한 측면이었기 때문이었다.

사촌들과 에드워드 그리고 나는 여느 때처럼 어른들이 수다를 떨 수 있도록 밖에서 놀라는 말을 들었다. 나는 책을 읽고 싶었지만 엄마는 내게 아이들을 돌보라고 하셨다. 뒤뜰에는 새로운 파티오 의자가 놓여 있었고 집 앞 포장도로에는 날아다니는 개미떼가 있어서 우리는 동네 공원으로 갔다. 공원에 도착하자마자 에드워드는 장난을 쳤다. 캐나다 기러기와 그 새끼들을 위협하고 노인들이 낚싯대를 설치한 연못에 돌을 던지거나 안전한 높이보다 더 높이 나무를 탔다. 사촌들은 동생의 익살에 즐겁다는 듯 꽥꽥 소리를 질러댔다. 나는 최선을 다해 동생들을 진정시키려 했지만 소용이 없었다. 차라리 개코원숭이를 가르치는 게 나았을지도.

놀이터에서 에드워드는 줄을 서서 기다리는 아이들을 괴롭히고 미끄럼틀을 거꾸로 올라가기도 하고 뺑뺑이를 힘껏 돌려 원심력을 이용해 타고 있던 아이들을 거의 내동댕이치게 만들기도 했다. 화가 난 부모들이 동생을 쫓아내자, 그는 이번에는 닭 놀이를 하기로 결심했다. 힘껏 날아오른 그네 앞으로 달려들었다가 마지막 순간 다시 도망치는 놀이였다. 나는 에드워드에게 멈추라고 외쳤다. 다칠 게 분명했으니까. 하지만 에드워드는 차마 말로 설명할 수 없는 손가락 욕설을 흔들었다. 그러다가 타이밍이 어긋나며 그네가 동생의 이마 옆을 치고 지나갔다.

피가 흐르는 게 심상치 않아 보였다. 사촌들은 창백하게 질려 덜덜 떨며 눈물을 흘렸고, 에드워드는 충격으로 기절해버렸다. 다행히 이웃집 아줌마가 어린 딸들과 놀이터에 있었다. 아줌마가 카디건을 벗어 지혈을 하고 우리 모두를 차에 태워 집으로 데려다주었다. 사촌들은 트렁크에 앉았다.

병원에 간 에드워드는 이마를 꿰매야 했다. 자초지종을 설명하는 시간이 되자마자 나는 동생의 비열하고 어리석고 위험한 행동을 하나씩 나열하며 설명했다. 그러나 에드워드는 그네 앞에 있던 어느 형아가 사촌 중 하나를 밀었다며, 자신이 사촌을 구하느라 이마를 다쳤다고 했다. 사촌들 역시 에드워드의 말이 맞다고 맞장구쳤다. 듣자 하니, 나는 줄곧 책에 코를 박고 벤치에 앉아 있던 사람이 되어버렸다. 어머니는 눈물이 흥건한 눈동자와 탁한 목소리로 내게 실망했다고 했다. 내가 아이들을 책임졌어야 했다고. 내가 동생과 사촌들을 더 잘 돌봤어야 했다고 말이다. 나는 늘 현명하고 믿음직스러운 아이였다며, 내가 아니라면 대체 이 세상에서 누굴 믿어야 하느냐고. 그 말에 에드워드와 사촌들은 비웃음을 참지 못했다.

✦

"정말 반갑구나."

이모가 가운을 단단히 감싸 안은 내 팔을 비집고 껴안으며 말했다.

"응, 진짜로."

맞은편에 서 있던 사촌들도 거들었다.

"내 생일을 맞아서 네 이모부가 우리에게 여자들끼리 시간을 보내라고 이렇게 마련해주었단다. 너도 알다시피 올해 내가 예순둘이잖니." 이모는 자신도 모르게 들뜬 것처럼 눈을 크게 치켜떴다. "근데 내가 나이를 말하기 전까진 아무도 몰라. 50대 초반처럼 보인다고 그러더라. 그건 내가 항상 자기관리를 철저히 했기 때문이야. 사람들이 젊음과 아름다움은 늘 지켜야 한다고 그러잖니."

"엄마, 정말 잘하고 있어요." 사촌 중 하나가 덧붙였다.

"우리도 엄마 나이에 엄마만큼만 됐으면 좋겠다니까."

또 다른 하나가 거울이 붙은 벽에 자신을 비춰보며 말했다. 실비아 이모는 눈에 띄는 젊음에 만족스럽다는 듯 웃었다.

"장례식 때 졸도했던 건 이제 다 괜찮아진 거지?" 그녀가 물었다. "네가 너무 힘들어서 그런 거야, 안쓰러운 것. 나도 그랬어. 나도 쓰러지는 줄 알았다니까. 나도 늘 감정적인 사람이란 소리를 듣고 살았잖니. '당신은 늘 너무 감정적이야.' 네 이모부가 맨날 나한테 그런단다."

나는 이모에게 감정을 통제하는 데 어떤 어려움도 겪어본 적이 없으며 단순히 신체적인 문제였다고 설명했다.

"엄마 장례식에서 이상한 꼴을 보이는 건 부끄러운 게 아니야. 다들 그래. 에드도 그날 충격적인 행동을 보였잖니. 아무도 그 애를 비난하지 않잖아, 그렇지?"

사촌들은 일제히 고개를 저으며 동의했다.

"엄마, 누가 그래요. 전혀요."

"에드워드 오빠도 슬프니까 자기가 무슨 말을 하는지 몰라서 그랬던 거죠." 웬디가 말했다.

"얼마나 슬펐으면 그랬겠어요." 크리스틴도 거들었다.

나는 세 사람이 장례식 때 찾아온 조문객들의 성격, 행동, 옷차림에 대해 이러쿵저러쿵 떠들어대는 몇 분을 견디고 마침내 내가 오늘 모임에 참석한 이유는 엄마의 유언장에 이모의 증인 서명이 들어있던 까닭을 묻기 위해서라고 털어놓았다.

"네 엄마가 유언장을 썼니?" 이모가 물었다.

"알고 계시잖아요. 이모가 증인도 하셨잖아요."

"내가 그랬던가? 기억이 안 나네. 그게 언제니?"

나는 이모에게 엄마가 돌아가시기 몇 주 전이었다고 했다. 이모는 이마에 보톡스를 맞아 움직이지 않는 사람처럼 얼굴을 찌푸리고는 곰곰이 생각하는 척했다.

"그리고 에드워드의 친구인 롭이 또 다른 증인이었죠." 내가 재촉하듯 계속 말했다. "아마 두 사람이 동시에 유언장에 서명을 했을 거예요."

"아, 롭. 그래. 이제 생각나네. 정말 괜찮은 청년이지, 건장하고 순한 청년이야. 그 청년이 나를 꽤 마음에 들어 하는 게 느껴지더라. 나한테 뒷면에 핸드폰 번호가 적힌 명함을 주더라고. 그러고 보니 우리 집에 한번 초대를 해야겠다. 우리 정원사가 모종이랑 잡초는 잘 다루는데 예술적 기질은 좀 부족해. 네 이모부는 뭐든 내가 원하는 대로 하라고 하는데 내가 좀처럼 바빠서 정원을 가꿀 시간이 없어. 네가 말하니까 생각이 나네. 집에 돌아가면 롭에게 전화를 좀 해봐야겠다."

나는 이 문제에 대한 이모의 이야기를 들으려면 엄청난 노력이 필요하다는 걸 직감했다.

"그래서 누가 증인이 되라고 부탁하던가요?"

다시 한 번 묻자 이번에도 이모는 간신히 눈살을 찌푸리며 속삭였다.

"가만 있어봐라. 그래, 기억나네. 에드가 전날 나한테 전화를 했어. 나한테 전화를 건 게 처음이라 기억이 나. 집안사람을 두루 챙기는 타입은 아니잖니, 걔가? 나쁜 소식이 있다고 네 엄마가 최근 두 번이나 뇌졸중으로 쓰러졌다고 하더구나. 그래도 희망적이라면서 그냥 잠깐 들러서 네 엄마와 수다나 좀 떨고 가라고 그러더라. 네 엄마가 우울해 보여서 기운을 좀 내게 해드리고 싶다면서 말이야. 사람들은 나한테 늘 그러거든. '실비아, 당신은 어디서든 따스한 사람이네요.' 그러니 어쩌겠니? 우울과 좌절은 퍼트리는 게 아니잖니. 예전에 글레디스 이모할머니 기억나지? 시큼한 레몬을 씹은 것 같은 죽상이었잖아. 세상에 마음에 드는 게 하나도 없는 분이었지. 내가 기억하는 게 언젠가 한번은……."

"동생이 전화로 다른 말은 안 하던가요? 혹시 유언장을 언급했었어요?"

이모가 막 대답을 하려는데 간호사 같은 하얀 가운을 입고 광대처럼 과장된 화장을 한 직원이 나무 잎사귀 너머에서 나타나 실비아 이모에게 인사를 건넸다.

"메이슨 부인? 실례합니다. 매니큐어를 받으실 시간이에요. 따라오시겠어요?"

"아휴, 이렇게 이야기를 끊어야 하네?"

이모가 낄낄거리며 말했다.

그렇게 허무한 시간이 흘렀다. 반나절짜리 이용권에 쓴 돈을 낭비하고 싶지 않아 《트리스트럼》과 《쿠츠 유언공증》을 다시 서류 가방에 쑤셔 넣고 이모를 따라 네일 룸으로 들어갔다. 이모는 이미 작은 탁자 앞에 놓인 의자에 앉아 있었고 이모의 푸짐한 손가락은 탁자 위에 올려놓은 상태였다.

"너도 네일을 받지 그러니, 수잔? 나는 2주에 한 번은 꼭 받아. 프랭크가 항상 최고로 관리하는 걸 좋아하거든."

"아뇨, 전 괜찮아요. 제 손톱은 저도 깎을 수 있으니까요. 그보다 이모, 에드워드가 전화해서 유언장에 서명을 하라고……."

나는 이모 곁에 의자를 끌어와 앉았다.

"글쎄다. 에드는 분명 전화로는 유언장에 대해서는 일언반구도 없었어. 근데 계속 놀러오라고 약간 고집을 부렸던 건 기억나. 네 엄마가 더 우울해지는 건 싫다면서 말이야. 그래서 다음 날 가겠다고 했지. 나도 쇼핑을 하러 버밍엄에 가긴 갔어야 했거든. 내 친구 재키의 결혼식에 입고 갈 근사한 옷을 사야 했거든. 우스터에는 그만한 숍이 많질 않아. 다른 건 하나도 그립지 않은데 쇼핑만큼은 버밍엄이 너무 그리워. 어쨌든 너희 엄마를 만나기로 했지. 가끔씩 그렇게라도 만나던 게 얼마나 좋았니."

"그래서 엄마를 만나셔서, 그다음에는요?"

"특별한 건 없었어. 네 엄마도 별로 우울해 보이지 않았고. 좀 멍하긴 했는데 아마 뇌졸중 때문에 그런 거겠지? 딱 예상하던 그대로였어. 그래서 네 엄마랑 같이 점심을 먹고 차를 한 잔 마신 다음에 나는 시내로 갔다. 버밍엄의 모든 상점을 뒤졌는데도 근사한 옷을 찾기가 어려웠어. 세상 일이 참 내 마음대로 안 되지, 늘."

"그렇죠. 그럼 유언장은요?" 내가 다시 물었다.

"음, 점심을 다 먹었을 때 롭이 왔지. 그 남자 키가 참 커, 그렇지 않니? 나는 늘 키 큰 남자를 좋아했는데. 아무튼 에드가 네 엄마에게 롭이 왔다고 하니까 좀 혼란스러워 보이더라. 그러더니 에드가 네 엄마에게, '두 명이 필요하다고 했었잖아요. 기억하죠?' 그랬어. 그랬더니 네 엄마가 '아, 맞아. 그래. 어디 있니?' 하고 묻더라. 그러더니 에드가 방에서 나갔다가 1분 후에 큰 갈색 봉투를 들고 오더라. 그러고 나서 자기는 나가야 한다고 말하고 우리에게 그 일을 맡겼어. 장례식 전에 그 애를 본 건 그게 마지막이었지. 네 엄마가 나하고 롭에게 서명을 해달라고 하더라고. 서류를 꺼내서 자기 이름을 서명하더니 나하고 롭에게 각각 서명을 해달라고 했지. 그다음에 우리는 다 같이 차를 마셨어. 나는 롭에게 정원의 전망대를 심거나 침상원을 꾸리는 게 어쨌겠냐고 물었고 그때 롭이 내게 명함을 준 거야. 정말 매력적인 사내야."

"엄마가 유언장에 대해선 아무 말도 안 했어요?"

"메이슨 부인, 오늘은 어떤 색이 좋으실까요?" 네일 관리사가 끼어들었다. "어제 새로 들어온 매니큐어가 몇 개 있어요. 보시면 아마 정말 마음에 드실 거예요."

그녀는 이모에게 여러 색깔의 작은 병이 든 선반 하나를 보여주었다.

"아, 정말 달콤한 사탕가게 같아. 그렇지 않니? 뭘 골라야 할지 모르겠네. 꼭 터키쉬 딜라이트랑 설탕 아몬드, 바이올렛 크림 중에 하나만 골라 먹어야 하는 기분이라니까. 다 마음에 드는데 어쩌지. 플라밍고 아니면 수박 중에 하나가 좋을 것 같아. 수잔, 네 생각은 어떠니? 나는 결정을 못 하겠어. 딸들은 늘 나한테 '엄마, 엄마는 너무 긍정적이라 문제예요'라고 그러더라. 긍정적인 게 내 단점이라면 단점이지."

"잘 모르겠네요. 이런 건 잘 모르는 분야라서. 저라면 눈을 감고 하나를 고르겠어요."

"그것도 참 좋은 생각이다. 꼭 게임 같아. 어디 그럼 운명에 맡겨볼까."

이모는 눈을 감고 선반을 향해 손가락을 쿡 찔렀다. 그리고 이모는 자신이 선택한 운명이 어떤 색인지 슬그머니 바라보았다.

"음, 아냐. 플라밍고가 좋겠어. 처음 본능을 믿어야지. 내가 늘 하는 말이거든."

이모는 선반 위로 손을 뻗어 작은 병 하나를 꺼내 들었다.

"어메이징한 색이죠. 메이슨 부인은 늘 감각이 좋으세요."

마치 이모가 직접 매니큐어를 만든 것 같은 칭찬이었다.

"이모. 유언장이요." 내가 물었다. "엄마가 유언장 조항에 대해 아무 말도 안 했어요?"

"보자. 무슨 말이 없었냐고? 그냥 자기가 가고 나면 어떻게 될까를 한참 생각했던 것 같아. 너와 에드워드가 공평하게 나눴으면 좋겠다고. 어떤 논쟁도 없었으면 한다고. 네 엄마는 너희가 분필과 치즈처럼 너무 다르다는 걸 알았어. 언니가 이미 누군가와 상의를 해서 머릿속을 정리했다고 했던 것 같아. 누군지는 기억이 안 나. 아마 대리인이었던 것 같아. 그가 항상 전화를 했다고. 내가 네 엄마를 만나러 갔을 때도 몇 번 만났지. 좋은 남자긴 한데 좀 지루해. 무슨 말인지 알지? 나도 관심이 별로 없었어, 그래서."

"엄마가 에드워드한테 거주권을 주겠다고 말한 적은 있어요?"

"뭐라구, 애?"

"거주권이요. 그 집에 자기가 원하는 만큼 언제까지고 살 수 있는 권리 말이에요."

"난 그런 건 아무것도 몰라. 네 엄마도 '거주권' 같은 소리는 한 적이 없어. 아니면 언니가 말을 했는데 내가 관심이 없었을 수도 있고. 그래서 짜증이 좀 난 거니? 그래서 이렇게 나를 취조하는 거야?"

"이모, 저는 짜증이 좀 난 게 아니라 화가 나요. 대체 엄마가 그럴 이유가 없잖아요. 에드워드가 엄마를 속였거나 괴롭힌 게 분명하다고요. 저는 엄마의 진료 기록을 입수하고 엄마를 알고 있던 모든 사람들을 만나는 중이에요. 엄마가 혼란스럽고 정신이 취약한 상태였다는 걸 증명할 거예요. 게다가 엄마는 그렇게 부당한 일을 벌이실 분이 아니에요."

실비아 이모는 화려한 손톱에서 시선을 돌려 내 눈을 바라보았다. 그러고는 처음으로 근엄한 표정을 지어 보였다.

"수잔, 이제 그만 유언장을 받아들이는 건 어떨까. 네 엄마도 이유가 있었겠지. 남의 머릿속에서 무슨 일이 일어나는지 누가 알겠어? 왜 네 엄마의 사생활을 파헤치느라 시간을 낭비하니? 살면서 때로는 그저 일어나는 대로 받아들이고 최대한 활용하는 게 최선이야. 살아보니 그러더라. 지금 화가 나는 건 너 한 사람뿐이야. 그리고 곧 다른 사람들도 화를 내겠지."

"부인, 다 됐네요." 관리사가 장비를 치우며 물었다. "마음에 드세요?"

"오, 너무 마음에 들어요. 꼭 영화배우 손톱 같네, 안 그래요?"

이모가 손가락을 꼼지락거리며 환히 웃었다.

일광욕 의자로 돌아오자, 사촌들이 지루하다며 칭얼거렸다. 예약한 시간까지 30분이나 남아 있다고 하면서도 책 한 권 가져올 생각은 없었나 보다. (두 사람이 예약한 관리는 랩으로 몸을 감싸 살을 빼게 해주는 거였다. 둘 다 운동을 하거나 적게 먹어 살 뺄 생각은 없나 보다.) 둘은 우리에게 핫터브로 가서 따뜻한 물에 몸을 담그자고 했다.

"난 별로 생각 없다, 얘들아." 이모가 기지개를 켜며 눈을 감고 말했다. "네일 관리를 받았더니 좀 쉬고 싶어."

"수잔, 같이 가. 긴장이 풀릴 거야." 웬디가 말했다. "거절은 거절할게."

나는 그런 끔찍한 사촌은 고사하고 누구와도 목욕을 하고 싶은 생각이 없다. 싫다고 거절을 하는 사이, 웬디는 교묘하게 내 가운의 끈을 풀었고 크리스틴은 어깨에 손을 뻗어 가운을 벗겼다. 두 사람의 효율적인 팀워크는 아마도 예전 몇 년간 학교에서 인기 없는 아이들을 괴롭히며 익힌 결과였을 것이다. 가운이 바닥에 떨어지자 두 사람이 봉긋한 내 배를 발견하더니 내 얼굴을 빤히 바라보고, 다시 배로 시선을 떨궜다. 솔직히 내 배가 그렇게 티가 나는 줄 몰랐다.

"엄마. 수잔이 임신을 했어."

웬디가 말했다. 그녀의 얼굴에 공포의 빛이 역력했다.

"근데 이게 가능할 리가 없는데. 언니 나이가 마흔다섯인데." 크리스틴이 말했다.

"세상에, 너무 잘됐다! 더할 나위 없이 기뻐. 그 말은 내가 이모할머니가 된다는 거잖니." 이모는 늘 이렇게 모든 면을 자신의 입장에서만 바라보았다. "정말 나이든 것 같아. '이모할머니'라니."

사촌들은 어떻게 된 일인지 알아내려고 혈안이었다. 내 앞에 자그마한 얼굴을 들이밀며 물었다.

"어떻게 된 거야?"

"사고 친 거야?"

"얼마나 된 거야?"

"언니 나이엔 좀 위험하지 않아?"

"애들아. 수잔을 앉혀놓고 이야기를 듣자꾸나." 이모가 말했다.

너희들 사는 거에나 신경 쓰라고 말을 하기도 전에 윤광이 흐르는 여자가 리셉션에서 빠져 나와 끼어들었다.

"그린 씨. 반나절 패스는 정오에 만료되거든요. 원하시면 하루 입장권으로 연장하실 수 있어요."

나는 실비아 이모와 논의할 게 너무 많았다. 엄마가 유언장에 서명하기 전 어떤 상태였는지에 대한 이모의 견해는 나중에 법정에서 큰 걸림돌이 될 수도 있다. 하지만 이모에 대한 추가적인 조사는 나중으로 미뤄야 했다. 나는 사촌들의 심문에 답을 해줄 필요성을 느끼지 못했고 더 이상 돈도 낭비하고 싶지 않았다.

"안타깝지만 전 이제 그만 가봐야겠어요. 이야기는 다음에 들어야겠네."

나는 한창 흥이 오른 사촌들에게 말했다. 가운과 서류 가방을 움켜쥔 나는 세 사람이 붙잡기도 전에 문을 향해 서둘러 발걸음을 옮겼다.

"그렇게 매정하게 굴지 마, 수잔." 이모가 나를 불러 세웠다. "네 엄마가 갔으니 크리스마스는 우리랑 보내야지. 우리가 같이 보내줄게, 안 그러니 애들아?"

"가지 마. 말도 안 돼. 어떻게 아기가 생겼는지 다 듣고 싶단 말이야." 웬디가 덧붙였다.

"진짜 싸가지 없어."

크리스틴의 중얼거림이 내 귀에 쏙 들어왔다.

10.

그날 저녁 나는 실비아 이모와 나눈 이야기를 상세히 기록했다. 이모의 이름으로 된 증인 진술서를 작성하고 이모가 내게 말한 것이 정확하다는 확실한 증거가 필요했다. 어떤 법적 문서라도 이모의 진술대로 쓰여 있다면 사용하기 용이하겠지만 이모의 비문법적 표현과 독특한 구어체를 고쳐 기록해놓는다면 이모의 증언이 더욱 설득력을 얻을 것이다. 나는 판사가 바보의 증언을 읽고 있다고 생각하는 건 원치 않는다.

이모의 횡설수설에서 간신히 가려낸 정보로 보자면, 의심할 여지없이 에드워드는 엄마의 유언장에 관여를 했고, 단순히 엄마가 유언장을 작성하고 있다는 것 이상을 이미 파악하고 있었다. 동생은 유언장에 서명하기 전부터 유언장이 어디에 보관되어 있는지 알고 있었고, 자유롭게 접근할 수 있었을 뿐 아니라, 개인적인 친분이 있는 롭과 상황을 제대로 파악하지 못했던 이모까지 증인으로 만들었다. 급한 일이라며 실비아 이모를 집으로 초대했다는 것부터가 이미 많은 것을 말해주고 있었다. 그런 상황에서 동생이 유언장의 내용을 몰랐다는 건 말이 되지 않는다. 땀에 젖은 손바닥으로 흥분감에 숨을 몰아쉬면서 유언장이 든 갈색 봉투를 엄마에게 건네는 동생의 모습이 선하다. 몇 분만 있으면 엄마의 집이 곧 자기 소유가 되리라는 기대감 때문이었겠지. 증인들에게 모든 걸 맡겼다는 것도 놀랍지 않다. 아마 자신의 욕망이 얼굴에 고스란히 드러날까 봐 걱정했을 테고 그래서 엄마가 의문을 품고 망설일까 봐 두려웠을 것이다.

나는 다만 에드워드가 왜 그렇게 거주권을 확보하려고 했을까가 궁금했다. 나는 절대 앙심을 품는 사람이 아니다. 엄마의 재산이 우리 둘에게 공평하게 분배되었다 해도, 장례가 끝나자마자 집에서 동생을 내쫓지는 않았을 거란 뜻이다. (물론 그렇게 하면 내 기분이 훨씬 나아졌겠지만.) 아니, 오히려 나라면 엄마의 집을 추려 매물로 내놓는 사이 동생에게 새로 머물 만한 곳을 구할 수 있도록 두 달 정도의 말미를 주었을 테다. 임시로 머물 곳을 찾은 다음 버밍엄 외곽에 있는 아파트 하나 정도는 구할 만큼 돈을 벌 시간도 충분할 테고, 설령 그게 어렵다면 그보다 덜 비싼 지역으로 집을 구해도 충분하지 않겠는가. 다만 온갖 응석을 부리며 평생을 산 동생한테는 그것만으로는 충분하지 않았던 모양이다. 이미 편하고, 잘 관리되고, 침실이 네 개나 있으며 주변에는 조용한 주택가와 주류 판매점, 경마장, 술집 따위의 편의 시설이 길 건너에 나란한 이 집을 포기할 수 없었겠지. 재산을 누나와 갈라먹는 것보다는 혼자 다 차지하려고 계획을 세우는 편이 더 행복했을 것이다. 대학을 졸업한 이후로 제대로 된 월급을 받아본 적이 손에 꼽는 놈이었다. 당연히 제 능력대로라면 철로 아래 박스를 깔고 살아야 마땅했다.

그러나 다행히도 에드워드를 상대로 준비 중인 나의 소송은 이제 뼈대를 거의 갖추고 있었다. 마치 오래된 그림의 표면에 묻은 먼지를 제거하는 것 같은 작업이었다. 흐릿했던 이미지가 눈앞에 형형하게 복원되고 있다는 뜻이었다. 나는 사건의 전모가 완전히 드러날 때까지 멈추지 않을 작정이다. 제아무리 끔찍한 일이 벌어진다고 해도 말이다.

노트를 다 쓰고 포트폴리오를 닫자 현관문을 두드리는 소리와 함께 "수잔, 나예요. 이번엔 나밖에 없어요."라고 속삭이는 소리가 들렸다. 또 한 번 케이트였다. (그녀는 나처럼 파자마 차림이었다.) 하지만 이번엔 슬리퍼를 신고 나이트가운을 입은 채 손에 와인 병을 들고 있었다.

"이게 아래층에서도 통하네. 신호가 잡혀요."

케이트는 마치 당첨된 로또라도 되는 양 아기 모니터 장치를 흔들어댔다. 화면 너머 적색과 녹색의 불빛이 깜박이고 쉬쉬거리는 숨소리와 함께 희미한 부스럭거림이 들렸다.

"우리 둘이 여기서 술 한 잔 할 동안에도 아기는 볼 수 있다구요."

"미안한데, 지금은 술을 마실 수 있는 상태가 아니라서요."

"오, 아니요." 케이트가 배시시 웃으며 대답했다. "이거 와인 아니에요. 수잔이 어떤 상태인지는 나도 잘 알아요. 이건 엘더플라워 주스예요. 제가 임신했을 땐 내내 이것만 마셨는걸요. 그리곤 샴페인을 마신다고 스스로 세뇌를 했죠. 나와서 잠깐 같이 마셔요. 저도 밤엔 외출을 잘 하진 않거든요."

　지금까지의 증거로만 본다면, 케이트는 두 살 이상의 사람과는 쉽게 교류를 할 수 없는 것 같다. 그녀는 분명 엄청난 노력을 하고 있었다. 어쩐지 가여운 마음이 들어 케이트를 거실로 안내했다.

　나는 사적인 영역에 사람들을 초대하는 걸 썩 즐기는 편은 아니다. 그리고 초대하지 않은 사람들의 방문은 더더욱 싫다. 어릴 때도 마찬가지였다. 아주 어린 시절부터, 나는 아빠의 음주를 주변 사람들에게, 특히 학교 친구들에게는 꼭 비밀로 하는 게 이익이라는 걸 깨달았다. 그리고 곧 전문가가 되었다. 나의 주된 방어 전략은 아무도 집에 전화를 걸어 아빠와 맞닥뜨리지 않게 하기 위해 친구를 아예 사귀지 않는 것이었다. 방과 후에는 놀이터도 가지 않았고 다른 아이들의 집에 놀러가거나 파티에도 참석하지 않았으며 대체로 혼자 지냈다. 두 번째 방어 전략은 아빠와 함께 공공장소에 가는 것을 피하는 것이었지만 불행히도 항상 가능한 방법은 아니었다.

✦

　열네 살 때 내가 그토록 피하고 싶던 일이 벌어졌다. 아주 간만에 실비아 이모의 집에 놀러 갔다가 돌아오는 길이었다. 유독 가족 모두가 긴장된 상태였다. 아빠는 동네 주류 판매점 앞에 잠깐 차를 세워달라고 엄마에게 요구했다. 그리고 엄마는 반대해봤자 소용이 없다는 걸 알았다. 차에서 내린 아빠는 비틀거리며 걸어갔

153

다가 곧 양손에 불룩한 비닐봉지를 들고 나타났다. 이 시기의 아빠는 이미 배가 남산만 하게 불러서 바지의 치수가 맞지 않았다. 엉덩이 밑으로 흘러내리는 바지춤을 자꾸만 끌어올려야 했다는 뜻이다.

차로 다가오던 아빠를 지켜보다 보니, 바지 허리춤이 점점 아래로 미끄러져 내려가고 있었다. 무슨 일이 벌어질지 충분히 예상할 수 있었다. 나는 차 문을 벌컥 열고 아빠를 향해 달려갔지만 한발 늦어버렸다. 아빠의 바지는 이미 줄줄 흘러내려 발목에 걸쳐 있었고 창백하고 깡마른 다리가 훤히 드러난 후였다. 그토록 소중한 술을 내려놓고 바지를 추켜올리는 대신, 아빠는 당황한 표정으로 우뚝 서버렸다. 달려간 내가 아빠 손에서 짐을 빼앗았고, 아빠는 이내 주춤거리며 허리를 수그려 흘러내린 바짓단을 움켜쥐었다. 이미 술에 취할 대로 취한 아빠는 무게중심을 잃고 거의 고꾸라질 위기였다. 상상하면 우스울지도 모르지만 전혀 웃기지 않았다. 당시의 나에겐 전혀 웃긴 모습이 아니었다. 나는 아무도 눈치채지 못했기를 바라며 주위를 둘러보다 근처에 서서 웃음을 터트리는 한 무리의 여학생들을 발견했다. 같은 학년의 캐롤과 그 무리의 다른 세 명의 친구들이었다. 내 끔찍한 사촌들과 마찬가지로 그 애들도 남의 약점을 발견하는 게 세상에서 가장 즐거운 애들이었다. 나는 허둥지둥 차로 도망쳤다.

비겁하게 들리겠지만 월요일 아침, 나는 엄마에게 몸이 좋지 않아 학교에 못 가겠다고 했다. 화요일에도 같은 핑계를 댔다. 수요일 아침, 엄마는 의사를 부르겠다며 으름장을 놓았고 나는 어쩔 수 없이 체념했다. 등교를 하고 나니 마치 모두가 내 등 뒤에서 나를 향해 손가락질을 하며 낄낄대는 것만 같았다.

"야, 수, 우리 지난 토요일에 가게 앞에서 너희 아빠 봤는데." 캐롤이 소리쳤다. "솔직히 너무 많은 걸 본 것 같기도 하고."

"학생들 앞에서 바바리맨 짓을 하는 사람인데 경찰이 잡아갔어야 하는 거 아냐?"

그 무리의 친구 하나가 덧붙였다.

"약간 제정신이 아닌 것 같던데."

"엄마가 그러는데 쟤네 아빠 술꾼이래."

나는 책상만 빤히 응시하며 귓가에 들리는 목소리를 막아보려 애썼다. 물론 불가능한 일이었다. 캐롤은 계속해서 아이들을 선동하며 놀림을 멈추지 않았다. 나는 성격상 단 한 번도 해본 적이 없는 짓을 했다. 자리에서 벌떡 일어나 캐롤의 책상으로 다가가 있는 힘껏 뺨을 내리친 것이다. 때마침 우리 반 담임이었던 브릭스 선생님이 출석부를 들고 교실로 들어왔고, 캐롤은 비틀거리며 뒷걸음질 치다가 팔꿈치를 라디에이터에 부딪쳤다. 나는 우리 선생님을 좋아했다. 20대 초반의 날렵하고, 금발머리를 가진 친절했던 선생님. 선생님은 영문학을 가르쳤지만 우리 반을 맡지는 않았다.

"이게 무슨 일이지?" 그가 교탁 위에 출석부를 던지며 물었다.

"수잔이 그랬어요, 선생님." 캐롤이 훌쩍이며 소리쳤다. "아무 이유 없이 제 뺨을 때리는 바람에 팔꿈치를 찧었어요. 팔이 부러진 것 같아요."

브릭스 선생님이 깜짝 놀란 듯 나를 보며 물었다.

"수잔. 네가 정말 캐롤을 때렸니?"

"네." 나는 실내화를 바라보며 중얼거렸다.

선생님은 내게 무슨 일이 있었는지 물었다. 나는 모르겠다고 중얼거렸다. 그는 뺨이 붉게 달아오른 캐롤에게 시선을 돌렸다.

"팔꿈치 좀 보자. 움직일 수 있겠니?"

잠깐 팔꿈치를 둘러본 선생님은 부러질 만큼 큰 상처는 아닌 것 같다고 했다. 다만 화장실에 가서 페이퍼 타월에 찬물을 묻히고 몇 분간 대고 있으면 좀 나아질 거라고 했다. 교실로 돌아온 캐롤은 아주 고소하다는 듯 나를 비웃으며 바라보았다.

출석이 끝나고 수업 시간이 되자, 브릭스 선생님은 캐롤과 나에게 잠깐 교실에 남으라고 했다. 그는 내게 왜 캐롤을 때렸는지 또 물었고, 나는 여전히 모른다고만 했다.

"캐롤, 정말 말 안 해줄래?"

"그게 실은 제가 수잔의 아빠를 봤다고 했기 때문이에요. 지난 주말에 쟤네 아빠가 술에 취해서 비틀거리시는 모습을 봤거든요. 그래서 괜찮으시냐고 물어본 게 다예요."

"그게 정말이니, 수잔?"

"괜찮으시냐고 물어본 게 아니라 저희 아빠를 욕하잖아요."

브릭스 선생님은 내게 이유가 무엇이든 친구에게 신체적인 폭행을 가해서는 안 된다고 타일렀다. 그러면서도 내 성격상 무모하게 친구를 때릴 리는 없다는 걸 알아서인지, 이번 한 번만은 경고로 끝난다며 나를 보내주었다. 하지만 만에 하나 한 번만 더 이런 일이 벌어지면 이번엔 교장 선생님께 곧바로 보고를 하겠다고도 했다. 우리 둘에게 이해했냐고 물어보기에, 우리는 그렇다고 대답했다.

"좋아. 그럼 둘 다 수업 들어가."

하지만 조롱은 그치지 않았다. 어떤 아이가 선생님의 으름장에 겁을 먹고 그렇게 재미있는 짓을 포기하겠는가? 캐롤과 그 친구들은 내게 약점이 있다는 걸 충분히 이용해먹었다. 나는 지병이 있다고 꾸며내 결석을 할까 싶었지만, 그럼에도 영원히 학교를 쉴 수는 없다는 걸 아는 나이였다. 나는 이미 내 주변에서 일어나는 일과 상관이 없으며, 감정적인 반응을 억누를 수 있다고 스스로에게 되새겼다.

그다음 주, 선생님은 다시 한 번 아침 조회 후에 나를 불러냈다. 우리 집 주변의 이웃 한 명과 개인적으로 아는 사이라며 그 사람에게 아빠에 대한 이야기를 들을 수 있었다고 했다.

"지내는 건 어떠니?" 선생님이 물었다.

"괜찮아요."

"정말?" 나는 대답하지 않았다.

"수잔. 선생님은 그냥 이 말을 해주고 싶어. 선생님 아버지도 술이 문제였어. 네가 어떤 일을 겪을지 선생님은 다 알아."

나는 대꾸하지 않았다. 그는 반 친구들이 아직도 나를 놀리냐고 물어보았고 나는 본능적으로 고개를 끄덕였다.

"누가 주로 그러니? 여전히 캐롤이 주동자니? 그럼 선생님이 캐롤하고 이야기를 좀 해보고."

"아니요. 그러면 더 심해질 거예요."

"좋아. 네 뜻이 그러면. 하지만 캐롤의 괴롭힘에서 벗어나고 싶으면 쉬는 시간엔 선생님한테 찾아와도 돼. 그리고 도움이 필요하면 언제든 말하고."

다음 날 첫 번째 쉬는 시간, 나는 브릭스 선생님의 교실로 찾아갔다. 괴롭힘을 견딜 수 없어서가 아니라 마음의 평화와 고요함이 필요했기 때문이었다. 선생님이 숙제를 채점하는 동안 나는 반대편 구석에 있는 책상에 앉아 소설을 읽었다. 잠시 후, 선생님은 고개를 들어 내가 무엇을 읽고 있는지 물었다. 아마 제롬 K. 제롬의 《보트 위의 세 남자》였던 걸로 기억한다. 선생님도 그 책이 자기가 제일 좋아하는 소설 중에 하나라고 했었다. 그 다음 날, 그는 내가 좋아할 만한 소설이라며 P. G. 우드하우스의 소설을 한 권 갖다주었다. 나더러 돌려줄 필요가 없다고 했다. 이미 갖고 있는 책이 너무 많아서 공간을 만들 수 있어 다행이라고 말이다.

이게 내 새로운 일상이 되었다. 수업 끝나는 종이 울리고 쉬는 시간이 되면 나는 브릭스 선생님의 교실로 가서 그가 숙제를 채점하고 다음 수업을 계획하는 동안 소설을 꺼내 읽곤 했다. 때로 선생님은 나를 위해 책을 가져와 함께 독서 토론을 하기도 했다. 몇 번인가 우리 집에 대한 이야기를 나누고 싶어 하기도 했지만 나는 최선을 다해 피했다. 또 내게 이렇게 둘이서만 교실에 있는 건 비밀로 하는 게 좋겠다며 다른 사람들이 알면 질투를 할 거라고도 했다. 당연히 나는 기뻤다. 브릭스 선생님의 교실은 질서정연하고 고요한 나만의 오아시스였고, 당연히 그 누구와도 공유하고 싶지 않았으니까.

그러던 어느 날, 당연히 에드워드가 끼어들었다. 내 방에서 브릭스 선생님의 이름이 적힌 책 몇 권을 발견한 것이다. 그리고 쉬는 시간 내가 운동장에 없다는 걸 알아채고는 끈질기게 내 뒤를 따라 붙었다.

"브릭스하고 있으면 넌 대체 뭐 하는데?"

학교에서 집으로 돌아오던 길, 내 앞을 가로막은 에드워드가 물었다. 나는 내가 좀 더 뻔뻔한 사람이었으면 하고 바랐다.

"선생님은 채점을 하고 나는 선생님이 준 책 읽어. 토론도 하고."

"좀 이상한데. 선생은 그런 식으로 학생하고 단둘이 있거나 선물을 주면 안 돼. 뻔한 이야기네."

"말도 안 되는 소리하지 마. 그냥 친절하신 거야."

에드워드는 맞은편 도로를 따라 새 스케이트보드를 타고 지나가던 제일 친한 친구 스티브에게 정신이 잠깐 팔렸고, 그 사이 나는 동생을 툭 밀치고 지나쳤다. (스티브는 캐롤의 동생이었다.)

그날 일은 금세 까먹었다. 그러다가 며칠이지나고, 다른 상황이었더라면 어쩌면 내 제일 친한 친구가 되었을지도 모를 야스민이라는 얌전한 반 친구가 다가와 우비를 입고 있는 내 어깨를 조용히 두드렸다.

"네가 알아야 할 게 있어. 요즘 너와 브릭스 선생님에 대한 소문이 학교에 돌고 있거든."

"무슨 소문?"

"두 사람이 그렇고 그런 사이라고."

"말도 안 돼. 누가 그런 소리를 해?"

"사람들이 전부 그래. 선생님이 너한테 책이랑 뭐 그런 거를 선물로 주면서 이상한 짓을 한다고."

야스민은 나쁜 소식을 전해줘서 미안하다며 동정 어린 미소를 지었다. 나는 우비 소매 한쪽에 팔을 넣고 한쪽 팔은 축 늘어뜨린 채 가만히 서서 생각했다. 내 안의 순수함이 무언가 비열한 것들로 더럽혀졌다는 게 섬뜩했다. 대체 누가 그 책 선물에 대해 알았을까? 브릭스 선생님과 나를 제외하면 오직 한 사람뿐이었다. 그렇게 와전되는 소문이라면 사람들은 모두 다 믿을 것이다. 게다가 에드워드는 항상 나쁜 말을 퍼트리고 다니는 입이 싼 놈이니까. 나는 집에 도착하자마자 동생을 찾았지만, 동생은 스티브의 집에서 하룻밤 자고 온다고 했다.

소문은 아주 빠르게 몇 다리를 걸쳐 어른들에게까지 퍼진 것 같았다. 왜냐하면 내가 책가방에서 숙제를 꺼내기도 전에, 집으로 전화가 걸려와 다음 날 아침 교장 선생님과 엄마의 면담 소식을 알려왔기 때문이었다. 엄마는 내게 무슨 일이냐고 여쭤보셨지만 나는 모른다고만 했다. 돌고 도는 소문에 대해서는 생각하고 싶지도 않았다. 그저 이 모든 게 빨리 사그라지기만 바랐다.

엄마와 내가 교장실에 앉자마자, 교장 선생님은 곧바로 본론으로 들어갔다. 새로 부임한 브릭스 선생님과 내가 부적절한 사이라는 소식을 들었다고. 목격자가 한 명이 아니었다. 교장 선생님은 내게 무슨 일인지 자세히 말해보라고 했다. 나는 우리 반 여학생들의 괴롭힘을 피해 쉬는 시간, 브릭스 선생님의 교실로 갔다고 털어놓았다. 교장 선생님은 내게 그가 정말 선물을 주었냐고 물었다. 그래서 나는 선물은 맞지만 그저 선생님이 안 보시는 헌 책들이었다고 했다. "그럼 선생님은 두 사람의 만남을 비밀로 하라고 했니?"라는 질문에는 그렇긴 하지만 그건 다른 학생들도 쉬는 시간마다 찾아올까 봐 그랬다고 했다. 교장 선생님은 몸을 앞으로 숙이며 이렇게 물어서 미안하다고, 하지만 선생님이 한 번이라도 내 몸을 만진 적이 있냐고 물었다. 솔직하게 말해도 된다고, 내 잘못이 아니며 절대 잘못될 일이 없다고.

"당연히 아니죠." 내가 대답했다. "그럴 만한 일 자체가 없었어요. 단 한 번도요."

선생님은 마치 진실이 무엇이든 당연히 내가 그렇게 대답할 줄 알았다는 듯한 눈빛으로 나를 바라보았다. 그리고 엄마에게 이 일은 묻어두자고 말하며 안심시킨 후, 내게 교실로 돌아가라고 했다. 엄마에게 굿바이 키스를 건넸지만, 엄마는 입을 굳게 다물고만 있었다.

다음 날, 브릭스 선생님을 대신해 대체교사가 왔다. 학교는 선생님이 아파서 결근을 했다고, 아마 몇 주 후에 시작되는 여름방학 전까지는 출근이 어려울 거라고 했다. 하지만 선생님은 다음 학기에도 돌아오지 않았고, 그 후로 한 번도 만난 적이 없다. 선생님이 학교에서 해고를 당한 건지, 나와 같은 면담을 하고 스스로 그만두었는지 아니면 학기 말에 정말 그만둘 생각이었는지 알 길이 없다. 쉬는 시간에 나는 다시 운동장으로 돌아갔다. 조롱거리가 되었다는 뜻이다. 나를 향한 비난은 아빠에 대한 것뿐만이 아니었다. 몇 달이 지나고 나서야 나와 브릭스 선생님에 대한 소문은 한물간 소재가 되었고, 캐롤의 관심사는 새로운 목표물로 넘어갔다. 입양아라는 소문이 난 여자애 하나와 캐롤의 생각에 동성애자라고 낙인을 찍은 남자애였다. 캐롤은 여전히 아빠의 알코올 중독을 가지고 나를 괴롭혔지만 예전처럼 즐기는 모양새는 아니었다. 나는 에드워드가 내 은신처를 파괴하고 나와 브릭스 선생님 사이의 순수했던 시간을 망친 것을 결코 용서하지 않았다. 교장 선생님과 면담을 하고 돌아오던 길 복도에서 동생을 마주치자마자 나는 그에게 달려 들었다.

"뭐, 그 사람이 변태인 건 맞잖아." 동생이 반박했다. "그래서 캐롤한테 말한 건데. 스티브의 집에서 놀다가 캐롤 누나를 봤는데 둘이 친구라는 걸 알고 있었거든. 교장 선생님한테도 그래서 말한 거고."

그러나 이상하게도 엄마는 내가 한 말을 믿으면서도 내게 화를 냈다. 다 큰 성인 남성이 10대 소녀와 친하게 지내며 선물까지 해준다는 게 엄마 입장에서는 불건전한 관계처럼 보인다고 했다. 내가 그 선물을 받지 말았어야 한다고 말이다. 물론 내게 해로울 게 없어 보였다고 해도 내가 너무 순진했다고. 남자는 늘 경계해야 옳다고. 브릭스 선생님은 아마 시간이 지나면서 신뢰를 쌓아갈 테고 그다음엔 무슨 일이 일어날지 어떻게 아냐고 말이다. 엄마는 에드워드의 어깨에 팔을 두르며 말했다.

"테디가 널 돌봐주었으니 얼마나 다행이니."

✦

나는 초대받지 않은 손님을 맞이했다. 최대한 잘해주고 싶었을 뿐이다. 케이트가 제시한 즐거운 술 한잔이 퍽 나쁘지 않았고, 그래서 튼튼하게 짠 참나무 상자를 계단 삼아 부엌 수납장 맨 위 칸에 넣어두었던 사용하지 않은 샴페인 잔을 꺼냈다. 케이트는 잔에 엘더플라워 주스를 채웠다. 우리는 소파 양쪽 끝에 무릎을 올리고 앉았다. 서로 도대체 무슨 말을 해야 할지 몰라 어색한 침묵이 조금 흘렀다. 나는 늘 누군가 방문할 때마다 이런 상황이 생기지 않도록 미리 대화 주제를 정해놓는 편이다. 케이트는 분명 미리 주제를 골라오는 사람은 아니었던 모양이다.

"오늘 뭐 재미있는 일 있었어요?" 그녀가 용기 내어 물었다.

"딱히 재미있을 만한 일은 없었어요."

내가 대답했다. 나는 케이트에게 허세 가득한 이모와 두 사촌에 대한 설명을 하고 오늘 함께 스파에 갔다 온 이야기를 해주었다. 케이트가 천천히 귀를 기울이기 시작했다.

"끔찍한 이야기네요." 내가 이야기를 마치자 케이트가 대꾸했다. "가십거리를 주려다 말고 당신이 나왔으니 그 세 사람이 얼마나 열받았을까."

그러면서 케이트는 지난 몇 년간 대도시에서 일하며 만나온 가벼운 사람들에 대한 이야기를 털어놓았다. 알고 보니 케이트는 대학에서 심리학을 전공했지만 전혀 상관없는 인사팀에서 일했다고 한다. 빚을 갚으려면 꾸준한 수입이 필요했기 때문이다. 선천적으로 좀 내성적인 케이트에게는 어울리지 않는 직업이었다. 매 순간 일이 싫었다. 그리고 조만간 석사 과정을 밟아 학계에서 커리어를 쌓겠다는 계획을 세웠다고 했다.

"저에겐 사람들의 내면이 중요해요." 케이트가 말했다. "어떤 옷을 입는지, 어떤 차를 타는지, 사람들에게 인기 있거나 유행에 민감하거나 외모가 훌륭한지는 제게 중요하지 않아요."

내가 사생활 공개를 좋아하는 사람이 아니라는 건 두말할 나위도 없다. 요즘은 그럴 기회가 너무 많다. 사람들은 점점 더 자신의 생각, 감정, 경험 따위를 친구나 심지어 전혀 모르는 타인과 공유하고 검증할 필요를 느끼는 것 같다. 하지만 이 자리에서만큼은 케이트의 냉철한 견해가 나를 부추겼고, 나는 이모와의 만남에 대한 이유를 설명하고 싶었다. 나는 쿠션을 두드려 껴안고, 잔에 주스를 더 채웠다. 그리고 엄마가 최근에 돌아가셨으며, 터무니없는 유언장이 존재했다는 것, 동생이 그 유언장을 강압적으로 작성하게 했을 거라는 의심과 유언장을 무효화하기 위한 법정 소송을 준비 중이라고 털어놓았다.

"복잡하겠네요." 그녀가 쿠션을 내려놓으며 말했다. "정말 동생이 어머님을 속이고 거주권을 가져갔다고 생각하세요?"

"거의 확신해요. 속임수를 썼거나 엄마를 괴롭혔거나 정신없는 틈을 타서 그랬을 거예요. 정확히 어떻게 그럴 수 있었는지는 아직 모르겠지만요. 하지만 곧 밝혀낼 거예요."

"너무 충격적이에요. 혹시 제 도움이 필요하면 말해요. 지금은 수잔 몸 상태만 생각해도 힘들 텐데. 그리고 저도 머리가 너무 무거워서 다른 생각을 좀 해야 해요. 애들만 돌보고 집에만 있으니까 너무 고립된 것 같거든요. 그리고 버밍엄도 주기적으로 가고요. 제 부모님이 리치필드에 계세요. 혹시 그쪽으로 여행이라도 가고 싶으면 말해줘요."

결과만 놓고 보면 놀랍게도 성공적인 만남이었다. 더 나은 대안이 없다면 한 번 더 이렇게 시간을 보내는 것도 나쁘지 않을 것 같았다.

✦

핸드폰이 귀찮다는 이유로 확인을 안 하는 사람도 아닌데, 월요일에 사무실에 출근하고 나서 보니 세 통의 부재중 전화가 온 것을 확인했다. 요즘 들어 꽤 인기가 있는 모양이다. 나는 음성 사서함을 열어보았다. 창문턱에 올려놓은 선인장을 햇빛 방향으로 돌리며 전화 너머 첫 음성메시지를 들었다.

"여보세요? 여보세요? 애, 수잔. 거기 있니? 이모다." 이모는 깔깔 웃었다. "아유, 내 정신 좀 봐. 너 바쁠 텐데. 내가 자꾸 까먹는다. 이모가 네 이모부랑 같이 이따 오후에 에스테포나에 있는 별장으로 떠날 거라서, 가기 전에 잠깐 만나 이야기를 좀 하고 싶은데. 토요일에 네가 말했던 네 엄마 유언장이랑 그 '거주권' 말이야. 네 엄마가 에드한테 주었다는 거. 네 엄마가 도무지 왜 그랬는지 모르겠다고 했잖니. 글쎄, 나도 생각을 좀 해봤는데, 아휴, 그것 때문에 내가 통 잠을 못 잤다. 나 원래 이런 사람이 아니거든,

165

항상 갓난애처럼 푹 자는데. 네 이모부도 맨날 나한테 애처럼 잔다고 그러잖니. 아무튼, 내 생각에는 네 엄마가 에드를 걱정해서 그걸 준 거 같아. 걔가 어릴 때 수술도 받고 네 아빠도 술만 마시고 그랬잖니. 네 엄마가 예전에 어디서 유전자에 대한 걸 읽었다고 했거든. 옛날엔 그 얘기를 참 자주 했었어. 그 애가 네 아빠처럼 술을 좋아하는 유전자를 받아서, 뭐 생물학적으로라나 뭐라나, 아무튼 네 아빠를 닮으면 어뜩하냐고. 콩 심은 데 콩 나지, 그랬거든. 그래서 네 동생을 곧고 바르게 키우는 게 부모 도리라고 생각했던 것 같아. 그냥 그 얘기를 해줘야 할 것 같았다. 내 말은, 그게 이유의 전부는 아니지만 그냥 네가 시간을 낭비하면서 소송까지 할 필요는 없을 것 같아. 가고 나서도 에드가 잘 지내길 바랐을 것 아니니, 네 엄마도. 그래, 이모 생각은 그래. 그럼 나는 몇 주 동안 햇볕 좀 보고 오마. 비바 에스파냐!"

한마디로 말도 안 되는 소리다. 엄마는 멍청한 사람이 아니었다. 무슨 유전적인 약점을 이유로 집에 대한 거주권을 에드워드에게 주었을 리가 없다. 물론 종종 에드워드를 가혹한 현실로부터 보호받아야 할 고통스러운 예술 천재처럼 대하긴 했지만, 엄마도 마음속으로는 에드워드가 그저 안락한 삶을 추구하는 기회주의자였다는 것도 안다. 사람은 모두 자신의 운명을 스스로 통제할 수 있는 능력을 가지고 있다. 그런 면에서 에드워드는 아무 짝에도 쓸모가 없는 사람이다. 유전적으로 문제가 있어서가 아니다. 스스로 사회에 나가서 열심히 일하며 세금을 내는 시민의 책임을 저버리고 자기 연민과 방종에 빠져드는 삶을 선택했다는 점에서 그렇다. 어쨌든 엄마도 충분히 알고 있었겠지만, 에드워드가 아빠의 유전자를 받았다면 그건 나도 마찬가지다. 결국 우리는 같은 부모에게서 태어난 남매니까. 그리고 에드워드는 아빠와는 다르다. 아빠는 가끔 술이 깨면 지적이고, 교양 있고, 재치도 넘쳤다. 에드워드는 그런 사람이 아니다. 게다가 가장 중요한 건, 엄마가 에드워드와 나를 동등하게 사랑했다는 점이다.

이모의 이론은 따라서 틀린 말이고, 이모에게 그대로 전해주고 싶었다. 다른 메시지는 듣지 않은 채, 나는 이모가 스페인으로 떠나기 전에 얼른 이모에게 전화를 걸었지만 받질 않았다.

두 번째로 남긴 음성메시지 역시 화가 나기는 마찬가지였다.

"안녕, 수잔. 저 롭입니다. 에드가 수잔에게 전화를 하라고 하더군요. 두 사람이 중립적인 제3자를 통해 소통하는 게 최선이라고 생각해서요. 그게 접니다. 이런 식으로 연락드려서 죄송합니다. 저를 썩 달가워하지 않으시는 것 같아서요. 하지만 에드워드가 집을 좀 꾸미고 싶어 한다고 합니다. 어머님이 쓰시던 침실을 그림 작업실로 바꾸고 자기가 쓰던 방은 음악 감상실로 바꾸고 싶다네요. 아, 그리고 식당에는 당구대를 놓고 싶답니다. 그래서 어머님이 쓰시던 옷, 세면도구, 장식품 그리고 이런저런 잡동사니들을 정리할 때가 되지 않았나 하더군요. 에드워드는 수잔이 처리해주기를 원합니다. 자기 손으로 정리하기엔 좀 버겁다고, 어디서부터 시작해야 할지 전혀 감을 잡을 수가 없다고요. 그런 일은 누나가 잘한다고 하더군요. 그래서 언제 오셔서 고인의 유품을 정리할 수 있을지 알려달라고 하네요. 그래야 집을 비워줄 수 있다고요. 도

167

움이 필요하시면 제가 있겠습니다. 어떤 물건을 보관해야 할지는 에드워드가 말을 해줬거든요. 수잔이 운전을 안 한다는 것도 압니다. 제가 차를 가져갈 테니 물건을 옮기고 싶으시면 제가 하겠습니다."

그는 마지막으로 핸드폰 번호를 남기며 회신을 달라고 했다.

에드워드가 우리 가족의 집을 망가뜨리는 일에 착수할 거라는 건 예상하고 있었고, 그럴 때를 대비해 마음을 다잡았음에도 불구하고, 에드워드의 냉정한 계획을 듣고 있으니 마음이 아팠다. 고통스럽고 화가 났다. 하지만 속담처럼 복수는 가장 잘 차렸을 때 맛있는 법이다. 몇 번의 심호흡을 한 후 나는 메시지를 다시 한 번 들어보았다. 물론 내가 롭과 함께 시간을 보낼 기회가 생긴 건 행운이었다. 롭은 소송 준비에 있어 만나봐야 할 두 번째 증인이었으니까. 나는 그가 얼마나 깊이 에드워드의 계획에 관여했는지 확인하고, 동생의 행동과 동기에 관한 가능한 많은 정보를 빼낼 필요가 있었다. 롭은 공범처럼 조심히 다뤄야 할 것이다. 따라서 어머니의 집을 정리하는 것만큼 훌륭한 눈속임과 주의력 분산도 없을 것이다. 의심하는 마음을 숨긴 채 그의 경계심을 무너뜨리면서 무심하게 질문을 몇 가지 할 수 있을 테다. 조금만 똑똑하게 굴면 그는 손쉽게 잡을 수 있을 것 같았다. 나는 롭의 핸드폰 번호로 전화를 걸어 다음 주 주말에 버밍엄으로 가겠다고 메시지를 남겼다. 마지막으로 내가 쓰던 방에서 잘 예정이었다. 동생이 모든 걸 망가뜨리기 전에 말이다.

세 번째 메시지는 웬디에게서 온 것이었다. 내 전화번호를 웬디가 알고 있다는 게 놀라웠다.

"수잔, 안녕." 수화기 너머로 노랫소리가 흘러들었다. "그냥 목소리 듣고 싶어서 전화했어. 나랑 크리스틴이 아직도 임신 소식에 대해 궁금해하는 거 잊지 않았지? 메시지 들으면 전화 줘. 안녕."

당연히 사촌의 전화는 무시했다.

✦

나는 독방 같은 검사실의 검진 침대에 누운 채 커다란 크기의 푸른색 수술 담요를 덮고 버려져 있었다. 세인트폴 성당의 돔과 닮기 시작한 내 배에는 낯선 느낌의 초음파 젤이 발라져 있었다. 양수 검사를 하는 날이었고 의학계는 내게 모욕을 주기로 결심한 모양이었다. 벌써 몇 시간 째 혼자 누워 있었다. 지루함과 좌절감으로 온몸이 빳빳하게 굳었다.

자리를 비운 다 실바 의사는 짙은 갈색 눈동자에 부드러운 이목구비로 마치 래브라도 강아지를 닮은 사람이었다. 검진 과정을 설명하기를 일단 초음파 기계로 아기의 정확한 위치를 파악한 다음 피부의 젤을 조금 닦아내고 뱃속으로 얇은 튜브를 삽입해 자궁에서 아주 소량의 양수를 추출한다고 했다. 검사가 끝나면 며칠 후 아기가 다운증후군을 앓고 있거나 혹은 다른 염색체 결함이 있는지 등을 파악할 수 있다고 했다. 의사는 이전에도 했던 설명을 반복했다. 검사가 유산의 위험이 있다고 말이다. 아주 낮은 확률이지만 그럴 가능성을 아주 배제할 수는 없다는 걸 내게 알려주었다. 검사 절차에 고통은 없을 것이다. 나는 통증은 걱정되지 않는 다고 했다. 그저 이 빌어먹을 검사가 빨리 끝나기만을 바랄 뿐. 그러나 의사가 내 배에 초음파 젤을 도포했을 때, 누군가 문을 두드렸고 어딘가 불안해 보이는 간호사가 검사실로 들어왔다. 간호사는 박사에게 막달의 산모에게 피가 비친다며 잠깐 검진을 와달라고 했다.

"죄송합니다, 그린 씨. 오래 걸리진 않을 겁니다. 긴장 풀고 잠깐 쉬고 계세요."

그가 손에 묻은 젤을 닦아내고 간호사를 따라가며 말했다.

그리고 멀리서 목소리가 들려왔다. 다급한 목소리와 대화를 나누는 소리, 누군가 화를 내고 누군가는 상황을 달래려 했다. 벽의 굽도리를 따라 흐르는 수도관 소리와 내 곁의 전자기기 소리가 소음처럼 낮게 윙윙거리기도 했다. 그리고 초침 소리가 들렸다. 나는 뒤쪽 벽에 있는 시계를 찾으려고 목을 꺾었다. 시계에는 '좋은 날'이란 글자가 적혀 있었다. 나를 위한 시계는 아닌 모양이었다. 그 밑으로는 다양한 포스터가 붙어 있었다. '비말을 막고 휴지통에 버린 다음 손을 씻어 없앱시다', '기침과 재채기가 질병을 퍼트립니다: 세균 확산 방지', '당신의 의견은 소중합니다: 무엇이든 말씀해주세요' 등등. 지금 내가 느끼는 생각을 말할 수만 있다면 더할 나위가 없을 것 같았다. 산모를 침대에 눕혀놓고 두 발은 쩍 벌리고 허공에 띄운 채로, 상의는 돌돌 말려 있고 치마는 훌렁 내려간 상태로 만들어놓은 다음 배에 젤을 도포해놓고 몇 시간 동안 계속해서 덥고 건조한 방에 방치하는 게 과연 용납할 만한 일은 아니지 않은가.

사실 오늘 양수 검사를 미룰 뻔했다. 아침부터 머리가 깨질 듯 아팠다. 침대에 누워 하루를 통으로 쉬려다가 의지력을 발휘해 욕실로 몸을 끌고 가서 찬물을 얼굴에 끼얹고 두통약을 복용했다. 지하철역에 도착해서 보니 사고가 있어서 노던 선 지하철이 지연 운행 중이었다. 예약 시간을 맞추기가 어려울 것 같았고, 나는 무슨 일이 있어도 시간 약속에 늦지 않는 성격이었다. 지하철을 타는 건 소용이 없어 보였다. 집을 향해 다시 발걸음을 옮기다가 마음을 고쳐먹고 버스 정류장으로 향했다. 버스를 타고 나니 프랑스식 창문을 제대로 닫았는지 기억이 나질 않았다. 아침을 먹으면서 문을 열었던 건 확실한데, 집을 나서기 전에 닫았는지 확신이 없었다. 정차 벨을 누르고 버스 앞문으로 걸어갔다가 기사에게 사과를 하고 다시 돌아와 자리에 앉았다. 겨우 한두 시간 외출에 누군가 아파트를 털어갈 것 같지는 않았다.

버스 정류장에서 병원까지 걸어가다가 문득 회사 책상 위에 놓여 있던 중요한 서류 하나가 떠올랐다. 제출하기 전날 오후, 트루디와 꼭 논의를 했어야 하는 건이었다. 부장님이 기다리고 있을 수도 있고 프로답지 않은 모습을 보이고 싶지도 않았다. 결국 가방에서 핸드폰을 꺼내 병원에 전화를 걸었다. 그러나 이 과정에서 이미 5분 정도가 흘렀고 나는 병원 앞이었다. 여기까지 와서 군이 예약을 변경하는 번거로움을 감수하는 게 불합리하다는 생각이 들었다. 나는 통화를 끊고 핸드폰을 가방에 넣은 다음 병원으로 들어섰다.

"기다리게 해서 죄송합니다. 그린 씨." 다 실바 의사가 방으로 들어오며 말했다. "좀 위급한 상황이어서 그만. 저희가 어디까지 진행했었죠?"

"제가 하루 종일 병원 침대에 누워서 시간을 낭비하고 있었다는 부분까지는 진행되었죠."

나는 자리에서 일어나 앉으며 말했다. 내 몸을 덮고 있던 파란 수술용 담요로 배에 묻은 젤을 닦았다. 살면서 발라보았던 그 어떤 물질보다도 닦기가 어려웠고, 배를 깨끗이 닦기 위해선 새 종이 타월 몇 장이 더 필요할 지경이었다.

"검사는 바로 진행할 예정이었습니다." 다 실바 박사가 말했다. "오래 걸리지 않을 겁니다. 정말 간단해요. 지체되어 죄송합니다만 제가 그렇게 오래 자리를 비우진 않았습니다. 다른 곳도 아니고 병원인데 이해를 좀 해주세요." 강아지 같은 두 눈동자가 후회로 촉촉하게 젖었다. "혹시 양수 검사를 받고 싶지 않으신 건 아니시죠?"

"아니요, 그런 건 전혀 아니에요. 전 한번 결정 내리면 바꾸는 사람이 아니니까요."

사실이었다. 한 번도 결정을 번복한 적이 없었다. 나는 무언가 결정을 내리면 그걸로 끝이었다. 그러다가 아침의 사건들을 떠올리며 약간 망설였다. 나를 모르는 사람이었다면 오늘 아침, 어수선하게 헤매며 이리저리 도망 다니던 내 모습을 보고 검사를 받고 싶어 하거나, 검사를 받기 싫어 핑계를 대고 있다고 여겼을 게 뻔했기 때문이다. 물론 틀린 말이다. 나는 논리적으로 행동하려고 했지만 아침 잠에서 깨는 순간부터 상황이 영 좋지 않았다. 그렇긴 해도 나는 상황에 맞추어 사는 걸 싫어한다. 의지가 약하거나 변덕을 부리지 않아야 한다고 스스로를 늘 채찍질한다. 그러므로 늘 내가 하던 대로, 앞으로도 그렇게 변하지 않고 살아야 옳았다.

"좋아요." 내가 다시 침대에 몸을 뉘이며 말했다. "시작하시죠."

"정말 받으시겠어요? 잠깐 생각할 시간을⋯⋯."

"더 이야기하고 싶지 않네요. 그냥 해주세요."

의사는 검사를 진행했다. 나는 벽을 향해 고개를 돌리고 이를 악다물었다. 육체적으로 심한 고통이 수반되는 건 아니었고, 약간 따끔한 느낌이었다. 하지만 검사를 받겠다고 결정을 하자마자 이상한 일이 벌어졌다. 10분간 진행된 시술은 마치 한 시간처럼 길었고, 유산이 일어날 가능성이 가장 높았던 72시간이 마치 720시간처럼 느껴졌으며, 그 후 2주는 두 달처럼 길었다. 그리고 위험한 시기가 모두 지나자 나는 이상하게도 의기양양한 기분이 들었다.

검사 결과는 당연히 아무런 문제가 없었다.

11월

11.

비로소 엄마의 유품을 정리하기 시작했다. 만감이 교차했다. 에드워드가 미리 엄마의 유품을 가져다가 처분할 경우를 대비해 개인적으로 또는 금전적으로 가치가 있는 물건들은 안전하게 보관하고 싶었지만, 엄마가 쓰던 물건들을 하나하나 파악하고 분류하는 일을 해내야 한다는 게 심적으로 힘들었다. 게다가 현재 내 상태에서 육체노동은 가당치도 않았다. 그런 이유로 나는 에드워드에게 유품 정리를 강요하지 않았다. 동생이 가족들이 쓰던 방을 비워버리겠다는 계획을 세우지만 않았어도, 아마 나는 계속해서 나의 상태를 숨기며 그 일을 미뤘을 것이다.

잔뜩 긴장한 채로 엄마 집에 도착했다. 부모님을 뵈러 같이 동행한 케이트가 고물 피아트 차를 끌고 나를 데려다주었다. 케이트의 두 자녀는 잠옷 차림으로 차 뒷자석에 앉아 있었다. 아이들에게 먹을 것과 물을 먹였으니 가는 길엔 계속 잠만 잘 거라고 케이트는 장담했다. 아이들이 잠을 자긴 했지만 M25번 고속도로에 갇혀 있던 두 시간 동안 훌쩍이고, 흐느끼고, 울어댔다. 반복 재생을 걸어놓은 자장가 CD는 차이코프스키의 〈1812년 서곡〉이었다. 네 번인가 다섯 번 정도 듣고 나서야 이 곡이 아이들을 데리고 여행하며 틀기엔 참 좋은 곡이라는 생각이 들었다. 짧은 평온이 지나고, 아이들은 옥스퍼드로 나가는 출구쯤에서 다시 일어났다. 우리는 아기의 기저귀를 갈아주고 젖을 먹이기 위해 잠시 정차했다. 거기서 또 한 시간이 허비되었다. 대중교통을 타고 하는 여행만큼이나 끔찍한 경험이었다.

집에 들어가면 분명 롭과 마주칠 거라 예상했건만, 부엌 식탁에는 그가 외출을 했다는 메모가 남겨져 있었다. 자정쯤 돌아온다며 "이따가 봬요."라는 말과 함께. 과연 내가 자기를 기다리며 그 시간까지 깨어 있을 거라 생각했던 걸까?

다음 날 아침, 나는 침실 커튼을 열어젖혔다. (커튼은 거친 화산 소용돌이 같은 유치한 무늬였다.) 밖을 내다보며 나는 매일 아침 이 방 창문을 바라보던 어린 시절의 나를 떠올렸다. 수십 년간 변한 건 아무것도 없었다. 왼쪽과 오른쪽으로 나뉜 수수한 정원과 울타리. 겨울 전 마지막으로 깎은 잔디와 점점 더 눅눅해지는 습기에 대비해 방부제를 발라놓은 한쪽 구석의 작은 오두막까지. 한때 물고기를 풀어놓기도 했던, 콘크리트 동물 조각상으로 장식한 암석 연못. 바람이 불면 나무에서 나뭇잎이 흩날리고 하루가 끝날 때쯤 잎사귀는 밑동 근처에 소복이 쌓여 있었다. 만약 내가 나약한 사람이라면 아침에 일어나 다시는 이 광경을 보지 못하리란 사실에 우울해했을지도 모른다. 하지만 감상은 사치다. 나는 이곳에서 자라는 내내 행복한 적이 손에 꼽을 정도로 적었다.

롭은 부엌에 없었지만 빈 맥주병과 토스트 부스러기로 보아 집에 돌아오긴 했던 모양이다. 나는 어머니가 시리얼을 보관하던 찬장을 열었다. 늘 먹던 종류의 시리얼은 그대로였지만 유통기한이 대부분 지나 있었다. 대체 이 남자들은 아침으로 뭘 먹는 것일까? 곰곰이 생각하는데, 롭이 잠옷 바지에 샤워 가운을 입고 부엌으로 들어왔다.

"안녕하세요, 수잔." 그가 얼빠진 표정으로 중얼거렸다. "일어나신 것 같아서요. 대체 몇 십니까? 젠장, 6시 반?" 그가 오븐에 있는 시계를 힐끗 바라보며 덧붙였다.

"바쁜 하루가 될 테니까요."

"아무리 그래도 오늘은 주말인데." 롭이 양손으로 얼굴을 감싸며 하품을 쩍 했다. "뭐, 일어난 김에. 이렇게 하시죠. 커피만 내려주시면 제가 아침은 하겠습니다. 아침만 먹고 잠깐 눈을 붙여도 되겠죠."

그는 비건 소시지, 계란, 콩, 버섯으로 만든 훌륭한 아침 식사를 만들어주었다. 열심히 그에게 질문을 퍼부었지만 효과는 미비했다. 마치 내가 그의 일에 관심이라도 있는 양, 그는 계속해서 자신의 사업에 대해 지껄였다. 그가 경계심을 갖지 않도록 나는 가능한 친절하게 그를 대하려 노력했다. 예술 대학을 졸업하고 몇 년간 이 직장, 저 직장을 전전하며 원예 관련된 비전문 기술을 익혔다고 그는 말했다. 30대 초반 정신을 차리기로 결심하고 조경 설계를 공부해 자신만의 회사를 차렸다고 말이다.

"그럼 여행은 언제 다녀온 거예요?"

내가 물었다. 물론 관심이 가득한 척 연기도 포함이었다.

여행은 이혼 때문이었다고 했다. 고객이었던 그녀는 집 조경이 너무 아름다웠고 함께 살던 남자친구를 떠나 자신과의 가난한 삶을 선택했다. 너무 빨리 결혼식까지 올리고 나서야 두 사람이 서로를 그다지 사랑하지 않는다는 걸 알았다고 한다. 잘못된 관계는 그후로 2년 정도 더 지속됐다. 아내는 결국 롭의 돌아가신 어머니가 물려준 결혼반지를 전당포에 맡기고 그를 버렸다. 둘이 함께 살던 집은 팔렸고, 동등하게 나눠 가졌다. 바보 아닌가. 그는 정신을 차리기 위해 인도 여행을 결심했다. 그는 여행을 하며 일생을 함께 보냈어야 할 사람은 대학교 때 사귀던 앨리슨이라는 걸 깨달았다고 했다. 영국으로 돌아온 그는 앨리슨을 찾았고 상황이 안정되면 다시 만나보자고 설득을 했다고 했다.

"사업이 요즘은 잘돼요." 그가 말했다. "프로젝트가 두세 건 몰려 있어서 직원도 뽑았어요. 지난주엔 집도 다 지었고요. 낡고 허름하지만 꽤 괜찮아요."

"일이 잘 풀렸다니 기쁘네요."

나는 냅킨으로 입술을 톡톡 두드린 다음 자리에서 일어나며 말했다. 롭에게 내가 해야 할 일을 하는 사이 아침 먹은 것들을 정리해달라고 지시했다.

"그래요. 근데 조금만 쉬었다가 할게요. 한 시간 정도만 더 자야겠어요."

그가 계단 너머로 사라지며 말했다.

큰 심호흡과 함께 마음을 다잡고 엄마의 침실로 들어갔다. 창문에 달아놓았던 그물 커튼이 지금은 바닥에 널브러져 있다는 거 외엔 장례식 전 왔을 때와 달라진 게 하나도 없었다. 방은 어두웠고 날도 흐렸다. 지저분한 창문이 햇빛을 거의 차단해버렸다.

나는 천장등과 침대 옆 스탠드 조명을 두 개 켠 뒤 엄마의 화장대 앞 낮은 의자에 앉아보았다. 화장대의 나란한 세 거울에 비친 내 얼굴을 바라보았다. 하나는 중앙의 대형 거울이었고 나머지 둘은 비스듬히 달린 사이드 미러에 비친 모습이었다. 나는 거울에 비친 내 얼굴에 퍽 익숙하다. 아침에 화장을 하려고 거울을 볼 때나 가게 창문에 비친 내 모습처럼. 하지만 이렇게 비춘 내 얼굴은 유독 어색했다. 마치 다른 사람처럼. 머리는 내가 예상했던 것만큼 깔끔하게 손질되지 않았고, 옆모습의 이목구비는 내가 상상하던 것보다 흐릿했다. 내가 모르던 턱살이 아래로 늘어져 있었다. 내가 모르는 모습을 사람들이 본다니 불안해졌다. 나는 엄마가 이 거울 앞에 앉아 있는 모습을 상상해보았다. 엄마는 어땠을까? 얼굴에 드러난 여러 가지 노화의 모습이 서로 일관성 있고 조화롭다고 여겼을까? 그럼 아빠는? 아빠는 한 번이라도 이 화장대에 앉아 자신의 외모에 대해 생각해본 적이 있었을까? 아마 아닐 것이다. 아빠라면 자신의 모습을 정면으로 보고 싶지 않을 것이다.

이건 아무 도움도 되지 않는다. 나는 해야 할 일이 있고, 시간도 없었다. 엄마의 화장대 서랍을 열었더니 케케묵은 화장품 냄새가 풍겼다. 나는 오래된 파우더 콤팩트를 열고 작은 분홍색 퍼프를 꺼내 내 코를 두드렸다. 엄마가 굿나잇 키스를 하려고 침대에 누워 있는 내게 몸을 수그렸을 때 나던 그 냄새였다. 나는 항상 엄마가 내 손을 잡고 머리를 쓰다듬으며 조금이라도 더 오래 내 곁에 계시기를 바랐지만, 엄마에게는 돌봐야 할 에드워드가 있었다. 에드워드는 옛날이야기와 자장가를 듣고 코코아를 마시며 옷장이나 침대 밑에 괴물이 있는지 확인하기 전까지는 쉽게 잠들지 않았다. (아마 동생은 지금도 그럴 것이다. 그럼 롭이 곁에 있어줄까?) 게다가 에드워드의 요구를 다 들어주고 나면 엄마에게는 돌봐야 할 아빠가 기다리고 있었다.

나는 파우더와 블러셔, 아이섀도 팔레트와 립스틱까지 전부 쓰레기 봉지에 담아 바닥에 내려놓았다. 그리고 얼굴에 바르는 크림과 핸드크림, 입술 연고에 헤어핀과 망, 헤어 롤까지 버렸다. 마지막으로 남은 건 가족사진이 담긴 액자와 한 쌍의 촛대, 은색 빗, 그리고 거울 세트였다. 나는 빗을 조심스럽게 상자에 담았다. 잠시 망설이다가 쓰레기 봉지를 뒤져 파우더 콤팩트도 꺼내 상자에 넣었다.

다음으로 엄마의 나프탈렌 냄새가 나는 옷장을 열었다. 옅은 레몬색, 옅은 푸른색, 그리고 라벤더색 치마 정장 세트가 가득 들어 있었다. 어린 시절, 엄마는 창백한 색채를 보완해주고 잘 어울리는 색조를 매치하는 걸 좋아한다고 했었다. 나는 엄마에게 너무 단조로운 조합이라고 했지만 그럼에도 엄마는 자신의 스타일을 고수했다. 자선 단체에 보내야 할 커다란 봉지 세 개를 채워 옷장을 비운 다음 서랍장으로 돌아섰다. 서랍장 속 속옷은 엄지와 검지로 비우고, 그 외에도 비슷한 운명의 물건들이 가득 들어 있었다. 엄마의 사생활을 침해하는 끔찍한 기분이 들었다. 맨 아래 서랍에서는 아빠가 입고 다니던 낡고 헤진 누런색의 카디건이 있었다. 아빠가 좋아하던 옷이었다. 나는 그 옷도 보관하기로 결심했다. 상자 속에 담아 잘 보관하는 게 여러모로 나을 것 같았다.

엄마의 침대 옆 탁자에서는 가짜 악어가죽 상자를 발견했다. 엄마는 이 상자에 값싼 장신구를 보관해두었다. 엄마는 비싼 것보다는 저렴한 장신구를 더 선호하는 편이었다. 어린 시절 모나코의 왕비 그레이스 공주 놀이를 하며 엄마의 장신구를 달고 옷장 거울 앞에 서 놀던 게 떠올랐다. 왜인지 모르겠지만 갑자기 그 놀이를 해보고 싶었다. 목에 비즈 목걸이 여섯 개를 두르고 귀걸이를 꽂고, 검정색 상의엔 에나멜 브로치 몇 개를 꽂은 다음 머리에는 인조 진주로 만든 목걸이를 티아라처럼 써보았다. 그리고 똑같이 옷장 거울 앞에 서서 왕비가 된 것처럼 포즈를 취해보았다. 마치 일곱 살로 돌아간 기분이었다. 그때는 선생님이나 경찰관, 비행기 조종사 대신 왕자님과 결혼하는 게 더 좋은 나이지 않은가.

그 순간 롭이 문을 두드리며 커피가 든 머그잔 두 개를 들고 들어왔다. 나는 그가 아직도 자고 있는 줄 알았다. 내가 생각한 것보다 훨씬 더 시간이 많이 흘렀던 게 틀림없었다.

"이런 선물은 기대한 게 아닌데." 그가 웃었다. "꼭 발리우드의 영화배우 같네요."

아무리 참으려 노력해도 붉게 달아오르는 얼굴은 식힐 수가 없었다. 이 터무니없는 행동에 대해 합리적으로 설명해보려고 했지만 쉽지 않았다. 나는 서둘러 장신구를 풀고 상자 안에 집어넣었다. 수치스러움은 온전히 내 몫이었다. 상자의 뚜껑을 닫고 나는 별일 없었다는 듯 아무렇지도 않게 방구석에 있는 의자에 앉아 머그잔을 받았다. 롭은 침대 끝에 있는 오토만에 앉았다. 인스턴트 커피향이 감돌았다.

"정리하는 게 힘들죠." 그가 어색함 따위 없다는 듯 말했다. "몇 년간 쌓여 있던 물건을 분류하고 무엇을 간직하고 또 무엇을 버릴지 결정한다는 게 어려울 것 같네요. 과거의 한 부분에 선을 긋는 것 같죠. 아마 그래서 에드워드도 자기가 못 하겠다고 했을 거예요."

"그 일을 감당하기 어렵다는 말씀이죠."

"제 생각에 에드워드는 강해지고 싶어 하는 것 같아요. 앞으로 나아가기 위해서요."

나는 그냥 웃었다. 그런 터무니없는 말에 맞서고 싶은 충동도 들었지만 굳이 논쟁에 휘말리지 않기로 결심했다. 방을 둘러보며 롭은 가구는 어떻게 처분할 생각인지 물었다. 나는 솔직히 아직 생각해보지 않았다고 털어놓았다.

"지금 사는 집엔 놓을 공간이 없어요. 근데 유산을 받고 더 큰 집으로 이사를 가면 쓸모가 있을 수도 있죠. 그때까진 보관소에 맡길까 생각 중이에요."

커피를 다 마시고 나는 힘들지만 롭은 제일 잘할 수 있는 정원 정돈을 위해 밖을 부탁했다.

"항상 이렇게 진두지휘하는 스타일이에요?"

그가 방을 나서며 물었다.

"진두지휘가 아니라, 정리정돈을 좋아하는 거죠."

내가 그를 잡아 세우며 말했다.

한 시간 정도 더 지나고 나서야 엄마의 침실을 다 치울 수 있었다. 이제 남은 건 낡고 먼지가 뿌옇게 쌓인 가구와 가득 채운 상자, 그리고 쓰레기 더미였다. 아기는 카페인 때문인지 아니면 아침부터 격렬하게 움직인 탓인지 뱃속에서 계속 꿈틀거리고 있었다. 나는 더블 침대에 누워 배를 쓰다듬으며 아기를 진정시켰다. 그때 〈퍼펙트 데이(Perfect Day)〉라는 노래가 아래층에서 흘러 나왔다. 가수 루 리드가 노래를 부르기 시작하자 롭도 따라 불렀다. 그의 목소리는 차분할 거라 예상했던 것보다 훨씬 듣기 좋고, 절제력이 있었다. 어릴 때 합창 단원이었나? 한때는 내 남동생도 놀랍도록 절제된 목소리로 노래를 했던 기억이 난다. 그래서 밴드의 보컬이 되겠다는 야망도 있었지만 일주일에 몇 시간씩 해야 하는 연습을 못 견뎌했다. 나는 눈을 감고 음악에 맞춰 마음을 풀었다. 그리고 어릴 때 보냈던 나만의 완벽한 하루를 떠올렸다.

✦

중학교에 가기 전 여름, 휴가를 위해 빌린 콘월의 한 별장에서 보낸 첫날 아침이었다. 아무도 나를 방해하지 않아 푹 잘 수 있었다. 이렇게 자도 괜찮은 건가 불안한 마음이 들기 시작할 때쯤 엄마가 나를 흔들어 깨우며 차 한 잔을 내밀었다. 엄마는 찻잔을 침대 옆 탁자에 놓고 방에 머물렀다. 커튼을 열고 내 침대 끝에 앉았다. 창문으로 새어드는 햇빛이 내 주변의 모든 것을 밝히며 마치 만화의 한 장면처럼 보였다. 엄마는 전에 본 적 없는 분홍색과 빨간색 장미가 그려진 민소매 면 드레스를 입고 머리를 느슨하게 틀어 말았다.

"오늘은 뭘 하고 싶니, 우리 딸?" 엄마가 웃으며 묻는다. "너 하고 싶은 거 하렴."

생각에 잠긴 사이 나는 햇빛 아래 먼지가 하늘하늘 공기 중에 떠다니는 모습을 지켜봤다. 그리고 그 근처 해변 작은 웅덩이로 놀러 갈 수 있냐고 물었다. 에드워드의 의견 따위는 묻지도 않고 엄마는 그러자고 했다. 아빠 역시 "좋은 아침!" 하고 외치며 내 방으로 들어왔다. 아빠는 벌써 반팔 셔츠에 반바지를 입고 선글라스는 셔츠 윗주머니에 넣은 휴가 차림새다. 아빠는 그렇게 건강한 모습을 보인 적이 없었다. 아빠가 다가와 나를 껴안고 우리 공주, 하고 부르는데 입에서 술 냄새가 전혀 나지 않았다.

바다가 내려다보이는 가파른 언덕 위의 뒤뜰, 나무 테이블에 앉아 우리 넷은 아침을 먹었다. 바다와 하늘은 부드럽고 흐릿한 파란색으로 하늘과 바다의 경계가 구분되지 않았다. 그 누구도 싸움을 벌이거나, 울거나, 화를 내지 않았다. 에드워드는 아침부터 아빠에게 질책을 받지도 않았고, 얼굴을 찌푸리거나 가구를 발로 차지도 않았다. 엄마 역시 에드워드를 궁지에 몰아넣지 않았다.

아침 식사를 마치자 에드워드는 엄마에게 오락실에게 가도 되냐고 허락을 받았다.

"오늘은 안 돼, 테디. 오늘은 엄마가 사랑하는 딸이랑 해변가에 가기로 했어."

185

엄마가 대답했다. 그래도 에드워드는 부루퉁하지 않았다.

엄마가 오래도록 공을 들여 내 머리를 빗겨주고 땋아주는 사이, 아빠는 빵에 버터를 발라 소풍용 샌드위치를 만들었다. 워낙 희소하고 소중한 영국의 햇빛을 단 한순간도 놓치고 싶지 않아 엄마와 나는 해변까지 걸어가기로 결심한다. 엄마는 아빠에게 차로 먼저가서 해안가 앞에서 우리를 태워줄 수 있냐고 물었다. 아빠는 술을 마시지 않았으므로 당연히 승낙했다.

엄마와 내가 열대 무늬의 나비와 야생화를 바라보며 산책을 하는 동안, 엄마는 평소의 초연하고 조용한 모습이 아니었다. 내가 읽고 있는 책과 친구들, 새로 들어갈 학교에 대한 기대감 같은 것들을 물어보았다. 해변에 도착해서도 우리는 이야기가 끊이질 않는다. 비록 나머지 두 사람은 아직 도착하지 않았지만, 엄마는 아빠가 술을 마셔 자동차 사고를 낸 건 아닐까 걱정하지 않는다. 우리는 햇빛이 잘 드는 벤치에 앉아 아빠를 기다리고, 엄마는 곧 내 손을 쥐어 힘껏 잡아본다.

주차장에 차를 세운 우리는 주변을 맴돌며 자동차 트렁크에서 양동이와 삽, 접이식 의자를 꺼냈다. 각각의 물건을 서로 나눠지고 해변을 향해 걷는다. 동생은 아빠에게 자리를 잡고 나면 같이 프리스비 놀이를 하자고 한다. 술을 마시지 않았으므로 아빠는 당연히 "그거 좋은 생각인데."라고 했다. 엄마와 나는 어망을 들고 바위 위로 향한다. 엄마는 서두르지도 않고 아빠와 동생을 챙기러 돌아가야 한다는 강박도 없다. 우리는 손을 짚고 무릎을 꿇으며 바윗돌에 널린 해초를 치우고 그 밑을 뒤지며 시간을 보냈다. 열다섯 마리의 게와 열두 마리의 작은 물고기를 잡았다. 한 웅덩이에서 이렇게 많은 해산물을 잡은 건 처음이었다.

엄마와 내가 돌아왔을 때도 아빠는 술을 마시고 있지 않았다. 우리는 싸온 샌드위치를 풀어 접이식 의자에 앉아 함께 점심을 먹었다. 아빠는 말끝을 흐리거나 말실수를 하지도 않는다. 엄마 역시 내가 하는 말을 끊고 성급하게 반응하지 않는다. 에드워드도 적대적이거나 싸움을 걸지 않는다. 나중에 우리는 해변 가를 따라 있는 오래된 공터에서 미니골프를 치기로 했다. 아빠에게는 값싼 영국산 셰리주를 챙긴 비닐봉지가 없었다. 30분씩 사라지거나 얼굴이 벌게지거나, 비틀거리며 나타나지 않았다. 오늘은 아무도 점수를 기록하거나 누가 이기고 졌는지 신경 쓰지 않았다. 엄마가 골프를 딱 한 판만 더 치고 가야 한다고 말해도 에드워드가 짜증을 부리지 않으므로, 아빠 역시 화를 내지 않았다.

해가 떨어지기 시작하자 엄마는 차를 몰아 언덕 위의 우리의 별장으로 돌아갔다. 아빠와 에드워드, 나는 함께 근처 캠핑카 주차장까지 걸어가 아이스크림 트럭에 들러 아이스크림을 사먹었다. 아빠는 동네 술집을 보고도 잠깐 들른다는 말이 없다. 에드워드와 나는 인도에 서서 아빠가 나오기를 기다릴 필요도 없고, 사람들이 우리를 향해 보이는 동정 어린 시선을 견딜 필요도 없다. 아빠는 별장까지 가는 길에도 비틀거리지 않았다.

그날 저녁, 아빠는 여전히 술집에 가지도 않고 술병을 따지도 않았다. 그 누구도 내게 못생겼다고, 멍청하다고 말하지도 않았다. 아무도 에드워드에게 커서 감옥에 갈 거라고 말하지도 않는

다. 아빠와 엄마는 싸움을 벌이지 않는다. 우리는 모노폴리 게임을 하다가 결국 넷의 무승부에 합의했다. 내가 잠자리에 들자, 아빠가 내게 잘 자라는 입맞춤을 해줬다. 아빠에게서는 여전히 술 냄새가 나지 않는다. 엄마가 나를 꼭 안아주더니 침대 끝에 앉아 물었다.

"오늘 재미있었어, 우리 딸?"

"태어나서 오늘이 제일 최고였어요."

엄마의 얼굴에선 환한 빛이 난다. 엄마는 침대 옆 스탠드조명을 끄고 침실 문을 부드럽게 닫는다. 그러고 나서야 나는 오늘 하루 동안, 한 번도 걱정이나 굴욕, 무력감을 느끼지 않았다는 걸 깨달았다. 커튼 사이로 비치던 불빛이 사그라지는데도 그 누구도 아래층에서 소리를 지르거나 고함을 치지 않았다. 문을 쾅 닫는 소리도 들리지 않는다. 싸우는 부모님 사이에 끼어들 경우를 대비해 계단 꼭대기 어둠 속에 숨죽여 숨어 있을 필요도 없다. 잠들지 않아야 할 이유가 없으므로, 까무룩 나는 잠에 빠졌다.

태어나서 제일 완벽했던 하루였다. 물론 약간의 각색이 들어갔을지는 모르지만.

✦

점심 식사로 롭이 요란하게 준비한 샌드위치를 먹고 나서, 나는 식당을 정리하기 시작했다. 창가 구석에 엄마의 공간이 있었다. 편지나 일기를 쓰던 곳이다. 서랍에는 문서를 정리하는 파일이 가득 들어 있고, 일부엔 오래되고 중요한 문서 같은 게 들어 있었다. 이제는 중요하지 않아 보이는 것들이었다. 어떤 문서들은 엄마가 친구나 친척들과 주고받은 편지가 가득했다. 금 같은 시간을 아끼기 위해 쓰레기봉지에 통째로 버리고 싶었다만, 결국은 하나로 묶어 일단 보관하기로 했다. 런던으로 가서 버리기 전에 한번 빠르게 읽어보고 분류를 하기로 한 것이다. 사이드보드와 서랍장에는 내 취향이 아닌 물건들이 가득했다. 두껍게 세공한 유리 과일 그릇, 꽃병, 양념통 세트 같은 것들과 목이 긴 차이나 도자기 인형, 놋쇠 식기류까지. 나는 곧 딜레마에 빠졌다. 어린 시절의 향수를 불러오는 물건들이라 버리기엔 아까웠다. 하지만 내가 사용하거나 전시하고 싶은 류의 소품은 아니었다.

그때 내 상황을 확인하려는 듯 롭이 다시 한 번 주방에 나타나 문틀에 고개를 기댔다. 분명 누군가 그에게 나를 감시하라고 지시를 한 게 틀림없다.

"생각을 해봤는데요." 그가 말했다. "도움이 필요하시면 제 새 집에 일단 가구를 보관해드릴게요. 제 물건이 별로 없어서 디스플레이를 하기에 좋을 것 같거든요. 서로에게 도움이 되는 거죠. 그리고 어떻게 처분할지 결정 못 한 것들은 제 다락방에 넣어두세요. 언제든 가져가고 싶을 때 가져가시고요."

새로운 딜레마였다. 한편으로는 사실상 낯선 타인이나 다름없는 그에게, 게다가 에드워드와 한통속인 그에게 빚을 지고 싶지 않았다. 그의 호의를 받아들이면 롭과 지속적인 연결고리를 가져야 한다는 뜻인데 나는 별로 그러고 싶지 않았다. 반면 그가 제시

한 제안은 유혹적이고 상당히 편리한 측면이 있었다. 현재 내 재정 상태로 보면 사실 거절하기 어려웠다. 내가 보관해야 할 물건들은 특별히 금전적인 가치도 없었고 에드워드도 달리 관심이 없는 것들이므로 롭이 물건을 빌미로 삼을 것 같지도 않았다. 더불어 그의 세심한 제안으로 내 마음이 약간 풀어지고 소송에 대한 정보를 스스로 털어놓으리라 예상했을지는 몰라도, 그럴 가능성은 전혀 없었다. 그러므로 나는 이 일이 내게 해를 끼칠 리는 없다고 결론지었다.

"에드가 굳이 물어보지 않는 이상, 먼저 말을 해줄 필요는 없을 것 같아요." 그가 말했다. "그냥, 둘 사이가 썩 좋은 건 아니니까요. 그 자식이 어떻게 생각할지도 모르겠고."

세상에, 내 생각보다 롭이 꽤 영리하다. 에드워드의 충실한 비서이자 심복이라는 걸 부정하다니. 이렇게 나의 신뢰를 한 톨 얻어가겠다는 심산이지. 글쎄, 롭이 게임에 참여한다면 말리진 않겠지만 이기기엔 쉽지 않을 것이다.

롭은 오래된 신문 더미와 몇 개의 상자를 더 가져왔고, 나는 그가 물건을 포장하는 걸 허락했다. 우리는 바닥에 편히 앉아 지루하고 반복적인 포장 작업을 계속했다. 이거야말로 엄마의 유언장에 대한 상황을 물어볼 수 있는 아주 이상적인 기회였다.

"저는 인도에서 막 돌아왔는걸요." 그가 말했다. "친구 집에 잠깐 머물고 있었어요. 아내와 가족이 있는 친구여서 그 집에 오래 있기 눈치 보이더라고요. 그래서 대부분 에드와 어머님 댁에서 시간을 보냈죠. 어머님이 참 친절하셨어요. 늘 환영해주셨고. 사실,

어머님도 제게 여분의 방에서 지내라고 말씀은 하셨는데 부담이 되고 싶진 않더라고요. 유언장에 증인이 된 날은 사실 에드워드에 게 빌리기로 한 CD를 받으러 점심시간에 들렀을 뿐입니다. 집에 이모님과 어머님이 같이 식탁에 앉아 계시더라고요. 이모님도 저를 꼭 아주 오래 전에 만났다가 한동안 보지 못했던 사람처럼 편하게 환대를 해주시더라고요. 같이 이야기를 나누고 있는데, 에드가 가서 서류 봉투를 가져왔고 자기는 같은 공간에 있을 수가 없다고 하더군요. 어머님은 유언장을 썼는데 두 사람의 서명이 들어갔으면 좋겠다고 하셨고요. 사이드보드 서랍에서 볼펜을 꺼내셨고, 결국 이모님과 제가 서명을 했습니다. 이모님은 그러고 나서 제게 정원 조경을 부탁하셨어요. 이모님 댁과 버밍엄은 너무 멀어서 제가 하기엔 별로 효율적이지 않다고 말씀을 드렸는데도 이모님은 고집을 좀 부리시더군요."

정말 순진하고 즉흥적인 일이었던 것처럼 들리는 변명이다. 나는 그에게 에드워드가 엄마가 유언장에 서명하기 전 그 내용을 알고 있었냐고 물었다.

"모르겠네요. 저한테는 그런 이야기를 한 적이 없어요. 하지만 아까도 말했다시피, 전 해외에서 돌아온 지 얼마 안 됐을 때였어요. 내용은 장례식이 있기 직전에 처음 들었고. 에드가 그날 아침 먹고 얼마 안 돼서 변호사한테 편지를 받았어요. 듣자하니, 에드가 원하는 만큼 언제까지고 이 집에 거주할 수 있고, 이사를 결심하기 전까지는 집을 팔 필요가 없다고 하더라고요. 에드는 그럴 예정이었지만 누님이 썩 좋아하진 않을 거라는 것도 알았어요. 분명 문제가 될 거라고도 했고."

"그럼 그때 유언장에 대해 뭐라고 하던가요?"

"수잔, 미안하지만 그런 이야기를 하기엔 제 입장이 좀 곤란합니다. 수잔하고 탁 털어놓고 이야기를 하고는 있지만 에드워드에게 의리를 지키고 싶어요. 제가 말할 수 있는 건, 수잔이 이 집에 대한 상속을 담당하는 변호사를 막기 위해 소송을 준비하고 있다는 걸 에드워드도 알고 있다는 것뿐이에요. 에드워드는 당신이 오래 버틸 수 없을 거라고 생각해요. 당신이 에너지를 낭비하고 있다고도 하죠. 힘이 빠질 때까지 버티기만 하겠대요. 제가 쓸데없는 소리를 했다고는 생각하지 않습니다. 그저 중립을 지킬 뿐이에요. 그나저나 유언에 대한 소송은 어떻게 진행하실 계획이신가요?"

정말 화려한 언변이다. 전혀 모르는 척하며, 마치 자신이 솔직하고 개방적인 사람인 것처럼 보이면서도 에드워드의 생각과 정보를 충분히 제공한다. 하지만 나는 그렇게 순진하지 않다. 나는 그의 질문에 대답하지 않았다.

이제 장신구와 소품들은 신문지로 감싸 상자에 모두 담은 후였다. 나는 여태까지 내가 유용한 정보를 하나도 파악해내지 못했다는 데에 깊은 좌절감을 느꼈다. 나는 에드워드에게서 벗어나 엄마에게 집중하기로 했다. 마지막 상자를 덮고, 사용하지 않은 신문을 모으며 나는 롭에게 엄마가 돌아가시기 전 몇 주 동안 어땠는지를 무심하게 물었다. 그는 턱에 난 꺼칠한 수염을 문지르며 잠시 침묵했다. 이야기를 꾸며내는 게 분명했다.

"온전한 모습은 아니셨을 겁니다." 그가 대답했다. "약간 산만하고 정신도 흐릿하셨던 것 같아요. 마치 마음이 다른 데 있는 사람처럼 말이죠. 하고 싶은 말을 하다가 잊어버리시기도 하고, 문장 중간에서 말을 다 잇지도 못하셨어요. 하지만 노인네들은 다 그러잖아요. 특별하게 이상하지도 않고, 누구라도 걱정은 하지 않았을 겁니다. 어쨌든 어머님과 매주 전화 통화도 하셨다고 했잖아요, 수잔은 어떻게 생각했어요?"

"전 엄마가 점점 더 악화되고 있다고 생각했어요. 직감에 따라서 버밍엄에 조금 더 빨리 왔어야 했는데. 그래야 에드워드의 계략을 알고 엄마를 지킬 수 있었을 텐데."

나는 그 말이 내 입에서 나오자마자 동생의 친구 앞에서 하지 말았어야 하는 말을 했다는 걸 깨달았다. 등신이 따로 없다.

"에드는 뭘 꾸미거나 그러지 않았어요. 어머님을 이용하지도 않았고요. 에드는 어머님을 걱정했어요. 항상 외출하기 전에는 어머님부터 살피고, 어머님에게 필요한 게 다 있는지 확인한 다음 필요하신 게 있다고 하면 심부름도 했어요. 에드와 어머님은 서로 잘 맞았어요. 만약 누구라도 에드가 술집에 있는 모습과 집에서 어머님과 함께 있는 모습을 봤다면 아마 둘이 다른 사람이라고 생각했을 겁니다. 어머님과 함께 있을 때는 늘 상냥하고 사려 깊었어요. 어머님이 에드의 가장 좋은 면을 이끌어내신 거죠."

지난 40여 년간, 에드워드가 내게는 보여주지 않았던 성격의 한 면이라는 걸 나는 인정할 수밖에 없었다. 그리고 솔직히 말하면 나는 그애한테 그런 모습이 있으리라는 걸 믿지 않는다. 롭의 말엔 신빙성이 없다.

"하지만 저희 엄마가 사고를 제대로 하지 못하는 상태였고, 에드워드가 엄마에게 설령 큰 뜻 없이 유언장에 대한 이야기를 흘렸다면요. 에드워드는 사실 이 집 말곤 갈 데가 없잖아요……."

"저는 그럴 일은 없었을 거라고 생각합니다. 저기, 이건 제가 끼어들 일이 아니에요. 저는 정말 수잔보다도 아는 게 더 없어요. 미안하지만 좀 불편한 이야기네요. 다른 이야기하죠."

나는 과연 그와 나 사이에 어떤 다른 이야기가 가능할 거라고 생각하는지 궁금했다.

그날 저녁 늦게, 나는 우울한 스칸디나비아 탐정 드라마를 보며 내가 그를 너무 압박하여 물어본 건 아닐까 궁금해졌다. (롭은 친구와 놀러 나갔다.) 혹시 내가 조금 부드러운 태도로 물어봤다면, 롭도 내게 속아 동생의 행동과 의도, 또는 엄마의 정신 상태에 대해 털어놨을지도 모른다. 그가 도망치지 않아야 한다. 이튿날부터는 그에게 조금 더 다정하게 굴고 나의 타고난 매력을 모두 발휘하기로 결심했다.

12.

나는 흰색 화물 수송용 대형 SUV의 앞좌석, 두 명의 인부 사이에 갇혀 있었다. 이런 상황에 처할 거라곤 전혀 예상치 못한 전개였다. 롭은 한 손으로는 핸들을 잡고, 한 손으로는 콧노래의 리듬을 두드리며 내 오른쪽에 앉아 있었다. 그는 평상시처럼 작업복을 입고 있었는데, 옷에는 그가 뿌리고 옮긴 거름이 묻어 있었다. 내왼쪽에는 비슷한 악취가 나는 도깨비 같은 남자가 앉아 있었다. 롭의 조수이자 두툼한 체격의 빌리였다. 빌리는 나보다도 머리 하나는 작고, 뼈와 힘줄이 도드라졌으며 양쪽 뺨에는 보조개가 깊이 패여 있었다. 두 귓불에는 각각 세 개의 스터드 귀걸이를 하고 있었고 손가락에는 스스로 새긴 문신이 있었다. 빌리는 알아듣기 힘든 말투로 수다를 떨며 몸을 긁거나 담배를 말았다. 이따금 두 가지를 동시에 할 때도 있었다. 오늘 아침 출소를 했다 해도 이상할게 없는 사람이었다.

롭의 밴에 올라타면서 나는 노랗게 바란 신문과 마시고 버린 테이크아웃 컵 따위를 발로 치웠다. 검은색 비닐 시트가 군데군데 터져서 속이 훤히 드러난 의자에, 불길한 느낌의 짙은 선팅이 창문을 가리고 있었다. 드라이클리닝을 한 검은색 모직 바지가 더러워질 것 같아서 의자에 앉기 전 나는 급하게 신문을 한 장 깔았다. 자동차의 서스펜션은 분명 고장난 것 같았다. 도로 위에 턱을 지나갈 때마다 차는 있는 대로 덜컹거렸고, 공중에 떠올랐다가 의자로 떨어질 때마다 내 뼈가 아프다며 아우성을 쳤다. 솔직히 말해 롭이 나를 위해 자동차 문을 열어주었을 때, 나는 약간 당황했었다.

"빌리 말고는 사람을 태운 적이 드물어서요. 조금만 버티세요."

물론 나는 견디기 힘들었다. 하지만 가구와 상자가 안전하게 보관될 것이라는 것에 만족해야 했다.

우리는 롭이 새로 지은 집으로 갈 예정이었다. 엎어지면 코 닿을 거리라고 생각했다. 울퉁불퉁한 웅덩이를 지날 무렵, 빌리는 만들어놨던 담배를 하나 꺼냈다. 그가 플라스틱 라이터를 휙 손안에서 굴릴 때까지만 해도 나는 그가 진짜로 담배를 피울 거란 생각은 하지 않았다. 나는 사람들에게 이래라저래라 하는 걸 즐기는 편이 아니지만, 그에게 담배를 피우지 말라고 아주 강력하게, 대놓고 말하는 것 외엔 달리 방법이 없었다. 빌리는 딱히 화가 난 것 같지도 않았다. 그가 아마 경찰이나 교도관에게 명령을 받는 것에 익숙한 사람이기 때문은 아니었을까. 하지만 롭은 고개를 세차게 흔들고 있었다.

"수잔도 그렇게 무례할 생각은 없었어, 친구." 그가 내 쪽으로 고개를 돌리며 말했다. "그냥 원래 말투가 좀 그래."

"괜찮습니다. 미안합니다, 아가씨. 임신했다는 걸 까먹었네." 빌리는 허벅지 위쪽을 약간 주무르며 말했다. "거의 티도 안 나시네. 내 마누라는 4개월인데. 미안하지만 거의 집채만 해요." 그가 낄낄거리더니 담배를 케이스 안에 밀어 넣으며 물었다. "임신 하고 한번도 안 피웠어요?"

"전 담배 안 피워요. 한 번도 펴본 적 없어요."

나는 그에게 말했다.

"아, 원래는 피우시는 줄 알았어요." 롭이 입을 열었다. "예전에는 피우셨던 것 같은데. 학생 때는 누구나 한 번씩 담배를 피우곤 하잖아요."

"아니요, 잘못 봤어요. 다른 사람하고 착각하는 것 같네요. 전 당신을 만난 적이 없어요."

혹시 내가 내 논리나 상식에 반하는 행동을 한 번이라도 했더라면, 물론 그런 적은 없지만, 그랬다 하더라도 나는 롭의 말을 인정할 생각이 없었다.

"지저분한 습관이죠." 빌리가 말했다. "내년엔 꼭 금연할 겁니다. 어쨌거나 아들이요, 딸이요?"

나는 그에게 잘 모르겠다고 했다. 다음 주에 초음파를 한 번 더 받을 예정이었고, 그때쯤 아기의 성별을 알 수 있을 것 같았다. 그게 적절한 일인지, 바람직한 일인지는 아직 결정하지 못했던 차였다.

"딸이라는 이야기를 듣고 우리 마누라는 좋아하더이다. 딸을 낳아서 조그만 인형처럼 꾸며놓고 조랑말도 하나 사주겠다고 그러고. 그러다가 에이미를 낳았는데 알고 보니까 애는 축구 옷을 입고 하루 종일 공만 차요. 그러니까 아무도 모르죠. 그럼 뭘 낳고 싶어요? 딸이요, 아들이요?"

딸인지 아들인지, 라는 말이 내 의식을 찌르며 마치 신호처럼 멍하던 나를 일깨웠다. 나는 속으로 '딸'과 '아들'을 되뇌어보았다. 아들이 있는 싱글맘. 딸이 있는 싱글맘. 이미 운명은 결정됐을 텐데. 그건 내가 결정할 수 있는 게 아니었다. 그때 또 다른 단어가 내 마음속에 떠올랐다. 만약 아기가 아들이나 딸이라면, 나는 '엄마'가 되는 것이다. 내 아기는 나를 보며 '연 끊은 누나'라든가 '직장 동료', 혹은 '지하철에서 가끔 보는 여자'가 아니라 '엄마'라고 생각하는 것이다. 결국은 그게 제일 중요한 것이다. 논리적으로 따졌을 때 설명할 수 있는 단 한 단어. 나는 실망을 한 것도 아니고 불만족스럽거나 좌절했거나 후회를 한 게 아니다. 나는 그저 아기가 나를 보며 모범적인 방식으로 부모의 역할을 수행한다고 여기리라 확신했다. 실패란 내 사전에 없다. 하지만 만약……? 빌리는 계속해서 아기 아빠 없이 내가 잘해낼 수 있을지 모르겠다고 입을 나불거렸다. 주변에 아는 애 아빠들이 대부분 가정을 버렸다고 덧붙이면서. 하지만 나는 그의 말이 귀에 들어오지 않았다. 엄마라니.

"수잔, 우리 얘기 듣고 있죠?" 롭이 물었다. "약간 마음이 다른 곳에 가 계신 것 같은데."

"괜찮아요. 무슨 이야기를 하고 있었죠?"

"빌리하고 커피가 필요해서 카페에 잠깐 들릴 건데, 뭐 필요한 거 없으시냐고요."

"아, 얼 그레이 한 잔 부탁할게요. 고마워요."

나는 반사적으로 대답했다.

그날 아침, 나는 롭이 또 다른 채식주의자인 빌리를 위한 아침 식사를 준비하고 나를 부르기 전인 아침 7시에 일어나 정리를 시작했다. 내가 대학에 가자마자 엄마는 그 방을 거의 빈방으로 만들었기 때문에 정리는 그리 오래 걸리지 않았다. 내가 간직하기로 마음먹은 건 예전에 엄마가 읽었던《작은 아씨들》한 권과 아빠의 책이었던 러디어드 키플링의《바로 그런 이야기들》한 권뿐이었다.

롭은 식사를 하는 내내 유독 말이 없었다. 전날 밤 숙취 때문일 게 분명했다. 열쇠로 문을 여는 소리가 들린 게 이미 새벽 1시가 지난 시간이었다. 나는 그가 돌아올 때까지 잠에 들지 않으리라는 걸 알고 있었고, 따라서 나 역시 평소보다 활력이 없었다. 롭이 정원에서 퇴비 더미 위에 음식물 쓰레기를 버리고, 나는 전날 신문을 대충 훑고 있는데 초인종이 울렸다. 빌리가 집에 들어서자마자 재킷을 휙 던져버리고는 부엌으로 성큼성큼 들어와 의자에 풀썩 주저앉았다. 딱 봐도 처음 방문한 사람 같아 보이지 않았다.

"아, 동생 집에서 물건을 정리한다는 게 그쪽이시군?" 그가 청바지 주머니에서 지저분한 휴지를 꺼내 코를 풀며 물었다. "나도 에드를 좀 알아요. 불스 헤드에서 만났지. 아주 사내 중에 사내요."

"이 집은 동생 집이 아니에요." 내가 말했다. "우리 두 남매가 동등하게 소유하고 있고 곧 팔 예정이에요."

"아, 그래요. 나는 어머니가 에드워드한테 집을 줬다고 들었는데. 에드가 어떻게 할 건지 계획을 자랑하길래."

"이 집에서 이사를 가야 한다는 사실을 받아들이기가 어렵겠죠."

"아이고. 보스, 그럼 뭐부터 시작할까요?"

그는 두 손을 비비며 물었다. 아마 초과 근무 수당을 생각하고 기분이 좋은 모양이었다.

롭과 빌리가 상자와 가구가 무겁다며 투덜댈 때 내가 할 일이라고는 두 사람을 감독하는 것밖에 없었다. 두 사람이 짐을 싣는 사이, 나는 빈방에서 빈방을 넘나들며 다녔다. 방은 한때 가지고 있던 물건들이 유령이 된 것 같은 잔상으로 가득했다. 가구가 서 있던 곳에 깔려 있던 카펫은 햇빛이 적게 들고 마모가 적어서 훨씬 어두웠다. 빛바랜 벽지에는 한때 거기 걸려 있던 그림과 거울 자국이 남아 있었다. 최근 몇 년간 엄마가 침대 위에 걸어놓은 나무 십자가의 희미한 실루엣도 있었다. 방에 대한 이런저런 생각에도 불구하고, 방이 가지고 있던 기억들은 마치 촛불이 꺼지고 난 후에 피어오르는 한 줄기 연기처럼 사라졌다. 예전 내 침실에서 나는 바닥에 하나 남은 내 여행 가방을 닫고 마지막으로 창문을 바라보았다. 그런 다음 내 물건을 챙겨 문을 닫았다. 음악 감상실이라고. 잘 즐겨봐, 에드워드. 아마 오래 못 갈 테니까.

✦

나무 상자를 뒤집어 깔고 의자처럼 앉아 내 차를 홀짝이는 사이, 두 남자는 차에서 짐을 내리고 아래층 첫 번째 방과 두 개의 침실에 탁자며 옷장, 서랍장 같은 가구를 채워 넣었다. 사다리를 꺼낸 둘은 내 상자를 다락방으로 옮겼다. 롭의 표현대로 '낡고 허름하던' 묘사가 정확했다. 매력이 없는 집은 아니었지만 주방, 욕실, 장식이 1970년에 살던 색맹이나 고를 법한 디자인이었다. 그 후로는 그 누구도 페인트 붓이나 진공청소기, 먼지털이 따위를 쓰지 않았을 법한 집이었다. 이런 곳에 엄마가 소중하게 여기던 물건들을 보관해야 한다는 게 영 신경 쓰였지만 어쩔 도리가 없었다.

일이 끝나자 롭은 빌리에게 지폐를 두어 장 접어 건넸다.

"술값 해." 그가 바지 뒷주머니에 지갑을 쑤셔 넣으며 말했다.

"감사합니다, 보스. 순산하쇼. 아가씨는 좋은 엄마가 될 거요. 애 태어나면 여기 와서 살아요. 런던보다는 훨씬 낫지. 애들을 위한 공원도 많고 애가 놀 거리도 많고. 아가씨가 살던 시절보다 훨씬 많이 변했어요."

"충고 고마워요. 명심할게요." 나는 그에게 빈말을 건넸다.

케이트가 친정에 이틀 정도 더 머문다고 해서 뉴 스트리트 역까지 데려다준다는 롭의 제안을 받아들였다. 안전벨트를 막 매고 있는데, 롭이 아기 아빠에 대해 물었다. 너무 대놓고 물어봐서 조금 당황스러울 지경이었다. 당신 일이나 신경 쓰며 살라고 하고 싶었지만, 친절하고 상냥하게 대해야 한다는 전략을 이어나가야 했다.

"아기 아빠와는 이제 안 만나요." 내가 설명했다. "그 사람한텐 어떤 도움도 필요 없다고 했어요."

"그 사람도 괜찮대요?"

"아직은 아니지만 금방 괜찮아질 거예요. 아직도 자기가 진지한 관계를 맺을 수 있다고 믿고 있거든요."

"왜 거절했어요? 좋은 사람이 아닌가요?"

"아니요, 그 반대예요. 물어봐서 대답하자면 세 가지 이유 때문이었어요. 우선 전 그 사람에게 도덕적으로나 재정적으로 부담을 주고 싶지 않았어요. 그리고 두 번째로 아기에 대해 자유롭게 결정을 내리고 싶었고요. 마지막으로 그 사람이 어쨌든 책임을 지고 싶어 하지 않아 해요."

"자기가 뭘 원하는지 알아내는 건 그 사람 몫이죠. 그 사람을 위해 수잔이 결정을 할 순 없으니까. 근데 그 사람이 경제적으로나 다른 쪽으로 도움을 준다 해도 당신이 빚을 지는 건 아니에요. 두 사람이 함께 만든 아기잖아요. 똑같이 책임이 있죠. 그리고 혼자 모든 결정을 내리는 것도 공평하진 않아요. 제가 보기에 수잔은 모든 상황을 자기가 다 통제해야 하는 사람 같아요."

이 남자에게 친절하게 대해야겠다는 내 계획에 조금씩 금이 가고 있었다. 친절한 척 굴던 가면이 조금씩 미끄러져 내려가고 있었다.

"그럼 당신 생각은 뭔데요? 뭐, 아버지들을 위한 연대의 대변인이라도 돼요? 솔직히 당신이 내 일에 왜 이렇게 참견을 하는지 모르겠거든요."

"제가 뭐라고 아버지를 대변하겠어요. 무슨 거창한 의미가 있어서가 아니라 다만 저도 비슷한 경험을 해서 수잔이 보지 못하는 관점을 알려주고 싶을 뿐입니다."

"무슨 비슷한 경험이요? 그게 제 상황과 어떤 연관이 있죠?"

롭은 오래도록 침묵에 잠겼다. 나는 내 질문으로 이 다툼이 매듭지어졌기를 바랐다.

"대학생이었을 때 솔직히 말하면 전 좀 등신 같았어요."

그가 설명을 시작했다. 나는 별로 놀랍지도 않네요, 라고 튀어나오는 말을 겨우 삼켰다.

"여자 친구를 많이 만났는데 항상 오래가진 않더라고요. 그때 만난 친구 중에 앨리슨이라고 꽤 진지하게 만났던 여자가 있었어요. 문제가 하나 있다면 나한테 늘 정신을 차리고 살아야 한다고 잔소리를 좀 하던 것뿐이죠. 전 그냥 평범한 대학생들이 좋아하는 건 다 했어요. 너무 깊이 빠져 있었다고 해도 과언은 아니죠, 제 말 무슨 뜻인지 알죠?"

"잘 모르겠는데요."

"심각한 수준은 아니고 그냥 술도 많이 마시고 담배도 많이 피우고, 거의 매일 같이 술에 절어 있었어요. 주말엔 더 심했죠. 그러다가 기말고사 직전에 앨리슨은 자기가 임신했다는 걸 알게 되었어요. 피임약을 잊었대요. 우리 둘은 꽤 오래 이야기를 나눴어요. 집도 보러 다니고. 그러다가 전 그녀에게 수술을 받자고 했어요. 부모가 되기에 우린 아직 어리다고. 그 친구도 동의를 했는데 수술 날 아침 지독한 감기에 걸렸다더군요. 병원에서는 컨디션이 좀 나아지면 그때 다시 수술 날짜를 잡자고 했어요. 하지만 앨리슨은 예약을 다시 잡지 않았죠. 전 계속해서 그녀를 몰아갔지만 앨리슨은 병원에 가겠다고 말만 하고 시간만 보내더군요. 그렇게 몇 주가 흘렀고 앨리슨은 지우기엔 너무 늦어버렸다고 했습니다. 전 겁이 났죠. 책임을 지고 싶지 않았어요. 친구들하고 놀러 다니면서 주말엔 머리를 식히고 놀면서 돈이나 쓰고 싶었어요."

우리는 혼잡한 교차로에 꽤 오래 서 있었다. 마침내 신호등이 녹색으로 바뀌었고 우리 뒤차가 경적을 울리고 있었다. 롭은 자동차의 기어를 바꿨다.

"왜 이렇게 장황하게 이야기를 하나 모르겠는데, 아무튼 결론은 하나였어요." 롭이 자전거 한 대를 추월하며 잠시 입을 다물었다가 이야기를 계속했다. "앨리슨은 내게 제대로 행동하거나 자기 인생에서 꺼지라고 했어요. 그 말이 나한텐 동아줄 같았습니다. 결국 전 앨리슨에게 제 책임이 아니라고 했어요. 피임을 제대로 하지 않은 것도 너고, 아이를 낳기로 결심한 것도 너니까 나한테 기대하지 말라고요. 말했잖아요, 등신이었다고."

자동차의 속도가 점점 느려지자 뒤에서 경적소리가 끊이질 않았다. 그는 엑셀에 발을 올려놓고 미안하다는 듯 손가락 두 개를 허공에 흔들었다. 다만 뒤차에서는 보이지 않을 것 같았다.

"앨리슨은 버밍엄을 떠났고 에든버러로 돌아가 부모님과 함께 살겠다고 떠났습니다. 처음엔 아기 생각이 거의 나질 않았어요. 인생을 즐기는 것만으로도 바빠서. 그런데 시간이 조금씩 지나면서 궁금해지더군요. 아들인지 딸인지도 몰랐어요. 아이가 다섯 살쯤 되었을 때, 전 앨리슨에게 연락을 해보고 싶었죠. 내 아이를 알아가기에 너무 늦은 건 아니기를 바랐어요. 용케 앨리슨의 부모님

연락처를 알아내 전화를 했지만 그쪽에선 썩 반기지 않더군요. 당연히 앨리슨이 제가 얼마나 형편없는 남자인지 이야기를 했을 테니까, 당혹스러울 것도 없었어요. 대부분 사실일 테니까. 그쪽 부모님은 앨리슨이 제임스라는 이름의 아들을 낳았고, 지금은 다른 사람을 만나 행복하게 살고 있다고 하더군요."

롭은 잠시 말을 멈추었다. 나는 그가 이야기를 끝냈다고 생각했지만 그는 한숨을 푹 쉬고 나서 계속 말을 이어나갔다.

"앨리슨의 부모님은 절대 그녀에게 연락을 하지 말라고 했어요. 저와 그 어떤 관계도 맺고 싶어 하지 않는다고. 하지만 전 그대로 보낼 수가 없었어요. 계속해서 부모님께 전화를 해서 제발 앨리슨의 연락처라도 좀 알려달라고 사정을 했습니다. 앨리슨하고 다시 잘 해보려는 게 아니라 내 아들에게 아버지 노릇은 하고 싶다고 말이죠. 아마 부모님이 앨리슨에게 말을 전했었나 봐요. 어느 날 밤 전화를 걸었더니 앨리슨이 받았거든요. 앨리슨은 상당히 차분하고 차가웠어요. 내가 그녀를 버렸을 때 이미 제임스를 만날 권리도 포기한 거라고요. 행복하고 자신감 넘치는 아이로 잘 자라고 있다고. 새 남자친구를 이미 '아빠'라고 부르고 산다고. 나라는 존재는 아이에게 그 어떤 의미도 없다면서, 출생증명서에조차 내 이름은 없다고 하더군요. 나는 제임스를 만나보려고 싸움을 걸 수도 있었어요. 누가 알겠어요, 어쨌든 내가 친아버지니까 소송에서 이겼을 수도 있죠. 하지만 애초에 내가 잘못해서 일어난 일이었잖아요. 두 사람의 인생을 다시 한 번 망치고 싶진 않았어요. 아무것도 흐트러뜨리지 않고 평화롭게 떠나기로 결심했죠. 하지만 지금도 전 매일 내 아들을 생각해요. 그 애가 무엇을 하고 있을지, 어떻게 생겼을지, 어떤 말을 할지. 그랬던 제임스가 벌써 스무 살이 되었어요. 그 애가 나에 대해 어떻게 생각할지 모르겠어요. 나라는 사람이 존재한다는 걸 아는지도 모르고. 전 아들이 자라는 걸 옆에서 지켜볼 기회를 놓쳤습니다. 순전히 제 잘못으로요. 다른 사람 탓도 할 수가 없죠. 그러니까 내 말은, 수잔, 아기 아빠에게 이러지 말아요. 그 사람이 당신에게 물리적으로 폭행을 한다거나 뭐 그런 잘못을 해서 끊어내려는 게 아니라면 말이에요."

이야기가 끝날 때쯤 우리는 이미 기차역 주차장에 차를 세워놓고 있었다. 롭은 운전대에 머리를 잠깐 기댔다가 나를 향해 고개를 돌렸다. 무언가 단호하게 말을 하려 했지만, 롭은 울 것 같은 표정으로 나를 보고 있었다. 울지 마라, 제발. 내가 생각했다. 나는 우는 남자를 어떻게 다뤄야 할지 알지 못했다. 아니면 그 누구라도, 우는 사람이라면 정말이지.

"젠장. 난 그냥 내 이야기를 꼭 해주고 싶었어요." 그가 코를 훌쩍이며 말했다. "뒷좌석에 가방 꺼내드릴게요."

나는 롭이 기차까지 짐을 옮겨주겠다는 제안을 받아들였다. 런던으로 돌아가는 길엔 내가 예상했던 것보다 훨씬 짐이 많아져 있었다. 걸어가는 사이 아까보단 감정이 진정된 롭이 이야기를 계속 이어나갔다.

"아무튼 말씀드렸다시피, 인도에 있으면서 정신을 많이 차렸어요. 앨리슨이 제 한 사람이에요. 앨리슨이 제가 평생을 함께 보냈어야 하는 사람이죠. 이미 전 너무 많은 시간을 낭비했어요. 전 그녀와 아들을 찾아가 용서를 구하고 혹시라도 지금 만나는 사람이 없으면 되찾기 위해 최선을 다할 거예요. 어릴 때 했던 쓰레기 같은 짓을 만회할 기회를 얻고 싶어요."

런던으로 돌아오는 기차에서 나는 롭의 고백을 다시 곱씹어보았다. 단지 아이 아버지로서의 기회를 잃었다는 생각에 진심 어린 고백을 한 것인지, 아니면 내 방어 기재를 누그러뜨리고 자신에게 더 나은 태도를 기대하며 한 소리인지 의문을 갖지 않을 수 없었다. 어느 쪽이든 효과는 있었다. 나는 순간적으로 그에게 미안함을 느꼈다. 그러나 자기가 자초한 일이 아니었던가. 끔찍한 짓을 저질렀고, 그의 여자친구는 의심할 여지없이 더한 고통을 겪었을 것이다. 또한 롭은 에드워드와 공범이라는 사실을 되새기며 그의 말이 사실이 아닐지도 모른다는 점을 떠올렸다.

빌리가 하루 종일 붙어 있었고, 롭이 아들 이야기를 하는 바람에 나는 에드워드나 엄마의 유언장에 대한 더 이상의 정보를 캐낼 기회가 없었다. 몇 주 후 롭을 다시 만날 예정이라 다행이었다. 그는 에드워드와 함께 런던에서 열리는 공연에 갈 계획이라며 내가 맡긴 짐을 그때쯤 갖다줄 수 있다고 했다. 그는 내가 경계심을 완전히 풀어버렸다고 생각할 게 뻔했다.

이상하게도 유스턴 역에 도착하기 전 잠깐 눈을 붙이는데, 자동차 안에서 나를 향해 고개를 돌렸을 때 유난히 푸르던 그의 눈동자 색깔이 떠올랐다. 분명 햇빛이 장난을 친 거겠지.

그날 저녁 나는 베개를 등에 받쳐놓고, 엄마의 집에서 가져온 서류 파일을 들여다보았다. 편지나 문서에서 엄마의 심리 상태나 사망 후의 재산 처리 계획을 찾고 싶었지만 편지는 대부분 너무 예전 것들이었다. 아주 오래전 해럴드 숙부나 줄리아 숙모, 그리고 그 집 아들들이 엄마에게 선물을 보내서 고맙다는 감사 편지들이었다. 뉴질랜드와 캐나다로 이사를 간 학창시절 친구들이 어린 시절을 회상하는 편지도 있었다. 아빠의 생일 축하 카드는 내가 열 살이 되던 해가 마지막이었다. 대부분 에드워드가 만들어 드린 크리스마스나 부활절 카드였다. 내가 드린 건 몇 개 되지도 않았다. 실비아 이모가 보낸 읽을 수 없이 오래된 편지 몇 통, 그리고 찢었다가 다시 테이프로 붙인 편지도 하나 있었다. 대충 무언가에 대해 깊은 감사를 전하는 내용이었다. 엄마의 대학교 교직원 사무실 상사가 타이핑한 엄마의 추천서도 있었다. 엄마가 믿을 수 있고 열심히 일하는 직원이라고 했다. 아빠의 부고에 조의를 표하는 편지와 카드도 있었다. 그리고 쓸모없는 것들도 많았다. 나는 무엇을 보관해야 좋을지 몰라 망설이다가 재활용으로 분류해 버리기로 결정했다. 어떤 편지도 내가 원하는 내용을 말해주지 못했고, 보관할 공간도 부족했기 때문이다.

그런 다음 버밍엄에서 가져온 두툼한 사진첩도 열어보았다. 사진첩은 부모님의 결혼식에서 시작해 내가 학교에 입학한 직후에서 끝났다. 첫 사진은 예식이 끝나고 나와 교회 앞에서 찍은 흑백 결혼사진이었다. 엄마는 수줍어하며 사람들의 관심이 쏟아지는 게 불편한 모습이었다. 아빠는 유부남이자 한 가정의 가장이라는 불편한 책임감을 감내하는 표정이었다. 나는 그가 시련을 이겨내고자 독한 술을 들이켰으리라 예상한다. 반대로 실비아 이모는 엄마 곁에서 레이스로 장식된 신부의 들러리 드레스를 입고 있었는데 엄마보다는 훨씬 즐거운 시간을 보내는 얼굴이었다. 엄마가 결혼했을 때 스물일곱이었으니 실비아 이모는 열두 살쯤 되었을 것이다. 그맘때부터 이모는 이미 유명 영화배우들이 나오는 잡지를 탐독하고 매력을 발산하고 자신감을 드러내며 카메라 앞에서 포즈 취하는 법을 익혔다. 지금이랑 똑같았다.

외가 식구들은 출세한 가문이라는 걸 드러내는 것처럼 가장 멋진 옷을 유행에 뒤떨어지게 차려 입었다. 최선을 다했겠지만 몹시 어색하고 품위라곤 없어 보였다. 하지만 아빠의 가족들은 공식적인 상황에 매우 편안한 사람들 같았다. 쓰리피스 맞춤 정장에 디자이너 드레스와 재킷을 입은 모습으로, 친가 사람들에겐 전혀 어색한 일이 아니었다. 평소와 다를 바 없는 익숙한 모습에도 불구하고, 잔뜩 찌푸린 얼굴과 삐죽거리는 태도, 약간의 비웃음이 아빠와 엄마의 결혼에 대한 친가의 태도를 드러냈다. 아빠의 남동생이자 신랑의 들러리였던 해럴드 숙부만이 아빠처럼 파악하기 어려운 표정을 짓고 있었다. 숙부의 경우에는 어색한 뻣뻣함이라기보다 군대에서 익힌 훈련의 결과였다. 사진에서 친조부모를 보는 것도 이상했다. 나는 두 분을 만난 기억이 없다. 과연 어렸을 때라도 두 분을 만난 적이 있었을까.

앨범 중간에 있는 사진도 꺼내 보았다. 아마 결혼식을 하고 몇 년 후에 찍은 사진 같았다. 그날은 같은 교회에서 세례식이 있었는데, 손님의 규모가 결혼식 때보다 현저히 적었다. 내가 태어난 지 몇 달밖에 되지 않은 시절이었다. 전문 사진작가가 촬영한 웨딩 사진과는 달리 이 사진은 삐뚤게 찍힌 사진이었다. 찾아온 아빠 쪽 손님이라곤 해럴드 숙부가 유일했다. 숙부는 변함없이 충실한 사람처럼 보였다. 외할머니는 계셨지만 외할아버지는 그날 첫 손녀의 세례보다 더 중요한 일이 있었던 모양이다. 사진 속의 엄마는 포대기에 싸인 나를 안은 채 불편해 보였다. 내 생각에는 고작 몇 주간의 연습으로 익힌 자세 같았다. 아빠는 약간 찌푸린 얼굴로 근엄한 표정을 지으며 엄마를 안심시키듯 어깨에 팔을 두르고 있었다. 열일곱에서 열여덟 살쯤 된 실비아 이모는 땅바닥의 무언가에 시선을 빼앗긴 듯 카메라에서 눈길을 돌리고 있었다. 이모는 복숭아 색의 짧은 미니 드레스를 입고 무릎 높이의 하얀색 부츠를 신고 있었다. 엄마의 우울한 회색 드레스와 베레모 같은 필박스 모자와는 극명한 대조를 이루고 있었다. 이모의 사진 중 유일하게 웃고 있지 않았다.

"뭐, 내가 태어났을 땐 이것보단 행복했겠지."

나는 사진을 보며 말했다. 앨범을 닫아 탁자 위에 놓고 침실의 불을 껐다.

✦

며칠 후 정기 검진 예약을 하려고 점심시간에 짬을 내어 산부인과를 향해 걷고 있었다. 20주차 초음파 예약이었다. 지난 45년간 혼자 살며 행복하게 지내다가 이제 몸과 마음 둘 다 누군가와 공유를 한다는 게 받아들일 수도 없고 받아들이기도 싫다는 말을 안

할 수가 없다. 임신을 하면 정말 많은 사람들에 의해 배가 찔리기도 하고 검사를 받아야 하고 심문도 당한다. 다양한 검사와 예약을 하는 일 자체가 마치 직업처럼 느껴지고 내 배는 그 누구보다 더 집중적인 마킹을 당한다. 마치 내가 내 권리를 가진 사람이 아니라 또 다른 인간의 수용소가 된 것 같은 기분이다.

"자, 그린 씨. 오늘 아기 성별이 뭔지 들어보시겠어요?"

초음파 검진 담당 의사가 물었다. 촘촘하게 곱슬거리는 빨간 머리카락의 삐쩍 마른 중년의 스코틀랜드 여자였다. 빌리를 만난 후로 나는 이 질문을 꽤 오래도록 심사숙고했다. 마치 크리스마스이브에 받은 선물을 풀어보거나 소설의 중간까지 읽었는데 결말을 알게 되는 것 같은 느낌이었다. 하지만 부정행위 같았다. 인내심과 자제력을 발휘하지 못하는 무능한 사람이 되는 것 같았다. 그러나 나는 상당히 실용적인 사람이다. 정확히 무슨 일이 언제 어떻게 일어날지 알고 싶다. 그래야 달갑지 않을 상황에 놀라지 않고 유연하게 대처하고 스스로를 보호하며 모든 것을 만족스럽게 진행할 수 있다. 만약 아기의 성별을 미리 안다면 적절한 옷과 물품을 살 수 있다. 딸이라면 레이스가 달린 핑크색 물건을, 아들이라면 평범한 파란색의 물건을 사주는 그런 뻔한 사람은 아니지만 그럼에도 아기의 성별에 따라 내가 사야 할 물건들 사이에는 약간의 차이가 있을 테니까. 결국 나는 의사에게 아기의 성별을 알려달라고 했다. 의사는 너무도 손쉽게 말해주었다.

다시 직장으로 돌아오자 트루디가 나를 호출했다. 마치 비밀 미션을 수행하는 요원이 된 것 같았다. 그녀는 배시시 웃으며 사무실 문을 닫아 걸었다.

"그래서 수잔, 아들이야 딸이야?" 그녀의 얼굴에 간절히 기대하는 표정이 역력했다.

"아, 말을 아직 못 해준대요. 아기가 거꾸로 누워 있다고 하네요. 보일 때까지 기다려야 할 것 같아요."

트루디는 내가 이 모든 게 실수였고 임신을 원하지 않았다고 말했을 때보다 훨씬 실망스러워 보였다. 그녀가 다시 책상으로 걸어가 의자에 털썩 주저앉았다.

"정말 별로네. 정말 아쉬워." 그녀가 말했다.

"그런가요?"

뭐, 그렇다고 해도 내가 읽던 책의 마지막 페이지를 향해 빠르게 장을 넘길 수 있는 사람은 오직 나 하나뿐이다. 모두에게 큰 소리로 읽어주는 것과는 여러모로 다르다.

13.

엄마의 집을 정리하고 버밍엄에서 돌아온 다음 며칠간 나는 아기와 내 삶에서 리처드를 지우기로 했던 결정을 재고해보았다. 그리고 롭의 말에도 일리가 있다는 점을 마지못해 인정했다. 리처드는 아이에게 감정적으로든 육체적으로든 해를 끼칠 사람은 아니었다. 실제로 양육에 참여하고 싶어 하고, 세심하고 사랑스러운 아버지이자 아이의 인생에도 긍정적인 영향을 끼칠 사람이 될 수도 있었다. 내 어린 시절의 경험 때문에 아기에게서 기회를 박탈하는 게 과연 정당할까? 혹시라도 내가 내 독립심을 지키겠다는 생각 때문에 아기 아빠를 저버렸다는 걸 나중에 아기가 알게 된다면 혹시 나에게 화를 내거나 하진 않을까? 게다가 내가 리처드를 끊어내면 그에게 어떤 영향을 끼칠지도 생각해봐야 하는 건 아닐까. 롭의 말이 사실이든 아니든, 그는 아들을 만나지 못해 고통스러웠다고 했다. 수년간 후회를 했다고도 했다. 리처드도 어쩌면 앞으로의 삶에서 비슷한 고통을 겪을지도 모른다. 나는 이미 내린 결정에 후회를 하는 사람은 아니지만, 조금 성급한 결론을 내렸다는 걸 인정할 만큼 강하고 건강한 사람이다.

✦

세인트 제임스 공원은 한창 가을이었다. 나무엔 구릿빛과 황갈색, 황토색 단풍이 만개해 있었다. 11월 중순의 태양은 여전히 밝았고 짙은 안개가 낄 징후도 없었다. 내가 잘 알고 익숙해하던 공원이 아니었다. 리처드는 점심시간에 만날 수 있는 비교적 조용하고 쾌적한 장소가 될 거라고 했다. 더 몰(The Mall. 버킹엄 궁전에서 시작되어 애드미럴티 아치를 거쳐 트라팔가 광장까지 이어지는 런던의 도로-역주)에서 나오는 길을 터벅터벅 걷다 보니 호숫가 벤치에 앉아 있는 리처드가 보였다. 마치 여왕을 알현하기 전 생각을 가다듬기 위해 멈춘 사람처럼, 평소의 말쑥한 옷차림이었다. 하지만 처음부터 그의 옷차림이 눈에 들어온 건 아니었다. 나무 벤치에 앉아 있는 그의 곁에 서서 거만하게 고개를 높이 쳐들고 있는 하얀 깃털의 펠리컨이 내 눈길을 먼저 끈 탓이다. 새도 사람도 상대방을 전혀 신경 쓰지 않았다. 리처드는 책 한 권에 몰두하고 있었다.《보바리 부인》이었다. 다소 내성적인 성격일 것 같지만, 사실 그는 항상 이성을 정복하는 열정을 가진 비극적인 여주인공에게 매력을 느낀다. 꽤 놀라운 면이 아닐 수 없다.

내가 벤치 옆으로 다가가자 그가 책에서 고개를 들어 매력적이고 화사한 웃음을 지어 보였다. 아마 자신이 이길 거란 희망을 품고 있는 모양이었다.

214

"오늘도 좋아 보이네, 수잔."

그가 페이지 귀퉁이를 조심스럽게 접으며 말했다. 아무렇지 않은 태도에 나는 약간 움찔하고 말았다. 외투 주머니에 책을 집어넣은 그가 자리에서 일어나 내 양쪽 뺨에 가벼운 입을 맞추었다.

"정말 빛이 나는군."

나는 이미 그 표현에 진절머리가 난 상태였다.

"왜 펠리컨이 당신 의자 옆에 있어?" 내가 물었다.

"사람을 무서워하지 않네. 소동을 피해 여기 오면 가끔 이 새가 내 곁에 서서 내 책을 훔쳐봐. 나를 좋게 봐주는 거 같기도 하고."

"아니 근데 런던 한복판의 공원에 펠리컨이 왜 있지?"

"몰랐어? 여기 무리 지어 살아. 아니면 거위 떼거나. 어쩌면 작은 무리가 여기 살고 있거나. 여기 펠리컨이 산 지도 벌써 400년이 넘었다고 해. 러시아 대사가 가져온 선물이었다지. 특이한 새야. 묘한 친근함을 느껴."

펠리컨은 나를 업신여기며 날개를 펴고 오솔길을 달려가 호수로 날아 들었다. 무언가 그렇게 오만한 동물이 말도 안 되는 행동을 동시에 한다는 게 믿어지지 않았다.

"잠깐 앉겠어?"

리처드가 물었다. 그는 외투 안주머니에서 깔끔하게 접은 손수건을 꺼내더니 자리를 가볍게 닦았다. 그다음 손수건을 자신의 곁에 깔아 살며시 두드렸다. 우리는 잠시 동안 말없이 앉아 가슴을 잔뜩 부풀린 펠리컨이 주황색 부리를 쪼아대는 모습을 지켜보았다. 그때 리처드가 목청을 가다듬었다.

"지난번 만났을 때 내가 했던 행동은 변명의 여지가 없어. 사과하고 싶어. 그때 잠도 잘 못 자고 아이에 대한 상황으로 머리가 너무 복잡했어. 당신 회사 근처에서 그런 식으로 기다려서는 안 됐던 건데, 그렇게 위협적인 행동을 보여선 안 됐던 건데. 지난 몇 주간 우리 사이에 있던 일은 다 잊고 서로를 존중하며 다시 시작했으면 해."

일본에서 수학여행을 온 것처럼 보이는 무릎까지 올라오는 양말에 특이한 옷차림과 만화 캐릭터가 가득 그려진 가방의 10대 소녀들이 우리 벤치 앞에 멈춰서더니 날갯짓을 하는 펠리컨을 바라보았다. 일행 중 하나가 서로의 사진을 찍어주고 모델이 된 학생은 새를 배경 삼아 손가락으로 브이 자를 그리고 있었다.

"그 말에 동의해." 나는 그에게 말했다. "그리고 전화로 말했듯 아이의 인생에 당신이 관여했을 때의 가능성도 생각해봤어. 그 문제를 곰곰이 생각하기 전에 당신을 끊어낸 게 약간 성급했을지도 몰라. 하지만 애처롭고 도움이 필요한 여자처럼 보일 생각이 없다는 걸 처음부터 분명히 하고 싶었어."

"수잔, 누가 당신을 불쌍하고 도움이 필요한 여자처럼 보겠어."

"좋아. 내가 말하고 싶은 건, 여러 가지를 고려해보니 당신을 아기의 삶에서 완전히 배제하는 건 옳지 않다는 결론을 냈다는 거야. 그래서 나는……."

그때 머리를 리본으로 묶은 일본인 학생이 환히 웃으며 다가와 방해해서 미안하지만 펠리컨과 함께 단체사진을 찍어줄 수 있는지 물었다. 리처드가 사진을 찍어주겠다고 했다.

"어디까지 이야기했지?" 그가 다시 나타나 물었다.

"아기 인생에 당신이 어떤 역할로는 참여해도 괜찮다고 했어. 물론 아기를 낳기 전까지 우리 둘이 명확하게 선을 긋고 동의를 해야겠지. 하지만 원만하게 합의할 수 있을 거라 생각해."

"완벽해. 내가 얼마나 커다란 안도감을 느끼고 있는지 모를 거야. 정말 우리 두 사람 모두에게 도움이 될 거라 생각해. 오늘 오후에 서점에 들러 아버지를 위한 육아 책을 몇 권 사야겠군."

"나도 그 이야기를 하고 싶었어. 뭐든 사전에 미리 책을 읽어두는 게 좋으니까."

그때 한 가족이 신이 난 채 이야기를 나누며 지나갔다. 희귀한 포켓몬이 이 근처에 있다며 떠들다가 깃털을 고르고 있는 펠리컨을 바라보았다. 어머니가 어린 두 아들에게 실제로 존재하는 동물을 찌르지 말라고 제지하는 사이, 그 가족의 아버지가 다가와 우리에게 사진을 한 장 찍어달라고 부탁했다. 리처드도 이번엔 마지못해 동의했다. 그가 다시 한 번 내 곁으로 다가와 목청을 가다듬었다.

"해결할 게 하나 더 남았군. 출산 이후는 어떡할까. 물론 다른 문제긴 하지만, 당신과 내가 의도하지 않았지만 서로에게 강하게 끌렸잖아. 다만 우리 두 사람 모두 관계를 돌아보기 전에 우리의 달라진 상황을 받아들이기 위한 시간이 필요했어. 우리 사이에 아기가 생겼다는 게 우리 둘의 관계가 얼마나 좋았는지를 반증하는 거지."

"맞아, 그런 것 같아."

"물론 알다시피 나는 기존의 사람들이 맺는 관계를 별로 좋아하지 않았어. 하지만 이제 상황이 바뀌었어."

"리처드, 내 생각엔 굳이……."

"나부터 말할게, 제발."

이번에는 호주 관광객 무리가 펠리컨을 보러 몰려들었다. 과산화수소로 염색을 한 것 같은 금발의 중년 여자가 우리를 보고 다가왔다.

"미안합니다만 사진은 못 찍습니다."

리처드가 약간 큰 목소리로 끊어냈다. 사람들이 웅성거리는 소리에 놀란 새는 급히 물속으로 뛰어들었다. 관광객들이 어깨 너머로 우리를 노려보며 사라졌다.

"수잔. 우린 둘 다 규칙에 따라 사는 걸 좋아하는 사람들이야. 이 시점에서 한쪽 무릎을 꿇는 게 평범하고 당연한 일이겠지만, 펠리컨에다가 당신은 내 손수건을 깔고 앉아 있지. 수잔, 하지만 당신과 함께 보낸 시간은 내게 너무 소중했어. 당신이 내 소울메이트야. 당신만이 내게 완벽하게 맞는 여자야. 그러니, 부디 내 아내가 되어주겠어?"

"아내?" 내가 놀라 물었다. "당신과 혼인 계약을 맺으라는 거야? 아니면 같이 살자는 거야?"

"모로 가도 어디든 가기만 하면 돼."

나는 허를 찔리고 싶지 않았다. 리처드를 만난 유일한 목적은 단지 관용을 베풀기 위함이었다. 내가 결정한 도덕적으로 옳은 선택을 그에게 제시하기 위함이었을 뿐이다. 그보다 더 개인적인 문제를 합의할 필요는 없었다. 그의 청혼을 듣자마자 그냥 내가 했던 말을 다 잊어달라고 하고 싶었다. 그러나 나는 말을 삼키고 생각할 시간을 가졌다. 정말 가능성의 범위를 벗어나는 일일까? 부인할 수 없는 건, 아이가 생기면 현실적으로 두 사람이 함께 가정을 꾸리는 게 훨씬 더 간단한 일이 될 것이라는 점이었다. 중요한 건, 최근 들어 리처드와 나의 의견이 항상 일치했다는 점이다.

나는 머릿속으로 리처드의 모든 것을 떠올려보았다. 그는 분명 수년간 나의 좋은 짝이었다. 그는 결코 나를 실망시킨 적이 없었고 나에게 거짓말을 하거나 해를 끼치지도 않았다. 그는 똑똑하고, 아주 예의 바르고, 유별나게 유쾌했으며 잘생겼고, 취향도 좋고, 돈벌이도 꾸준하고 나와 많은 관심사를 공유했다. 우리 사이엔 늘 끌림이 있었고, 그와의 친밀한 잠자리도 즐거웠다. 물론 가정적인 것들을 함께한 적이 없지만 엄격하게 규정된 범위 내에서 우리가 누렸던 좋은 시간들이 일상생활로 옮겨간다고 해서 문제가 될 건 없었다. 거의 모든 면에서 그는 나의 이상적인 짝이었다.

하지만 문제는 내가 누군가와 내 삶을 나누고 싶은 욕망이 전혀 없다는 점이다. 게다가 내가 리처드에게 로맨틱한 감정을 갖고 있지 않다는 것도 문제였다. 내가 알기론 이 남자 역시 내게 그런 감정은 없었다. 그게 얼마나 중요할까? 나는 궁금했다. 나는 그를 빤히 바라보며 과연 내가 지금 느끼는 것보다 더욱더 그에게 감정을 가질 수 있을까, 생각해보았다. 만약 우리 사이에 그런 정서가 생길 수 있었더라면, 아마 지금쯤 벌써 생기고도 남지 않았을까. 완전히 불가능한 건 아니겠지만 나는 회의적인 생각이 들었다.

"규범에 따르자는 당신의 생각엔 공감하지만 별로 좋은 생각은 아닐 것 같아, 리처드. 우리는 부부보다는 부모로서 훨씬 더 잘 지낼 수 있을 거야."

다시 물 밖으로 나온 펠리컨이 나를 빤히 노려보았다. 리처드는 한숨을 푹 쉬며 다시 벤치에 털썩 주저앉았다.

"겨우 다시 친구가 된 우리 사이에서 결혼에 대한 이야기를 꺼내는 건 너무 이른 것 같군. 솔직히 좀 놀랐어. 당신도 생각할 시간이 필요할 것 같아. 나중에 다시 이야기하자."

"미안하지만 그건 아무 의미도 없어." 내가 단호하게 말했다. "사무실로 돌아가야 돼. 사람들이 곧 찾을 거야. 보통은 점심시간에도 사무실에 있거든."

"우리 어머니도 내가 아기가 생겨서 당신과 함께 키운다고 하면 정말 좋아하실 거야. 다음 달에 뉴욕으로 워킹홀리데이를 갈 예정이야. 새해쯤 다시 연락할게. 다른 문제에 관한 한, 그때까진 보류를 좀 하자고."

"급하게 해결해야 할 것도 아니고, 어차피 아기는 때가 되면 태어나니까."

"흠. 두고 보자고. 이야기를 열린 마음으로 들어줘서 고마워."

나는 그가 다가와 뺨에 다시 한 번 입을 맞추는 걸 가만히 허락해주었다. 그리고 더 몰 거리로 가는 길을 따라 발걸음을 되돌렸다. 걷다가 돌아보니, 펠리컨이 훌쩍 뛰어올라 리처드의 옆자리로 올라왔다. 그는 물갈퀴가 달린 발밑에 깔린 자신의 손수건을 꺼내려 애를 쓰고 있었다.

14.

'뼈대가 굵은 아가씨'라는 말은 엄마가 그 친구를 두고 자주 쓰던 표현이었다. 우람한 브리짓. 에드워드는 실제로 몇 번 길에서 우리를 만났을 때 면전에 대고 그렇게 부르기도 했다. 나는 개인적으로 그녀가 올림픽 역도 선수처럼 보인다고 생각했다. 물론 당사자에게 대놓고 그런 말을 할 생각은 꿈에도 없었다. 다만 그녀에게 건강이나 외모적으로 그리고 자존감을 높이기 위해 칼로리 섭취를 좀 자제하는 건 어떠냐고 넌지시 제안을 했었다. 브리짓은 내 등을 찰싹 때리며 자신이 쉽게 화를 내는 사람이 아니라 다행인 줄 알라고 했다. 아니면 친구를 잃었을 거라고.

브리짓과 나는 노팅엄 대학교 첫 학기에 만났다. 둘 다 강의실 맨 앞줄 중앙에 앉는 걸 좋아해 종종 나란히 앉곤 했다. 당시 내성적이던 나는 그녀가 거침없이 화를 내는 게 (친절함의 쓰나미를 맞는 것 같았다.) 이상하게도 위로가 됐다. (그녀 앞에서라면 내가 한 말 때문에 문제가 될까 봐 걱정을 하거나 입을 조심하지 않아도 괜찮았다.) 1학년이 끝날 무렵 브리짓과 함께 다니기 시작했고, 브리짓

은 내게 함께 집을 구해 살자고 했다. 적당한 매물을 찾은 것도 그
녀였고, 모든 실질적인 준비를 한 것도 그녀였다. 나는 그녀의 선
택에 전혀 이의가 없었다. 브리짓이라면 결코 표준 이하의 집이나
불리한 임대 계약에 속아 넘어갈 사람이 아니었다. 누구보다 적극
적이고 솔직한 사람이니까. 브리짓이 자기보다 더 큰 럭비 선수
더못과 사귈 때도 우리의 관계는 굳건했다. 그리고 나는…… 뭐,
우리 사이도 잘 풀릴 것이다.

그리고 20년이 흐른 지금, 예전 하우스메이트와 나는 챈서리 레
인 구역의 시끄러운 이탈리안 레스토랑에서 서로를 마주보고 앉
아 있었다. 대학을 졸업한 후로 브리짓은 변호사가 되어 더못과
결혼을 했고 자신의 표현에 따르면 '애를 뱄다.' 그리고 아기를 낳
고 처음 몇 년은 상해 회사에서 커리어를 쌓았다. 그 후로 공부를
계속해 지금은 링컨스인 법학원에서 흥미롭고 급진적인 성향의
변호사가 되었다. 담당 건수는 주로 언론의 관심을 끌던 것들이었
다. 실제로 최근 브리짓이 10시 뉴스에 나와 인터뷰를 하는 모습
도 보았다. (와이드 스크린 텔레비전이 발명된 게 얼마나 다행인지.) 비
록 둘 다 런던에 살긴 했지만, 브리짓이 워낙 바빴으므로 우리는
거의 2, 3년에 한 번 정도 만났다.

"누가 알았겠어."

그녀가 탁자 위에 포동포동한 오른손을 내리치며 말했다. 그 바
람에 식기 도구가 허공으로 튀어 올랐다.

"예전의 수잔이었으면 '난 누구에게 길들여질 수 없는 사람이
야.' 그랬던 네가 임신을 하다니. 가족들하고 사는 게 무기징역을

선고받은 감옥 같다고 했었지. 시간이 지나면서 생각이 바뀌었을 수도 있지. 어쨌거나 열차가 떠나면 끝이니까."

그녀는 잔에 가득 담은 와인을 한 모금 마셨다.

"그에 비하면 난 이제 완전 끝이지. 레이첼이 벌써 열일곱 살이야. 이제 1년만 있으면 내 손을 떠나겠지. 난 벌써 그 애의 짐을 싸고 있다니까." 그녀가 또다시 커다랗게 움직이며 말을 이어나갔다. "솔직히 말해서 모성애는 거지 같아. 나는 대체 왜들 이렇게 야단법석인지 모르겠어. 그냥 아무나 데려다가 유모로 고용하면 식은 죽 먹기야. 아니면 보모를 구하거나."

어쩌면 내가 왜 브리짓과 오래전부터 친구가 되었는지, 그리고 왜 우리의 우정이 이렇게 오래 지속될 수 있었는지 알 수 있을 것이다. 그녀는 다소 과격한 유머 감각을 갖고 있지만, 브리짓은 인생을 허례허식 없이 소탈하게 사는 사람이었다. 그런 이유로 나는 친구의 법적 조언도 얻을 겸 같이 점심식사를 하자고 제안했다.

며칠 전, 어머니의 유언장에 대한 소송을 조사하고 준비할 시간이 넉넉할 거라던 나의 순진함이 공격을 받았다. 나는 우편으로 고등법원 가정법원에서 우편물을 하나 받았다. 앞으로 8일 후에 출석을 해야 한다고 명시되어 있었다. 만약 출석을 하지 않으면 브링크워스 변호사에게 집행권이 주어진다고 했다. 그럼 그가 부동산을 에드워드에게 넘겨줄 수 있게 된다는 뜻이다. 변호사는 분명 나에게 엄포를 놓고 있었다. 돈과 시간을 써서, 필요한 조치를 즉각 취해야 한다는 뜻이었다. 그는 틀림없이 내가 포기를 했다고 믿고 있었다.

"그럼 이제 드디어 독신녀에서 벗어나는 거야, 아니면 혼자 키울 거야? 혹시 인공수정이야? 혹시 남자를 대체할 만한 뭔가 좋은 걸 혼자 찾아낸 건 아니지?"

"아니야, 브리짓." 나는 한숨을 푹 쉬며 말했다. "남들하고 똑같은 방식으로 생겼고 내 독립심을 포기하고 싶지도 않아. 그게 다야."

"좋아, 아줌마. 네 자궁이니 네 사생활이지. 네가 누구하고 자든, 그것도. 그럼 왜 이렇게 대낮부터 보자고 한 거야? 꽤 오랜만에 만나지, 우리?"

나는 우리 앞에 나온 음식이 다 서빙될 때까지 잠시 입을 다물었다. 나를 위한 모차렐라 치즈 샐러드와 브리짓을 위한 크림소스 링귀니. 브리짓은 마치 접시를 누가 뺏어가기라도 할 것처럼 입속으로 음식을 밀어 넣기 시작했다.

"법적인 조언이 필요해." 내가 말했다.

"아하, 저의가 그거였군. 뭔데? 클래펌에 있는 네 아파트에서 마약 밀수 카르텔을 운영하는 게 경찰에 발각되기라도 했어?"

정말 누구와도 비할 데 없는 재치다. 내가 왜 이걸 잊고 살았을까.

"아니, 브리짓. 그게 아니라 엄마의 유언장 때문이야. 엄마가 에드워드에게 집에 대한 평생 거주권을 줬어. 그래서 동생이 이사를 할 때까지는 내 몫을 얻을 수가 없어. 아마 동생은 평생 그 집에 살겠지." 나는 한숨을 푹 쉬며 설명했다.

"뭐? 네 등신 같은 그 동생 놈이 소유권을 가졌어?" 그녀가 포크 가득 음식을 쌓으며 말했다. "그럼 어떻게든 조치를 취해야지, 수

잔. 아니면 그 머저리가 네 몫까지 다 잡아먹을 텐데. 대체 어머님
은 무슨 생각이셨던 거야? 대체 네 동생이 몇 년간 어떻게 살았는
지 네가 필을 묻고 사는 것처럼 홀라당 다 잊으신 거야? 세상에.
하긴 근데 지금 와서 생각해보니 어머니는 늘 에드한테는 절대 화
를 내지 않으셨지."

✦

이쯤에서 필이 누구인지 약간 설명이 필요할 것 같다. 리처드가
첫 남자도 아니었거니와 나에게 청혼을 한 사람도 그가 처음이 아
니었다면 어떨까. 어렸을 때도 나는 남자들이 좋아하는 멍청하고
여자다운 관심사에는 관심이 없었다. 나는 사람들이 성격의 모든
측면에 숨어 있는 심리적인 이유를 찾는다는 걸 알고 있다. 내 성
격이 왜 이런지 이유를 찾고 싶다면 나와 가장 가까운 남자를 떠
올리면 된다. 가령 아빠라든가(알코올중독에 신뢰성이 없는 남자) 남
동생처럼(게으르고 모난 성격의 남자). 하지만 어린 시절부터 나는
소년이든 남자든, 심지어 그 누구든, 나와 가까운 관계를 맺으면
내 자유를 빼앗고 내 개인주의를 희석시키고 나의 소중한 시간을
빼앗으며 불필요한 감정 에너지를 소비하게 만든다는 걸 알았다.
논리적인 측면으로 보자면, 이성적인 사람이 친밀한 관계를 맺고
싶어 한다는 사실 자체가 놀라울 일이다.

하지만 그때 필을 만났다. 같은 유치원 출신이었지만 그때 그
에 대한 특별한 기억은 남아 있지 않다. 필과 나는 같은 초등학교

를 거쳤다. 언제나 바가지 머리를 한 남자애로 주변을 기웃거리며 눈에 띄지 않고 사람들도 그를 잘 알아차리지 못할 만큼 소심한 남자애였다. 우리는 같은 중고등학교를 다녔고, 같은 길로 하교했다. 아마 열세 살에서 열네 살쯤 처음 방과 후 집에 가며 그와 대화를 나눴던 것 같다. 처음에는 숙제, 시험, 성적에 관한 이야기를 나누다가 나중엔 우리가 읽는 책, 듣는 노래, 텔레비전 프로그램 같은 것들에 대한 이야기를 나누기 시작했다. 그때도 나는 그를 친구라고 생각하지 않았다. 나는 친구가 필요하지 않았다. 그저 우연히 같은 길로 집에 돌아오며 내 관심사 중 일부를 공유하게 된 사람 정도. 나는 그를 묵인했지만 또 너무 가까워지지 않으려고 노력했고, 우리 집에 전화를 걸어봤자 환영받지 못하리라는 걸 명확하게 표현했다.

고등학교 마지막 해, 2년간의 대학입시 준비 과정에서 나는 필이 나와 같은 A 레벨을 선택했다는 걸 알았다. 그래서 진학 이야기도 많이 나누었다. 사람들은 우리가 사귄다고 생각했지만 실은 전혀 그렇지 않았다. 그가 너무 친해지려고 하거나, 우리의 대화가 너무 사적인 주제로 흘러가면 나는 일부러 그를 밀어내기 위해 불친절하게 굴었다. 그리고 그해 첫 학기, 필은 내게 함께 영화를 보러 가자는 '실수'를 저질렀다. 나는 그에게 우리 사이엔 절대 그런 일은 없을 거라 못 박았다. 그리고 적어도 2주는 그에게 말을 걸지 않았다.

에드워드는 내게 어떤 종류로든 친구가 있다는 사실에 분개했다. 어느 날 학교에서 집으로 돌아오던 길에, 동생이 우락부락한 불량배 친구들을 데리고 필과 나를 따라왔다. "수즈한테 남자친구가 생겼대요."라고 노래를 만들어 부르거나 내가 반응이 없으면 우리에게 발을 걸기도 하고 침으로 뭉쳐 만든 휴지 공을 던지기도 했다. 필은 에드워드와 친구들이 짜증나면서도 하찮은 곤충 보듯 무시했다는 점에 큰 점수를 얻었다.

필과 내가 어떻게 친해졌는지를 생각해보면, 아마 아빠가 돌아가신 이후였던 것 같다. 아빠의 알코올중독과 약점 때문에 내가 아빠를 좋아하지 않았다고 생각할 수도 있다. 만약 그렇게 지레짐작했다면 나를 잘못 본 것이다. 나는 아빠를 좋아했다. 그래서 아빠가 돌아가셨을 때, 나는 평소처럼 빠르게 벗어나질 못했다. 내 생애 처음으로 나는 타인의 도움이 필요했다. 엄마는 평소처럼 불쌍한 에드워드에게 관심을 쏟았다. "아들은 아빠를 늘 필요로 한다"는 게 엄마의 주된 입버릇이었다. 필은 내가 어떤 기분인지를 이해하고 있는 것 같았다. 내가 이야기를 하고 싶을 때와 입을 다물고 싶을 때를 잘 아는 느낌.

그가 다시 한 번 영화를 보러 가자고 말했다. (《킬링 오브 썸머》라는 자막이 달린 프랑스 영화였던 걸로 기억한다.) 결국 나는 그와 영화를 보러 갔다. 데이트는 계속 이어졌다. 그리고 A 레벨 시험 전날, 나는 그를 우리 집으로 초대했다. 우리는 보편적인 의미의 남자 친구와 여자 친구가 되었다. 믿기 어렵지만 사실이다. 그때만 해도 나에겐 남자 친구가 있었다.

필은 휠체어에 의존해야 하는 엄마 때문에 현실적으로, 또 감정적으로도 엄마를 떠날 수 없어 집에 머물며 버밍엄 대학교에 진학

하기로 결심했다. 그는 내게 노팅엄 대학교에서 버밍엄 대학교로 편입을 하지 않겠냐고 물었지만 나는 거절했다. 우리의 관계가 튼튼하다면 장거리 연애 정도는 극복할 거라 생각했기 때문이다. 물론 우리 사이가 흔들린다면 실패하겠지만. 추가적으로 나는 2학년 중반까지는 그를 만나지 않겠다고 했다. 하지만 우리 관계는 예상 외로 튼튼했다.

마지막 학기에 버밍엄 대학교의 중앙 도서관 계단을 내려오다가 필이 가방을 내려놓고 나를 바라보며 학위를 따면 결혼을 하지 않겠냐고 물었다. 나는 그의 청혼에 생각할 시간이 좀 필요하다고, 다음 날 대답해주겠다고 했다.

그날 저녁엔 결혼에 대한 장단점을 늘어놓으며 보냈다. 장점으로는 그가 진지하고, 학구적이고, 조용하고, 순종적인 사람이었다는 점이다. 게다가 나는 필에게 익숙했고, 앞으로 다른 남자들을 만나 쏟아야 할 번거로움과 노력을 겪고 싶지 않았다. 단점으로는 그가 내 독립성을 구속하려 하거나, 믿을 수 없는 사람으로 변하리라는 불확실성이었다. 게다가 만약 그가 나를 실망시킨다면 나는 이혼 절차를 밟으며 온갖 번거로움을 겪어야만 한다. 나는 결국 청혼을 거절하기로 결정했고 다음날 오데온 극장 앞에서 필을 만났다.

"그래서 결정은 했어?"

그가 신발 *끄트*머리로 인도의 갈라진 틈을 매만지며 물었다. 그는 양손을 코듀로이 바지 주머니에 깊이 찌른 채, 나의 눈을 바라보지 못하고 있었다.

그때 이상한 일이 벌어졌다. "미안하지만 못 하겠어."라는 대답 대신 나는 "할게."라고 대답하고 있었다. 나는 필만큼이나 굳어버렸다. 우리 둘은 지나가던 경찰차의 사이렌 소리에 화들짝 놀라기까지 꽤 오래도록 서로를 멍하니 바라보았다. 그리고 어색한 포옹을 나눴다. 그렇게 중요한 순간 우리 둘이 어떻게 행동해야 좋을지 잘 몰랐기 때문이다. 결국 우리는 코카콜라 두 컵과 커다란 팝콘 한 컵으로 약혼을 축하했다.

그렇게 고작 스물한 살의 나이에 나는 약혼을 했다. 엄마에게 이 소식을 알리자 엄마는 꽤나 기뻐하셨다. 실비아 이모에게 어서 전화를 해 이 소식을 알리라고 재촉하셨던 기억이 난다. 이모는 평소처럼 지나치게 극적이고 감상적인 목소리로 펑펑 울며 내가 결혼이라는 기쁜 일을 하게 되어 너무 좋다는 말을 중언부언 떠들어댔다. 하지만 내 소식에 에드워드의 반응은 좀 달랐다.

"그 불쌍한 놈을 도우소서."

에드워드가 질투와 악의, 조롱이 가득 담긴 표정으로 얼굴을 일그러뜨리며 말했다.

"그 자식은 지가 평생 어떤 잔소리와 비난을 받아야 할지 알고 청혼을 했대? 내가 이야기를 좀 해봐야 할 것 같은데."

그리고 동생은 진짜로 필과 대화를 나눴다. 필요 이상으로.

✦

"그래서 네 전략이 뭔데. 어떻게 공격하려고? 무기가 뭐야, 쪽

수는 어떻게 돼?"

브리짓이 손등으로 입을 문지르며 물었다.

"두 가지 전략으로 대응하려고."

나는 브리짓의 옛날 사람 같은 비유에 맞추며 말했다.

"에드워드의 지나친 영향력 행사와 어머니의 심신미약. 그래서 지금은 병력을 모으는 중이야."

나는 에드워드가 엄마에게 압력을 가해 제정신으로는 절대 하지 않으실 일을 했다고 믿는다고 설명했다.

"흠, 영향력 행사는 좀 위험해. 네 동생이 못된 짓을 했다는 확실한 증거를 얻어야 해. 지금까지 알아낸 게 뭔데?"

나는 솔직히 인정을 해야 했다. 결과가 딱히 없었다. 나는 친구에게 실비아 이모, 롭과 대화하며 얻어낸 이야기를 해주었다.

"하지만 나는 에드워드가 이 모든 일을 주도했다는 걸 알아. 비록 아무도 직접 나서서 그렇게 말하지 않을지라도 말이야. 유언장 초안이 어디 있었고, 어떻게 엄마한테 서명을 시켰는지 증인들이 전부 말을 해줬잖아."

"그것만으로는 충분하지 않아."

브리짓이 두 팔로 커다란 가슴에 팔짱을 끼며 까다로운 고객을 다루던 솜씨를 십분 발휘해 기품 넘치는 모습으로 나를 달랬다.

"에드워드가 그 모든 걸 주도했다는 심증만으로는 판사를 설득할 수 없어. 동생이 엄마를 압박해서 변호사 사무실까지 끌고 갔다는 증거, 아니면 엄마를 협박해서 서명을 시켰다는 확실한 증거처럼 실질적인 증거가 있어야 해. 지나친 영향력으로는 소송을 시작도 못 할 거야. 반대로 판사가 등을 돌려버릴 수도 있고. 어머니가 너보다 동생을 더 아꼈다는 사실을 받아들이지 못해서 이런 소송을 걸었다고 치부해버릴 수도 있단 말이야. 물론 네가 그렇다는 건 아니야. 하지만 입증이 중요해. 입증할 수 없는 걸로 상황을 흐리지 말아야 해."

"하지만 영향력을 행사했다는 주장을 취하하는 건 엄마한테만 집중해야 한다는 거잖아." 내가 말했다. "마치 동생은 무죄고 모든 게 엄마 때문이라고 말하는 것과 같아. 난 에드워드를 그렇게 쉽게 풀어주지 않을 거야."

"네 말도 맞아. 하지만 들어봐. 내가 클라이언트한테 늘 하는 말이고, 너도 알고 있는 말이야. 소송은 도덕적 우위를 점하거나 신념의 정당성을 입증하는 게 중요한 게 아니라 법적으로 이기는 게 중요한 거야. 간단해. 에드워드에 대한 모든 감정을 비우고 냉정하게 생각해. 그 집의 매매 수익의 절반을 얻어 내기 위해 해야 할 일만 생각해. 에드워드가 나쁜 놈이고 네가 착한 사람이라는 걸 세상에 증명하겠다는 생각은 버려. 어머니의 심신미약에만 집중해도 에드워드의 이기적인 제안에 어머니가 쉽게 노출되었다고 주장할 수 있어. 어머니가 외부의 압력 때문에 자기가 하고 싶지 않았던 서명을 했다는 주장은 하지 말라는 거야."

"동의할 수 없어, 브리짓. 법정에서 다 알아야 해. 나는 에드워드가 썩어 빠진 나쁜 놈이라는 걸 모두가 알았으면 좋겠어. 아주 오랜 시간이 걸렸지만 절대 이번엔 물러서지 않을 거야."

브리짓은 의자에 몸을 젖히고 고개를 저었다.

"너 꼭 강박적인 클라이언트처럼 말한다. 일단 사건에서 한 발물러서서 그날 판사를 어떻게 설득할 건지 생각해봐. 아무리 근거가 충분하다고 해도 가족 구성원에게 과장이 섞이거나 명백히 입증되지 않은 혐의를 주장하는 건 절대 먹히지 않아. 논란의 여지가 없고 믿을 수 있는 확실한 증거가 있을 때만 가능해."

"나도 알아. 하지만……."

"좋아. 알았어. 시간은 촉박하고 난 널 설득할 수 없어. 일단 심신미약으로 넘어가자. 증거는 어떻게 돼?"

나는 브리짓에게 어머니가 유언장 초안을 작성하기 전 두 번의 뇌졸중을 겪었다고 말했다.

"솔직히 말해서 나는 지난 몇 달간 엄마를 자주 보지 못했어. 하지만 엄마를 만날 때면 정신이 또렷했다고 생각하진 않았어. 게다가 에드워드의 최측근인 롭도 엄마의 정신이 흐릿했다는 걸 인정했어. 엄마의 의료기록은 신청했는데 일처리가 너무 느려. 최대한 빨리 필요하다고 말은 해놨어."

"일단 운이 좋으면 필요한 증거는 얻을 수 있겠네. 그 진단서에 어머니의 정신 상태에 대한 우려가 적혀 있어야 할 거야. 그래도 그 서류에만 의지할 순 없지. 의학 상태가 어머니의 심신에 어떤 영향을 끼쳤는지 설명해줄 증인이 필요해. 어머니가 누구랑 가까웠어? 매일 만나시던 사람은 누구야?"

나 역시 그 부분에 대해 생각을 했었다.

"엄마가 다니던 성 스티븐 교회의 목사라면 엄마가 신뢰를 했을 거야. 그 사람을 만나서 진술서를 받으려고. 그리고 길 건너에 이상하고 오래된 이웃들이 살아. 엄마가 살아 계신 걸 마지막으로 본 사람들이래. 그 사람들이 엄마를 걱정하긴 했는데 심각하게 여기진 않았던 모양이야."

"좋았어. 증거를 모두 모아서 날 찾아와. 내가 살펴보고 판단해 줄게. 이건 공식적인 건 아니야. 혹시라도 패소한다고 해도 직무상 과실로 소송할 생각은 말아. 그리고 만약 결과가 나쁘다면 법적 비용을 조금은 지불해야 할 거야. 답이 뻔하긴 한데, 혹시 쉬운 선택을 할 생각은 없어? 그냥 다 그러려니 하고 임신에만 집중하는 건 어때. 적당한 시기에 상속받겠거니, 하면서."

그녀는 궁금하다는 듯 나를 바라보다가 다시 입을 열었다.

"그래. 당연히 그럴 리가 없겠지."

12월

15.

정자와 난자가 우연히 만나 세포분열의 끊임없는 과정이 시작된 지 어느 덧 6개월이 되었다는 게 믿기 힘들다. 그 작은 플라스틱 막대기가 청천벽력을 불러온 게 며칠 전 같다. 그리고 또 어떤 면에서는 수십 년이 지난 것처럼 느껴지기도 한다. 임신테스트를 했을 때 엄마는 살아계셨고, 잘 지내시는 것만 같았으며 내키면 언제든 엄마를 만나러 갈 집이 있었다. 이제 나는 고아에다가 뿌리도 없고 닻도 없이 표류하는 중이다. 아니, 정정한다. 왜 그런 나약한 생각이 머릿속에 떠올랐는지 모르겠다. 하지만 알다시피 나는 내 운명을 스스로 그렸다. 우리는 우리 스스로를 정의할 수 있고 나는 나를 자율적이고 똑똑한 여자로 정의한다. 가족이나 다른 친밀한 인간관계가 좀 부족하지만 오히려 그게 나의 내면을 더욱 풍부하게 만들었다.

하지만 엄마가 내 임신 사실을 모르고 돌아가셨다는 건 약간의 후회로 남는다. 과연 어떤 반응을 보이셨을까, 궁금하다. 충격을 받으셨을까, 걱정을 하셨을까, 좋아하셨을까? 그 외에 다른 반응은 상상하기가 어렵다. 엄마는 항상 나의 커리어를 적당히 치켜세웠고, 실망스러움에도 똑같이 대했다. 엄마가 나의 행운을 빌어준 것은 분명했지만, 엄마는 신문을 배달하는 소년이나 식료품점에서 도움을 준 소녀에게도 빌어주었다. 반면 에드워드의 사소한 성공은 늘 강력한 기쁨의 원천이었고, 엄마는 늘 커다란 축하를 해주었으며 에드워드가 실패를 하면 (상당히 자주 그랬고, 또 예상 가능한 일이었지만) 엄마는 동생을 보며 연민을 느끼고 괴로워하셨다. 아빠가 나의 임신 소식을 알았다면, 아마 할아버지 역할을 안 해도 된다는 생각이 들었을 때 축하해줬을 것이다. 자식이 있다는 현실에 짜증이 난 아빠도 술에 취하지 않았을 때는 자식이 있다는 것에 꽤 만족하는 것처럼 보였다. 하지만 술에 취하면 만족감과 행복감은 뒤바뀌었고, 짜증스러움은 끓어오르는 분노로 변했으며 그의 분노는 늘 나보다 에드워드를 향했다.

내가 짧은 크리스마스 선물과 카드 목록을 쓰고 있는데 케이트가 또다시 나의 평화를 방해했다. 케이트는 기분이 내킬 때마다 내 집을 두드렸다. 특히 현재 남편 문제에 대한 좌절감이 극에 달할 때마다. 알고 보니 알렉스는 본인이 내키는 대로 아무 때나 아이들을 만나겠다고 고집을 부렸고, 때로는 자기가 필요할 때면 불가피한 비즈니스 관계를 요구하기도 했으며 어쩔 땐 케이트를 적이 아니라 오랜 친구처럼 대하기도 했다. 나는 그녀에게 전화번호와 현관문 열쇠를 바꾸고 남편이 있다는 사실 자체를 잊으라고 했다. 그러나 케이트의 반응은 늘 똑같았다.

"수잔, 인생이 그렇게 쉬운 게 아니네요."

그런 그녀를 볼 때마다 아이에 대한 리처드의 입장이 출산 전에 정리되리란 사실에 퍽 감사했다. 적어도 나는 그렇게 짜증나고 소모적인 논쟁을 벌이진 않을 것이다.

아기 모니터 불빛이 카디건 주머니 천 너머로 은은히 빛나고, 케이트는 내 소파에 털썩 주저앉아 가지고 온 사탕 상자를 내밀었다. 그리고 최근 자신의 문제라는 크리스마스에 대한 이야기를 늘어놓았다. 앞으로 3주도 채 남지 않은 일이었다. 케이트는 연휴 내내 리치필드에 있는 가족과 함께 보내고 싶지만 알렉스는 받아들이지 않았다. 그는 크리스마스에 차를 몰고 영국 중부지방까지 가서 고작 몇 시간만 아이들을 만나고 싶지 않았다. 나는 케이트에게 차라리 알렉스에게 통보를 하지 말고 타협을 해야 한다고, 두 사람이 아이를 한 명씩 갈라 휴일을 보내라고 했다. 하지만 그녀는 나의 현명한 조언을 받아들이지 않았다.

케이트는 내 크리스마스 계획을 물었다. 작년까지만 해도 나는 엄마와 함께 연휴를 보냈다. 공교롭게도 한 시간 전, 실비아 이모에게 전화가 왔던 참이었다.

"아휴, 얘 수잔." 이모가 정다운 말투로 말했다. "이모다. 별장에서 막 돌아와 전화한 거야. 그동안 내내 네 생각을 했어, 몸은 좀 어떤지 궁금해서. 이제 꽤 배가 불렀겠네, 그렇지? 의자에 앉으면 다리를 꼭 어디에 올려놔야 한다. 안 그러면 발목이나 종아리 정맥이 탱탱 부어. 나는 20대부터 오후엔 항상 한두 시간 정도는 꼭 다리를 올려놓거든. 그랬더니 내 다리만 보면 사람들이 30대 인줄 안다니까."

소파에 앉아 떡갈나무 상자 위에 발을 올려놓고 쉬면서 몸 상태가 너무 좋다고 이모를 안심시켰다. 솔직히 말해 백 퍼센트 옳은 소리는 아니었다. 입덧이 멎으면서 에너지도 충전됐지만 이상하게 요즘 들어 예기치 않은 피로나 노곤함이 몰려들었다. 특히 회사에서 사내 교육을 받던 날은 눈을 뜨고 있는 것조차 힘들었다. 실비아 이모는 살을 약간 태웠더니 얼마나 날씬해 보이는지 모른다고, 에스테포나에는 외식하기 좋은 레스토랑이 얼마나 많은지, 또 사촌들이나 조카들이 아니었다면 그곳으로 아예 이주를 하고 싶을 정도였다고 주절댔다. "하지만 나는 가깝고 소중한 가족들과 헤어져서는 살 수 없어."라고 이모는 말했다. "그게 나야. 가족이 무엇보다도 중요한 사람이지. 심지어 나의 건강이나 행복보다 더 중요해. 말이 나와서 말인데, 갑자기 생각이 나네. 크리스마스에 다른 계획 없지 않니? 네 엄마도 이제 없고."

"글쎄요……."

"그럼 됐다. 우리랑 같이 보내자꾸나. 웬디와 크리스틴이 애들을 데리고 올 거야. 집이 아주 가득 차겠다. 그래도 지낼 방이 없는 건 아니잖니. 네 이모부가 이 집을 처음 지을 때 손님방을 대단히 중요하게 생각했거든. 애들도 널 보고 싶어 하니까, 집으로 오렴. 너 혼자 지내기에 적당한 방을 내어줄게. 가족 모두가 함께 보내는 게 중요하지. 네 엄마한테도 크리스마스엔 여기 와서 보내라고 그렇게 말을 했는데, 언니는 늘 너희 셋이 보내는 게 좋다고 그러더라. 네 아버지가 살아 계셨을 때는 늘 소란을 피워서 그런지 크리스마스를 망치고 싶지 않았나 봐. 이번에는 크리스마스이브부터 연휴 다음 날까지 지내다가 가. 어머, 너무 좋다. 애."

결국 그렇게 되었다. 뭐, 다른 선택지가 있던 것도 아니니까. 연휴라고 특별히 파티에 초대받는 일도 없었고, 비록 혼자 있는 게 편하기 하지만 크리스마스엔 혼자 있는 게 약간 망설여지기도 한다. 물론 내년 크리스마스엔 혼자가 아닐 테지만.

"그럼 내가 다시 중부지방까지 태워다 줄까요?"

케이트가 내 계획을 듣고 물었다.

"젠장할 알렉스. 크리스마스를 아이들과 함께 보내고 싶었으면 가정을 버리지 말았어야지. 멋진 여자 친구와 멋진 아파트에서 희희낙락하다가 가끔씩 자기가 뭘 잃어버렸는지 생각하면 고통스러운 모양이에요. 있죠. 내 이야기를 들어줘서 고마운 것도 있지만 사실 우리가 친구가 되고 나니까 예전보다 훨씬 힘이 나요."

그녀는 다시 한 번 소파 너머의 사탕을 건네주었다. 나는 캐러멜을 손안에서 굴리다가 우리 사이에 상자를 내려놓았다.

"그렇게 말해주니 고맙네요. 앞으로도 페미니스트처럼 생각해야겠다고 마음 먹어봐요. 그럼 금방 극복할 거예요."

"그게 무슨 뜻이에요? 나 페미니스트예요."

"물론 당신이 노력한다는 걸 알지만 그러려면 조금 더 독립적인 사람이 되어야 해요. 케이트는 알렉스의 태도에 너무 쉽게 영향을 받아요. 그 사람이 떠났을 때 당신의 자신감은 박살이 났는데도 아직도 아이들 때문에 그 사람을 허락하잖아요."

"남자든 여자든, 페미니스트이든 그 누구든, 갓 태어난 애와 손이 많이 가는 어린이와 함께 남편에게 버림받는다면 누구라도 좌절할 수밖에 없을 거예요."

"전 안 그럴 거예요. 전 그런 류의 좌절을 겪지 않으려고 내 인생을 매우 세심하게 계획하며 살았어요. 감정적으로든 경제적으로든 누구에게도 의존하지 않기 때문에 상처도 받지 않아요. 그게 페미니스트예요. 삶의 모든 측면을 완전히 통제하려는 굳은 의지와 강철 심장이 중요해요."

케이트가 커피맛 사탕 껍질을 까서 입에 넣으며 말했다.

"그건 내가 생각하는 페미니스트가 아니에요." 그녀가 입안 가득 사탕을 굴리며 말했다. "내가 생각하는 페미니스트는 이거 아니면 저거처럼 흑백논리로 굴 필요가 없어요. 그저 남자와 여자가 동등한 존재라는 걸 알고 실천하면 돼요. 가정, 직장, 공공 생활이 평등하다는 걸 인정하는 거예요. 그리고 여자든 남자든 우리 모두 때로는 강하고 약하고, 때로는 냉정하고 또 감정적이고, 때로는 옳고 또 때로는 틀리다는 걸 인정하는 거예요. 감정과 연약함을 감추는 건 전혀 다른 문제예요. 완전히 다른 문제라고요."

케이트는 상자를 집어 들고 나를 유혹하듯 흔들었다. 저항은 헛되고 받아들여지지도 않을 것이다.

"저도 아예 반대하는 건 아니에요." 나는 보라색 껍질을 까고 초콜릿을 하나 꺼내 입에 넣은 다음 수북이 쌓여가는 껍질 위에 올리며 말했다. "그리고 남자 자체를 싫어하는 것도 아니에요. 다만 2등 시민으로 취급받는 게 싫어요. 하지만 페미니스트라면 남자가 여자에게 해악이 되는 걸 알면서도 스스로 그 소굴에 걸어 들어가는 걸 지양해야겠죠."

"그건 마치 페미니스트는 절대 사랑을 하지 않겠다고 말하는 것과 같아요. 그리고 사실도 아니에요. 당신이 같은 성별이든 아니든 마음을 연다면 상처를 받을 걸 감수해야죠. 그게 현실인걸요."

"케이트는 여성들이 남성의 손에 의해 고통받아온 수세기 동안의 억압을 무시하는 거예요. 때로는 그 억압에 결탁하기도 했고요. 사이클에서 벗어날 수 있다는 게 행운이라니까요. 근데 왜 오렌지와 딸기 맛은 항상 마지막까지 남는 걸까요?"

나는 상자 안을 들여다보며 덧붙였다.

"우리 집은 아니었어요. 저도 하나 줘요. 전 역사의 교훈을 간과하는 게 아니에요. 하지만 여성들은 지난 몇십 년간 엄청난 발전을 이뤄냈어요. 아직 가야 할 길은 멀지만 어쩌면 우리의 강점과 약점을 모두 인정하는 게 자신감을 고취시키는 걸 수도 있어요."

"난 약점이 없어요."

"누구나 있어요. 수잔은 그냥 자신을 숨기는 거예요. 어쩌면 자기 스스로에게도 숨길 수도 있어요. 가끔은 그냥 내려놓아봐요. 어쩌면 그 결과에 기분 좋은 놀라움을 경험할지도 몰라요."

"케이트는 《여성, 거세당하다》를 읽어봐야 해요." 내가 말했다.

"알았어요. 하지만 수잔도 그것보다 더 최근에 나온 책도 읽어봐요. 요즘 담론은 달라요. 애들 동화처럼. 예전엔 항상 왕자님이 공주를 구해주지 않으면 해피엔딩이 아니었어요. 그다음 페미니즘의 1차 물결이 생겼고 공주님은 자기의 운명을 회피한 것처럼 여겨졌죠. 자존감이 있는 공주라면 자신의 영혼을 왕자와의 결혼으로 팔아넘기진 않았을 거라는 거죠. 나, 오렌지 맛 하나 줘요.

그 이후로 엄청나게 신선한 바람이 불었어요. 요즘 동화의 결말은 다양한 내용으로 바뀌었어요. 공주는 왕자와 함께해도 괜찮고, 하인과 함께해도 괜찮고, 혼자의 힘으로 극복해도 괜찮아요. 또 다른 공주와 사랑에 빠지거나 고양이 여섯 마리를 키우며 살아도 되고, 자기가 왕자가 되겠다고 선언해도 돼요. 그렇다고 해서 더 페미니스트라거나 덜 페미니스트가 되는 건 아니니까요. 단지 내가 누구인지, 내가 원하는 게 무엇인지를 확실히 알고 그대로 살아가는 게 중요해요."

"그럴지도 모르죠. 우리 의견이 항상 일치하는 건 아니지만 그래도 케이트가 어떤 일에 확실한 견해가 있다는 게 너무 좋아요. 적어도 신경은 쓰고 있다는 거니까."

떠나기 전 케이트는 반듯하게 펼친 포장지를 모아 빈 상자에 다시 넣었다. 이걸로 에이바와 함께 크리스마스트리를 장식해봐야겠다고 말이다.

✦

다음 날, 롭이 가지고 있던 엄마의 물건 몇 가지를 우리 집으로 받아오기로 했다. 롭이 아침에 에드워드를 태우고 버밍엄에서 내려와 친구 집에 동생을 내려준 다음 우리 집으로 오기로 했다. 롭은 에드워드에게 물건을 보관 중이라거나 그걸 가져다준다는 말은 하지 않았다고 했다. 그럴 듯한 이야기다. 하지만 두 사람이 더 큰 음모를 꾸미고 있는 게 아니라면 대체 왜 이런 친절을 베푼단 말인가? 혹시 롭이 에드워드에게 마음속으로는 분노를 품고 있어서 혹시 일부러 그의 뜻을 거스르는 건 아닐까? 그럴지도 모르지만 나에겐 그럴 만한 증거가 없었다. 혹시 이중인격일까? 만약 그렇다면 참 잘 숨기고 산다. 혹시 롭은 내가 옳고 에드워드가 틀렸다는 걸 파악할 만큼의 통찰력이 있는 걸까? 그건 의심스럽다. 혹시 나를 도와주고 싶은 사적인 감정이 있어서? 분명히 아니다. 그는 나를 잘 알지 못한다. 우리는 공통점이 없고 그는 앨리슨이라는 여자를 되찾고 싶어 한다. 유일하게 논리적으로 설명할 수 있는 근거는, 에드워드가 자신의 대리인을 이용하여 자신의 적을 가까이 붙잡고 있다는 것뿐이다.

"에드는 지금 당신에게 엄청 화가 났어요." 그가 전화로 약속시간을 확인하며 덧붙였다. "당신이 어디 사는지 안다면 아마 문을 때려 부수겠다고 난리를 칠 겁니다."

"사랑스러운 내 남동생이 나에게 평소보다 더 반감을 느끼는 이유는 뭐죠?"

"얼마 전에 에드워드가 장의사한테 전화를 걸었는데 그쪽에서 당신이 어머님의 유골을 가져갔다고 했어요. 화가 났죠. 당신에게 바로 전화를 걸어 대체 어떻게 된 일인지 물어보려고 했나 봐요. 수잔이 강도짓을 했다고 말입니다. 물론 나는 에드워드를 진정시키고 천천히 시간을 가지라고 설득했어요."

"그럼 개는 엄마의 유골을 너무 아낀 나머지 석 달이나 지나서 그걸 찾아가려고 했다는 거예요? 에드워드만큼이나 나도 법적, 도덕적 권리를 가졌어요. 그리고 당신도 알겠지만 소유권에 대한 법이 문제예요. 걔가 최선을 다하든 말든 나는 포기할 생각이 없어요."

"에드에게 말을 하고 가져갔어야죠. 솔직히 말하면 좀 비밀스러웠어요. 저기, 싸움은 제가 하는 게 아니에요. 난 그저 에드워드가 전쟁을 할 준비가 되었다는 걸 말해주고 싶었을 뿐이에요. 그간 신경 쓸 게 많아서 느긋하게 대처했었는데 이젠 반격을 할 거라고 해요. 장례식이 끝나고 수잔이 집에서 가져간 귀중품에 대해 이야기하면서 그것도 다시 되찾겠대요."

이 모든 말을 에드워드가 시켜서 내게 전했다고 나는 확신한다. 남동생은 내가 하룻강아지처럼 겁을 먹고 한 발 뺄 거라고 기대하는 게 분명하다. 하지만 지금쯤이면 알았어야 하지 않나. 나는 하룻강아지와는 종이 다르다.

알다시피 나는 나의 매너와 예의에 자부심을 느낀다. 롭은 동생과 공범이지만 내 짐을 가져다주는 사람이므로 점심식사에 초대해야 하는 게 예의라고 생각했다. 물론 공손한 예의보다는 우리가 친해질 수 있는 동기가 우선이었지만.

아침 일찍 눈을 떴다. 밖은 아직도 어두웠다. 나는 요리책을 몇 권 꺼냈다. 롭이 어떤 음식을 좋아할지 궁금했다. 정원사라는 직업을 가지고 있으니 돼지고기 파이나 패스티 파이를 좋아하지 않을까 생각했다. 아니면 소고기 웰링턴이나 덤플링 만두를 넣은 스튜를 준비해도 괜찮을 것 같았다. 그때 그가 채식주의자라는 게 생각났다. 결국 나는 스페인 요리를 준비하기로 결심했다. 아침에 슈퍼마켓의 문이 열리기를 기다리며 목록을 적어놓고 곧바로 장을 보러 갔다. 다양한 타파스를 준비하며 아침을 보내고, 집을 청소하고 정돈하고 화장을 하고 머리를 손질한 다음 격식을 차리지 않으면서도 클래식한 옷을 고르기 시작했다. 결국 식사와 집이 반나절 만에 내가 원하는 대로 정리되었고 손님 맞을 준비도 끝냈다.

약속 시간인 1시에 맞춰 손님을 기다리기 위해 소파에 앉았다. 차가 오는 소리가 들릴 때마다 창문을 들여다보기 위해 일어섰다. 하지만 5분이 지났다. 안 될 말이다. 10분이 지났고, 15분이 지났을 때 나는 그가 사고를 당한 게 분명하다고 생각했다. 누구라도 전화를 걸어 사과를 하지 않는데 그렇게 늦을 리가 없다.

그에게 막 전화를 하려고 하는데 집 앞에 주차하는 케이트의 차 뒤로 익숙한 롭의 하얀 밴이 멈춰서는 것을 발견했다. 두 사람은 차에서 내려 인사를 나누고 몇 마디를 건넸다. 잠시 후 그는 케이트의 트렁크에서 꺼낸 한 무더기의 전단지를 나눠 들고 공동 현관을 지났다. (최근 케이트는 지역 내 엄마들 모임에 지원금이 끊기는 걸 반대하는 캠페인을 시작했다.) 노아는 여전히 케이트의 품에 안겨 있고, 에이바는 엄마 곁에 붙어 걷고 있었다. 나는 롭이 지나치게 친절한 사람이라는 걸 알 수 있었다. 아이와 애 엄마 둘 다 폭소를 터트리고 있었기 때문이다. 창문을 통해 그들을 바라보던 나를 발견한 롭이 미소를 지었다. 케이트도 마찬가지였다. 나는 케이트가 열쇠를 찾으려고 핸드백을 더듬거리는 사이 현관으로 가서 문을 열어주었다.

"두 사람이 벌써 만났군요."

"지난달에 어머님 댁에 수잔을 내려주면서 롭을 봤던 기억이 나서요. 정말 친절하게도 차에서 전단지 내리는 걸 도와주지 뭐예요. 애를 키우면 팔이 네 개는 필요해요, 정말."

"제가 위층까지 올려드릴게요." 롭이 말했다. "아참, 수잔. 안녕하세요."

"아니에요, 굳이 도와주실 필요 없어요. 수잔을 만나러 오셨잖아요."

"뭐, 이정도 가지고."

롭이 불룩한 내 배를 간신히 스쳐 지나가며 말했다.

모두가 위층으로 사라지는 사이 나는 복도에 홀로 남겨졌다. 그가 스스로 만족스러운 표정을 지으며 내려왔을 때, 나의 짜증은 더욱 심해졌다.

"그럼 제가 짐을 좀 가져와도 될까요?"

그가 물었다. 롭은 상자를 하나씩 끌고 들어와 복도 구석에 쌓아 올렸다. 일을 마치자 그는 두 손바닥을 비비며 내 반응을 기다렸다.

"가시기 전에 한 가지 지적하고 싶은 게 있는데요." 내가 말했다. "난 아주 바쁜 사람이고, 1시에 약속을 했는데 15분이나 기다릴 줄은 몰랐네요."

"기분 풀어요, 수잔. 겨우 몇 분인데. 고속도로에서 사고가 나서 에드를 늦게 내려줬어요. 미안합니다. 사과의 의미로 나가서 제가 식사를 대접하는 건 어때요?"

"선약이 있어요." 내가 말했다.

"아, 이런. 그럼 이만 가보도록 하죠. 대접은 다음 기회로 미뤄야겠네요."

내가 롭을 기다리는 것 말고 달리 할 일이 없다는 인상은 주고 싶지 않았다. 그건 약점을 드러내는 거고, 그게 어디까지 이어질지 누가 알겠는가?

그가 가고 나서 나는 부엌 식탁에 차린 음식들을 발견했다. 혼자 먹기엔 너무 많은 양이었다. 결국 버리는 수밖에 없다. 한심한 낭비다. 그 순간, 내가 정말 이 음식을 먹고 싶은지도 확신할 수 없었다. 거실로 돌아와 창문 너머로 롭의 차가 아직 주차 중인 것을 발견했다. 그가 핸드폰으로 문자메시지를 주고받는 모습도 보였다. 나는 망설였다. 정말 약점일까? 아니면 남은 음식을 다 내다 버리는 게 합리적인 것일까? 게다가 나는 조사를 해야 한다. 결국 나는 밖으로 나가 롭의 차창을 두드렸다. 그가 창문을 내리고 상체를 창문 너머로 내밀었다.

"방금 약속이 취소됐어요." 내가 말했다. "함께 점심 먹을래요?"

"좋아요. 잠깐 에드워드에게 문자메시지만 마저 보내고요."

자기 주인에게 보고를 하려는 게 분명해 보였다.

내가 그를 주방으로 안내하자 롭은 다양한 접시를 보며 감탄했다.

"와. 매일 이렇게 먹어요?"

"임신했을 땐 다양하게 식사를 해야 해요." 내가 설명했다.

잠깐 화장실을 다녀와 부엌으로 돌아오니, 롭은 식탁에서 일어나 책상 앞에 서서 내가 파악한 유언장 작성 시의 심신 상태와 협박 등에 대한 내용을 살펴보고 있었다. 순수한 관심이라기엔 의심쩍었다. 그는 나를 보자마자 깜짝 놀라서 엎질러진 올리브유를 닦기 위해 키친타월을 찾고 있었다며 허둥지둥거렸다. 나는 서류를 덮어버리고 롭에게 냅킨을 던졌다. 쏟았다는 오일은 거의 보이지도 않았다. 나는 스파이 짓을 하려던 그에게 한마디를 하려다가 말았다. 내가 그를 의심한다는 걸 드러내지 않는 게 나의 계획에 더 나을 것 같았다.

실망스럽게도, 미묘하고 반복적인 대화에도 불구하고 롭에게서 유용한 정보는 얻을 수 없었다. 나는 그가 보이는 것보다 훨씬 더 교활하거나 아니면 대답을 얼버무리는 데 능숙하다고 결론지었다. 반대로 롭도 나를 속여 나의 소송에 대한 어떤 정보도 얻어내지 못한 게 분명했다. 부동산 관련 문제들을 대충 얼버무리고 우리는 상관없는 것들에 대한 대화를 나누기 시작했다. (가령 웨일스 국경의 작은 마을에서 보낸 그의 어린 시절이야기라든가, 이탈리아에서 오래도록 건초를 개종하는 일을 했다던 그의 히피 부모님, 두 여동생과 계속 늘어가는 가족들. 나의 경우엔 법학 학위를 취득하고 변호사가 되지 않은 이유와 친가와 소원한 사이 등등.)

롭은 페이스북에 가입했지만 거기서도 앨리슨은 찾을 수 없었다고 했다. 설마 그녀가 이름을 바꾼 건 아닐까 궁금하다고도 했다. 그래서 롭은 그녀의 오랜 단짝 친구 두 명에게 메시지를 보내 앨리슨이 지금 어디 있는지 알려달라고 했다. 나는 그의 성공을 빌었다. 누군가 나와 롭이 점심을 먹는 모습을 발견했다면, 서로 적으로 만나 상대의 강점과 약점을 파악한다고 생각하기보다는, 그저 함께 근사한 주말 점심식사를 하는 친구 사이라고 생각했을 것이다.

떠나기 전 나는 롭에게 창틀에 가득 올려둔 선인장을 보여주었다. 조경 일을 하는 사람이니 평가를 해줄 거라 기대했다. 이게 전부가 아니라는 설명도 덧붙였다. 나머지 절반은 회사 책상 위에 있다고. 다양하고 넉넉한 선인장을 보며 그는 깊은 인상을 받았다고 했다. 손가락으로 커다란 토끼 귀 선인장을 매만지며 그는 선인장이 수분을 간직하기 위해 잎이 아닌 가시로 진화했다고 했다. 그리고 변형된 줄기가 식물에 약간의 그늘을 드리우기도 한다고. 많은 사람들이 적에게 스스로를 보호하기 위해 가시가 생겼다고 믿지만 사실이 아니라고도 했다. 또 선인장의 두꺼운 표면과 잘 발달한 뿌리, 넓은 다육질의 줄기가 수분을 저장하고 손실을 최소화하기 위해 진화한 거라고 했다.

흙을 손가락으로 찔러본 그가 얼마나 자주 선인장에 물을 주냐면서 선인장에 꽃이 핀 적은 없는지 물었다. 꽃을 피우려면 휴면기엔 물을 조금만 주고 짧은 우기처럼 흠뻑 물을 줄 때도 있어야 한다고 했다. (나는 늘 분무기로만 물을 분사했다.) 롭은 선인장 화분을 하나씩 살펴본 다음 몇 개의 선인장은 이미 뿌리가 완전히 뻗어서 분갈이를 하지 않으면 자라지 않을 거라고 했다. 선인장엔 햇빛도 필요하니까 적어도 하루에 여섯 시간 정도 직사광선을 더 많이 받는 자리에 두면 도움이 될 거라고 했다. 식물 재배에 대한 전문 지식은 인상 깊었지만 나는 조금 불만이었다. 다른 사람의 간섭 없이도 아주 훌륭한 화분을 키워냈는데. 물론 하나도 꽃을 피우진 못했지만 그건 다른 문제였다.

그날 저녁 늦게, 롭이 가져온 상자를 정리하던 사이, 나는 케이트의 익숙한 노크 소리를 들었다. 케이트는《진 브로디 선생의 전

성기》를 돌려주러 들렀다고 했다.

"꽤 재밌었어요. 근데 브로디 선생에게는 공감을 못하겠더라고요. 별로 호감이 안 가는 캐릭터라서요. 전 주인공이 비호감이면 몰입을 못하겠어요."

"동의할 수 없는걸요. 전 호감 있는 인물보다는 흥미로운 사람이 더 읽기 좋아요."

"호감이 있는 사람 이야기를 해서 말인데, 롭은 정말 괜찮아 보이던데요. 정말 착하고 재밌고요. 함께 2층에 올라가면서 정말 재미있는 대화를 나눴어요."

"그랬어요? 하지만 경고 하나 해주자면, 당신이 관심 있는 그 남자가 내 동생의 친구이자 공범이라는 걸 명심해요. 정말 심각한 결함이 있고 완전히 신뢰할 수 없는 남자라는 것도요."

"전 관심 없어요." 케이트가 깔깔거렸다. "지금은 남자를 만날 시기가 아니에요. 그리고 그 남자는 수잔을 좋아하는 것 같던데."

"말도 안 되는 소리. 롭은 전 여자 친구와 합치고 싶어 해요."

"뭐, 제가 들은 거라곤 롭이 저희 집에서 수잔 같은 여자는 처음이라고 했다는 것뿐이에요. 시니컬한 유머감각과 독특한 관점이 있는 사람이라던데."

"케이트. 그는 내 소송에 대해 정보를 빼내려고 게임을 하는 거예요. 느긋한 태도를 보이지만 보기보다 훨씬 교활한 사람이라고요. 혹시 로맨스 소설을 다시 읽는 건 아니겠죠. 뭔가 당신의 사고를 썩게 하고 판단력을 흐리게 만드는 것 같은데. 고전 문학을 좀 골라줄게요. 혹시 버지니아 울프는 읽어봤어요?"

16.

"누군가를 온전히 아는 것이 가능할까요? 타인의 모든 생각과 감정, 타인의 희망, 꿈, 슬픔 그리고 후회까지 남들에겐 보이고 싶지 않은 모든 것들을 말입니다. 그건 오직 하느님만이 아실 것입니다."

목사는 신이 내린 지혜와 미덕으로 모두에게 축복을 기원하는 듯 미소 지었다.

"네, 저는 목사님께서 제 엄마의 마음이나 영혼에 대한 신성한 통찰력을 주실 수 없다는 것을 이해합니다. 하지만 돌이켜보면 엄마는 목사님을 친구로 여기셨습니다. 목사님께서 엄마를 보러 집에 주기적으로 들러주신 것도 기억합니다. 그러므로 엄마가 지난 몇 달 동안 이성적이고 정신이 명료하셨는지 세상의 언어로 말씀해주실 수 있으리라 믿습니다."

자신을 제레미라고 부르라고는 했지만, 나는 여전히 그를 '목사님'으로 불렀다. 그는 트위드 재킷의 가죽으로 덧댄 팔꿈치를 책상 위에 올려놓고 희끗한 수염을 쓰다듬었다.

"저도 자매님의 걱정을 해결해드리고 싶습니다. 패트리샤의 유언장으로 상처를 받으신 게 보입니다. 하지만 전 입을 조심해야하는 사람입니다. 패트리샤가 생전에 제가 말했던 것들에 대해서요. 우리가 함께 이야기를 나눴을 때 패트리샤는 확신이 있었습니다. 패트리샤가 제게 고해한 것들을 다 밝힐 수는 없습니다. 최선을 다해 도와드리고는 싶습니다만 그녀가 무덤까지 가져가고자했던 비밀을 밝힐 수는 없습니다."

나는 대체 목사가 무슨 말을 하는지 이해할 수 없었다. 엄마는 비밀을 품고 사는 사람이 아니었다. 특히 나에게만큼은 비밀이 없었다. 엄마는 단순하고 솔직한 사람이었다. 어떤 사람들은 따분하다고까지 했다. 전형적인 가정주부이자 그 세대의 평범한 사람. 나는 상대가 목사라는 신분 때문에 말을 아낀다고 생각할 수밖에 없었다. 물론 놀라울 건 아니다. 목사라면 대부분 자신의 역할을 과대해석하고 신도에게 자신이 유명인사라든가 모든 지식의 원천, 혹은 사후세계의 문지기쯤이라고 여긴다. 목사의 옷차림에서 평범한 사람이지 않다는 효과를 주기 때문이다.

✦

어느 덧 크리스마스이브였다. 케이트와 나는 날이 날이니만큼 걷잡을 수 없이 늘어나는 인파를 피하고 싶어 이른 새벽 날이 밝지 않은 틈을 타 런던에서 출발했다. 내가 목사님을 만난다는 이야기에 케이트는 나를 성 스티븐 교회 앞에 내려주겠다고 했다.

그리고 거기서 기차와 택시를 타고 실비아 이모의 집에 갈 예정이었다. 여느 때처럼 케이트의 두 자녀는 장난감을 꼭 껴안은 채 뒷좌석에 끼어 있었다.

"올해는 할머니네 집으로 산타 할아버지가 올 거야."

케이트가 눈을 찡긋거리며 아이들에게 설명했다. 에이바와 노아는 눈사람 점퍼를 입고 있었고 케이트는 머리에 산타 할아버지 모자를 쓰고 있었다. 적어도 루돌프 사슴뿔은 달지 않아서 다행이다.

좁은 차는 어느 때보다도 불편했다. 뒷좌석에 가방을 싣기 위해 조수석이 한껏 앞으로 당겨져 있었고, 크고 날카로운 모서리가 있는 소포 하나가 조수석 발밑에 놓여 있어 나는 다리를 한쪽으로 구부려야 했다. 배가 한껏 불러와서 평범하게 안전벨트를 채우기도 힘들었다. 대신 안전벨트를 부른 배 밑으로 내리고 버클을 채웠다. 아기는 요즘 들어 방광을 짓눌렀고 런던을 빠져나오자마자 나는 화장실을 가야 했다. 오늘이 또 한 번 긴 여행이 되리라는 예감이 강하게 들었다.

성 스티븐 교회 앞에 다다라 차에서 내렸다. 이미 해 질 녘이 지나 어두웠고 진눈깨비도 흩날리고 있었다. 케이트는 트렁크로 달려가 나의 작은 여행 가방과 선물로 가득 찬 커다란 종이 가방을 내려주었다. 관심 없는 사람들을 위해 선물을 사느라 시간과 돈을 낭비했지만, 빈손으로 이모 댁에 가는 건 예의가 없는 짓이다.

"괜찮겠어요?"

내가 간신히 짐을 챙기자 케이트가 물었다. 차가운 진눈깨비가 내 볼과 손에 점점이 떨어졌다.

"교회 앞까지 옮겨줄까요?"

"아니에요. 금방인데, 뭘. 두 사람 다 젖을 필요 있나요."

성급한 작별 인사와 크리스마스 인사를 건네고 난 후, 나는 바퀴 달린 여행 가방을 끌고 미끄러운 돌길을 오르며 기우뚱하는 몸의 균형을 잡았다. 손에든 우산은 진눈깨비가 내리는 내 코트와 머리, 그리고 가방을 막아주지 못했다. 낡은 계단을 오르기 시작하는데 선물을 가득 담은 쇼핑백 손잡이가 뚝 떨어졌고, 조심스럽게 포장한 선물들이 후두둑 떨어져 발 앞의 얕은 진흙탕에 흩어졌다. 입에서 욕지거리가 튀어나왔다. 나는 무거운 참나무 문을 잡아당겨 여행 가방을 살짝 밀어 넣고 쪼그려 앉아 흙탕물에 빠진 선물을 하나씩 건졌다. 배가 뚱뚱한 산타 할아버지보다 힘들어 보이는 꼴사나운 모양새였다. 나는 자그만 교회 현관에 선물을 잔뜩 쌓고 문을 쾅쾅 두드렸다.

왜 사람들이 교회를 성스러운 장소라고 생각하는지 알 수 있었다. 심지어 아직 안으로 다 들어가지도 않았는데 벌써 오래된 나무와 가구 광택제, 그리고 친숙하고 익숙한 촛농 향이 코를 간질였다. 솔방울 향도 은은했다. 교회 앞 구석에 장식된 크리스마스트리에서 나는 향이었다. 트리 주변으로 리본과 담쟁이덩굴로 묶인 빨간색과 흰색 꽃장식이 가지런했다. 유일하게 새어나오는 불빛이라곤 교회 제단 근처였다. 평상복을 입은 한 할머니가 놋쇠 독수리 촛대를 정성스럽게 닦고 있었다. 나를 바라보려고 고개를 돌리자, 나는 한눈에 그녀를 알아볼 수 있었다. 엄마의 이웃인 마거릿 아줌마였다.

"오, 수잔. 만나서 반갑구나. 아이고, 이런. 홀딱 젖었네. 이리 와라. 자매님들한테 타월을 좀 가져다주라고 해야겠다. 제레미 목사님이 오늘 네가 온다고 벌써 말을 해주었단다. 좋아 보이네. 임신을 해서 그런가, 얼굴이 참 좋다. 예정일은 언제니?"

아줌마는 제단 뒤의 어두컴컴한 벽에 숨어 있던 문으로 나를 이끌었다.

"3개월 정도 남았어요." 그녀에게 말했다. "저도 반가워요. 마거릿 아줌마. 저도 아줌마랑 이야기를 좀 하고 싶었거든요. 엄마의 유언장에 대해 혹시 알고 계셨었나요?"

"응. 난 알고 있었지. 에드워드가 그러더라. 집에 계속 살아도 된다고. 무슨 논쟁이 있다고는 하던대. 나도 그 애를 자주 보진 못하니까. 낮에는 맨날 잠만 자고 밤에는 무슨 친구들이 그렇게 오는지. 예전에는 그 집에 잠깐 살던 롭이랑 더 자주 봤지. 그 청년이 가끔씩 와서 수다도 떨고 가고 그랬거든. 이제는 이사를 가서 못 보지만. 유언장은 참 문제야. 사람이 늘 마땅히 해야 하는 대로 끝을 맺는 건 아니야."

우리는 어느 새 화장실에 다다랐다. 마거릿은 페이퍼 타월을 한 움큼 뽑아 내 머리와 얼굴을 닦아주기 시작했다. 평소 같았으면 손을 치웠겠지만 너무 힘이 들어서 그럴 의지도 없었다. 나는 가만히 서서 호들갑 떠는 아줌마를 감내했다. '엄마의 손길'이라고 표현해야 마땅하겠지만 모순적이게도 나는 엄마가 그렇게 야단법석을 떨었던 기억이 전혀 없다. 적어도 내게는 그런 적이 없다.

"아휴, 다 됐다. 그럼 목사님께 네가 왔다고 말을 하러 가야겠다. 나는 청소랑 광내기 작업을 다 했으니 집에 가야겠다. 면담 끝나면 우리 집에 잠깐 들리지 않을래? 아줌마 어디 사는지는 알지?"

✦

목사님은 늘 그렇듯 지나치게 경건한 말투로 엄마를 어떻게 처음 만났고, 엄마의 두 번째 뇌졸중이 일어났을 때의 상황을 설명했다. 대부분은 내가 이미 알고 있는 내용이었다.

엄마는 한 3년 전쯤, 처음으로 뇌졸중이 오고 나서 교회에 나가기 시작했다. 목사님은 엄마를 보자마자 바로 열성적인 신도가 될 분이라는 걸 알았다. 엄마는 성 스티븐 교회에 들어서자마자 마치 고향으로 돌아온 기분이 들었다고 했다. 엄마는 빠르게 교회 생활에 젖어 들었다. 성경 읽기 수업에 참석하고 모금 행사를 위해 케이크를 굽거나 꽃꽂이를 도왔다. 목사님은 엄마의 정신이 또렷하지 못하다는 걸 전혀 몰랐다고 했다. 지적이고, 분별력이 있으며 할 줄 아는 게 많은 사람처럼 보였고 위안과 확신을 통해 믿음을 되찾았다고 했다.

엄마의 두 번째 뇌졸중은 2년 후, 예배가 끝나고 차를 마시다가 발생했다. (아주 큰 손상은 아니었지만 어쨌거나 꽤 심각한 쇼크였다.) 무언가 이상하다는 걸 목사님이 깨닫자마자, 엄마가 들고 있던 커다란 알루미늄 주전자가 바닥을 뒹굴었다. 엄마는 기이하고 뒤틀린 표정으로 멍하니 서 있었다고 했다. 목사님과 마거릿이 엄마를

257

도와 의자에 앉혔지만 엄마는 말도 못 하고 다른 사람의 자극에도 반응이 없었다. 누군가 빠르게 구급차를 불렀고, 사람들은 엄마에게 모든 게 다 괜찮을 거라고 안심시켰다. 목사님이 엄마의 주소록을 찾아 에드워드와 실비아 이모, 그리고 내게 전화를 해주었다. 일요일이었기 때문에 나는 버밍엄에 있는 병원으로 바로 달려갈 수 있었다. 도착해보니 에드워드와 실비아 이모가 이미 병원에 있었다.

온갖 관이 주렁주렁 달린 장치들에 의지한 엄마가 침대에 누워 있는 모습을 병원에서 발견하고 대체 엄마가 왜 저렇게 누워 있는지 영문을 알 수 없을 때의 내 마음이 어땠을까. 하지만 엄마의 상태와 그때의 내 감정은 전혀 다른 문제였다. 사실 엄마의 회복은 꽤 빠른 편이었다. 엄마는 일주일도 안 돼서 바로 퇴원을 했고 몇 달 만에 약물치료, 언어치료, 물리치료 등을 받으며 겉으로는 정상적인 모습으로 돌아왔다. 퇴원 후, 목사님은 거의 매일 엄마를 찾아왔다고 했다. 우리 집과 교회는 걸어서 몇 분 거리였다. 엄마가 회복되고 다시 교회에 나가기 시작하면서 목사님의 방문도 뜸해졌다. 그래도 일주일에 한 번 오후엔 차를 마시러 집에 들렀다고 한다.

"왜 그러셨어요? 혹시 교구의 모든 신자들의 집을 그렇게 방문하시나요?" 내가 물었다.

"할 수 있다면 그러고 싶습니다만," 그가 대답했다. "아쉽게도 그건 힘듭니다. 보통 가정방문은 집에 갇혀 계시거나 집에서 일대일로 편히 목회활동을 하고 싶어 하시는 분들로만 진행합니다. 어머님이 뇌졸중 이후로 불안해하시거나 우울해하셔서 방문을 드렸죠. 어머님은 혹시 돌아가실지도 모른다는 두려움, 이 세상에 더이상 존재하지 않으리라는 무서움, 그리고 온전히 편하게 눈을 감지 못할 것 같은 생각에 불안해하셨습니다."

"그게 정확히 어떤 것들이죠?"

"안타깝지만 어머님께서는 제게 비밀을 말씀해주셨고, 이미 말씀드렸듯 그걸 공개하는 건 적절하지 못합니다."

다시 한 번, 미스터리한 이야기다. 지금은 일단 넘어가기로 결정했다.

"혹시 불안과 우울증이 논리적으로 사고하는 능력에 약간이라도 영향을 미쳤다고 생각하시나요? 엄마의 판단에 말이에요. 혹시 엄마가 혼란스러워 보이셨나요?"

"참 대답하기 어려운 질문이네요."

목사님은 기도하듯 두 손을 모아 입술 위로 올리고 눈을 감은 채 한동안 말이 없었다. 나는 그가 혹시 잠이 든 건 아닐까 싶었다. 작은 사무실을 따스하게 덥히는 라디에이터와 아늑한 분위기에 나라도 잠이 들 것 같았다. 하지만 그는 이내 눈을 떴다.

"두 번째 뇌졸중 이후로 패트리샤가 작은 일에도 약간의 혼란을 겪었을 수는 있습니다. 꽃꽂이 장소라든가 예배 시간, 회의 시간, 사람들이 차를 달라고 했는지 커피를 달라고 했는지를 잊는 것 정도의 사소한 것들 말이죠. 때로는 신도들의 이름을 까먹기도 했습니다. 겨울에 샌들을 신고 교회에 오거나 여름에 외투를 입고 오거나 하는 것처럼요. 하지만 어머님은 중요한 것들은 절대 잊지 않으셨어요. 특히 예전 기억일수록 명료하셨습니다. 가령 자신이 누구인지, 어디서 왔고, 친구들이 누구인지 같은 것들. 그리고 가족관계도 확실하게 기억을 하고 계셨습니다."

"하지만 엄마가 일상에서 그렇게 기억력이 흐리셨으면 재산 처분이 명료한 상태에서 진행될 수 있었을까요? 혹시 엄마가 변호사에게 적절한 지시를 내리거나 유언장의 내용을 완벽히 이해하실 수 있었을까요?"

"죄송합니다만 저는 당시 제가 지켜본 대로만 말씀드릴 수 있습니다. 자매님이 찾는 답을 줄 만큼의 의료 지식이 제겐 없어요. 어머님이 유언장의 내용을 정확히 알고 계셨는지 말씀드리기는 어려울 것 같네요. 다만 제가 말씀드릴 수 있는 건, 어머님을 지켜보며 느꼈던 심신 상태가 재산 처분과 관련하여 어떤 영향을 미쳤을 가능성도 있다는 것뿐이겠죠."

나는 점심식사를 걸러 배도 고프고 여행과 면담으로 이미 온몸이 지쳐 있었다. 또한 그가 우리 엄마에게 들었다는 비밀 이야기를 가지고 밀당을 하는 데 완전히 질려버렸다. 마치 내가 억지로 그 비밀을 캐내야만 하는 것처럼 느껴졌다.

"저기, 목사님. 가진 패를 그냥 다 까고 이야기하시죠. 만약 목사님이 엄마의 유언장 작성에 관여를 하셨는데 저한테 말씀을 하지 않으시는 거면, 증거를 제시할 수 있게 법원의 명령을 받아 올 수밖에 없어요. 그러니까 지금 그냥 엄마가 무슨 비밀을 말씀하셨는지 터놓고 이야기를 해주시는 게 좋을 거예요."

목사님은 다시 기도하는 듯 손을 들고 눈을 감았다. 방은 다시 한 번 침묵에 잠겼다. 깊은 한숨을 내쉰 그가 다시 눈을 뜨고 나를 바라보았다.

"지금 수잔이 처한 상황이 어떤지는 저도 공감합니다만, 전 진퇴양난이나 마찬가지입니다. 〈성직자의 행동 지침〉에 따르면 저는 본인의 동의나 기타 법적 권한 없이 제3자에게 기밀 정보를 제공하지 않을 권리가 있습니다. 저는 지침을 따를 수밖에 달리 도리가 없습니다. 아시다시피 크리스마스는 교회에서 1년 중 가장 바쁜 시기이고, 앞으로 며칠간은 저도 정신이 없습니다. 새해까지만 시간을 좀 주시고, 그때 연락을 다시 주세요. 그동안 가정의 품에서 행복하고 평화로운 크리스마스 보내시길 바랍니다. 가시기 전함께 기도할까요?"

"아니요, 기도는 됐습니다." 내가 거절했다.

현관으로 돌아와보니 여행 가방과 흠뻑 젖은 선물 앞에 누군가 손으로 휘갈겨 쓴 쪽지가 있었다.

스탠이 차로 데리러 와서 네 짐은 내가 안으로 옮겼다. 우리 집에 들러 샌드위치랑 차 한잔하고 가렴. 친애하는 마거릿.

나는 정말 아줌마에게 입이라도 맞추고 싶었다. 거의 그럴 뻔했다.

교회를 나서자 진눈깨비는 이미 멎고 하늘도 밝았다. 나는 매서운 바람을 무릅쓰고 코트 깃을 꼭 여민 채, 얼음이 얼어붙은 웅덩이를 피해 블랙손 가로 향했다. 길을 건너 우리 집이 아닌 마거릿과 스탠의 현관까지 걷고 있으니 기분이 퍽 이상했다. 나는 집을 둘러보았다. 에드워드는 크리스마스를 맞아 여행을 떠난 것 같았다. 집에 차도 없고 커튼도 전부 쳐져 있었다. 동생이 어디로 갔을까 궁금했다. 물론 내 알 바는 아니지만.

마거릿과 스탠을 만나 나눈 대화는 목사님과의 대화보다는 훨씬 이득이었다. 달걀 마요네즈 샌드위치 한 접시에 브랜디 크림과 셰리 주 한잔을 앞에 놓고 (임신 막달이 다가오니 이 정도는 괜찮지 않을까?), 우리는 거실의 안락의자에 자리를 잡았다. 스탠은 독서용 안경을 쓰고 〈라디오 타임스〉를 읽었다. 나는 마거릿에게 아까 목사님께 했던 똑같은 질문을 해보았다. 아줌마는 쉽게 입을 열었다.

"네 엄마가 좀 흐릿하긴 했지, 안 그래요, 스탠?"

"응, 오락가락했지. 분명히."

아저씨는 잡지에서 고개를 들지 않은 채 대꾸했다.

"영 상태가 온전치 않다고 계속 말을 했지."

"평소 같지는 않았어," 스탠 아저씨가 거들었다.

"이야기를 해도 내 말을 제대로 듣는 것 같지가 않더라고. 고개를 꼬박꼬박 끄덕이긴 하는데. 가끔은 딱 봐도 느껴지더라고."

"제대로 안 들었지. 당신 말대로."

"그리고 방금 한 말도 까먹고. 대저택 구경을 가자고 해서 준비를 다하고 만나면 네 엄마가 카디건에 슬리퍼를 신고 먼지를 털고 있는 거야. 그러면 네 엄마 외출 준비를 도와주고 그랬지."

"맞아. 준비도 시켜줬지." 아저씨가 잡지를 읽으며 너털웃음을 터트렸다.

"에드워드라도 없었으면 사는 게 힘들었을 거야. 그 애가 집안일을 나서서 잘하고 그런 건 아닌데, 그래도 장을 보러 가거나 손이 가는 건 그 애가 했지."

"에드워드가 늘 장을 봤지." 스탠이 페이지를 넘기며 덧붙였다.

"검진을 받으러 갈 때도 모시고 가고. 하지만 너랑 둘이니까 하는 소린데, 네가 동생이랑 사이가 안 좋다는 걸 알아서 하는 거야. 나는 그 애가 믿음직스러웠던 적이 한 번도 없어. 네 엄마를 자기 좋자고 이용하는 것 같았거든. 알다시피 그 나이 또래 남자면 엄마 도움을 받는 게 아니라 당연히 나가서 돈을 벌어야 하는 게 맞지 않냐는 거지."

"정상은 아니지, 그놈이." 스탠이 끼어들었다.

"그리고 웃긴 건 내가 네 엄마랑 이야기나 좀 하려고 들리면 에드워드는 항상 네 엄마가 바쁘다는 거야. 부엌에서 그냥 가만히 앉아 있는 게 다 보이는데. 네 엄마를 두고 뭔가를 꾸미고 있던 거 같아."

"분명히 무슨 일이 있긴 있었어." 스탠이 안경을 벗어 렌즈를 닦더니 다시 고쳐 쓰며 말했다.

"만약에 네 엄마가 정신이 온전치 않은 틈을 타서 누가 서명을 하라고 시켰다고 해도, 나는 하나도 놀랍지가 않다. 그 집은 개가 아니라 네가 받았어야지."

"음, 그래. 그 집은 네가 받았어야지."

"그러니까 네 엄마가 유언장을 작성할 상황이 아니었다고 진술을 해주었으면 한다는 거잖니, 그럼 사인을 해줘야지. 안 그래요, 스탠?"

"응, 그럼. 해줘야지. 페기, 우리 리모컨 어디 있지?"

　버밍엄에서 우스터로 가는 기차에 앉아 나는 오늘 오후를 돌이켜보며 상당히 흡족해했다. 마침내 마거릿 아줌마가 무슨 일이 있었는지 인정할 준비가 된 모양이다. 반면 목사님과의 만남은 아주 실망스러웠다. 그렇긴 하지만 하느님이든 법원이든 가진 정보를 내놓으라고 압박하면 분명 공개할 무언가가 있긴 있어 보였다. 그러다가 우스터 역에서 내려 택시를 타는 사이 내 기분도 가라앉기 시작했다. 내가 정말 실비아 이모 댁에서 이틀이나 보내겠다고 했다니. 차라리 혼자 크리스마스를 보내는 게 더 나은 선택이었을 텐데.

　'아니야.' 나는 스스로를 다독였다. '긍정적으로 생각하자.'

　앞으로 이틀간 나는 까다롭게 따지기보다는 가족 모임을 받아들이고 다 받아들이자, 노력하자, 생각했다.

　택시가 저택의 긴 진입로를 따라 사라지고, 나는 화려한 블랙풀의 야경보다도 눈이 부신 계절 조명과 장식들이 나란한 진입로를 따라 목장 스타일의 방갈로를 향해 걷기 시작했다.

　"웬딘(웬디와 크리스틴의 합성어―역주)."

　저택의 현관문은 열려 있었다. 값비싼 샹들리에 불빛이 비치는 복도에 실비아 이모, 프랭크 이모부, 웬디와 크리스틴이 순록 뿔을 쓰고 서 있었다. 이모는 내게 똑같이 생긴 사슴뿔을 내밀었다.

17.

"집 구경 할래? 애들이 가방은 네가 묵을 방으로 옮겨줄 거야."

실비아 이모가 내 머리 위의 사슴뿔을 다시 씌워주기 위해 까치발을 들며 말했다. 나는 이를 악물고 사람들에게 내 모습이 어떻게 보일지 상상하지 않으려 노력했다. 이번 연휴 며칠이 시련이 될 줄은 알았지만 코트를 벗기도 전에 수치스러울 줄은 몰랐다.

"마지막으로 이 집에 온 게 벌써 20년도 더 전이지. 많은 곳들이 바뀌었어." 이모가 말했다. "그때 이후로 열 번은 확장 공사와 리모델링을 했단다. 건설업자와 결혼하면 이렇게 돼. 성형외과 의사하고 했어야 하는데, 그렇지?"

의례적인 인사만 하고 두 사촌은 복도에서 복도로 이어지는 공간으로 사라졌다. 실비아 이모가 안내한 게임 룸에서 두 쌍둥이의 부자 남편 딘과 게리와 인사를 했다. 두 남자는 프랭크 이모부와 함께 있었다. 사슴뿔은 쓰지 않고 있었다. 게임 룸엔 다트 게임을 할 수 있게 바닥에 선이 표시되어 있었고 탁구대와 커다란 당구대도 있었다. 그러나 이 방에서 남자들이 가장 좋아하는 공간은 맥주 펌프가 완비된 바였다. 세 사람은 나를 향해 위스키 잔을 들어 인사를 건네고는 대화로 돌아갔다. 이모는 내게 '작은 방'이라며 편안한 가죽 소파와 극장만 한 사이즈의 텔레비전이 자리 잡은 휴게공간으로 나를 이끌었다. 핸드폰, 게임기, 노트북이 다양한 방에 네 명의 조카들이 널브러져 있었다. 네 조카 모두 자기의 아버지와 똑같은 관심과 열정을 보여줄 뿐이었다.

그다음으로는 라운지, 서재, 그리고 아침 식사실이 있었다. 모든 곳이 눈에 띄게 통일감 있는 장식들이었다. 카펫과 소파 커버 같은 것들은 모두 크림색이었고 벽난로는 옅은 대리석, 조명은 다 크리스털이었으며 스탠드 조명과 거울, 그림 액자는 전부 금박 장식이었다. 심지어 크리스마스트리의 조명과 반짝거리는 장식, 장난감 지팡이도 다 흰색과 금색으로 통일감을 주고 벽에 걸린 화환과 가랜드도 마찬가지였다. 이곳저곳 유리병에 하얀 목화 가지와 금빛 화분에 심어놓은 하얀 포인세티아가 놓여 있었다.

"집 어떻니, 얘? 이번엔 품격 있게 꾸미고 싶었거든." 이모가 말했다. "만약에 내 멋대로 꾸몄으면 색감을 더 주고 무늬도 많이 넣었을 텐데 내 인테리어 디자이너 페이가 내 취향은 텍사스 주에서나 통할 거라고 그러는 거야. 너무 웃기지 않니?" 이모가 까르르 웃었다. "기분 나쁘진 않더라. 오래전부터 알고 지낸 사람이거든. 예전엔 네 이모부가 모델하우스 인테리어도 맡긴 사람이야. 그래서 할리우드식으로 합의를 봤지. 알지, 재키 콜린스 스타일 말이야."

"아주…… 조화롭네요."

어떻게든 칭찬을 해보려는 내 노력을 담아 말했다. 비록 내면의 내가 죽어가더라도 최대한 친절하게, 크리스마스를 맞아 방문한 손님의 역할을 다하고 싶었다. 딱 이틀이다. 이틀만 버티면 된다.

"집 바깥이랑은 정말 다르네요." 내가 덧붙였다.

"솔직히 말해서, 바깥이 훨씬 내 취향이야. 따라오렴. 침실 동으로 데려다줄게."

넓은 복도 끝에 실비아 이모가 내어준다던 '적당한 방'에 도착했다. 내가 말할 수 있는 건 이모에게 '적당한'이 다른 사람이 상상하는 것보다는 훨씬 넉넉하고 크다는 것이다.

"방이 괜찮았으면 좋겠구나. 네가 손님이니까 웬디나 크리시하고 바꾸라고 할까 했는데, 걔들이 꿈쩍을 안 하네. 그리고 화장실은 가족들이 쓰는 걸 써야 해. 이 방엔 화장실이 안 딸려 있어서." 이모가 말했다. "방에 화장실이 없는 곳은 정말 묵고 싶지도 않아. 안 그러니? 너도 혼자 쓰는 게 편할 텐데. 내가 이모부한테 말해서 다음번엔 꼭 확장 공사를 해놓을게."

이모가 창문에 비친 자신을 살피고 스프레이로 떡칠한 머리를 정돈한 다음 로마 블라인드를 내리고 나를 향해 돌아섰다.

"네가 와서 얼마나 기쁜지 이루 말할 수가 없어. 이번 크리스마스는 최고의 크리스마스가 될 거야. 차가 준비되면 부르마. 여기 있는 동안은 손가락 하나 까딱하면 안 된다."

이모가 떠나고 몇 분도 지나지 않아 방 밖에서 속삭이는 목소리와 기침 소리가 들렸다. 사촌들은 노크도 없이 짐을 들고 들어왔다. 웬디가 불길한 잠금 소리와 함께 문을 등지고 섰다. 크리스틴이 내 침대에 털썩 주저앉아 나를 압박했다.

"아기에 대해 모든 걸 다 털어봐." 크리스틴이 말했다.

"우리 전화도 안 받고." 웬디가 말했다.

"얼마나 걱정했는지 알아? 도대체 어떻게 된 거야?"

"애 아빠가 누군지는 알아?"

"버림받은 거야?"

"혼자서 어떻게 키우려고 그래?"

"돈도 많이 들 텐데."

"다운증후군 가능성이 높다는 건 들어봤지?"

"입양 보내는 것도 고려해봐."

"언니가 얼마나 거지 같은 기분일지 상상도 못 하겠어." 크리스틴이 내 손을 부여잡으며 말했다. "이모가 없는 크리스마스는 올해가 처음인데 그것뿐만 아니라 배까지 이렇게 불러서 혼자 남겨지다니. 얼마나 우울하겠어."

어떻게 반응을 해야 할까? 다른 상황이었더라면, 네 일이나 신경 쓰라고 말하고 그냥 자리를 피해버렸을 것이다. 어린 시절엔 정말 자주 그랬다. 사실 두 사람은 일부러 나를 도발해 싸움을 걸어오기만 기다리는 것 같았다. 이게 무슨 스포츠라도 되는 것처럼. 하지만 나는 이틀이나 갇혀 있어야 하고, 이번 크리스마스를 통해 새로운 시도를 해보고 싶었다. 그래서 조금 다른 전략을 사용해봤다.

"아, 웬디. 크리스틴. 나 정말 엉망진창이야. 어떻게 해야 할지 모르겠어. 아기 아빠는 알고 싶어 하지도 않고 상사는 책상 뺄 준비를 하래. 게다가 아이를 낳아 키울 생각만 해도 너무 걱정 돼. 집으로 돌아가면 도움을 좀 받아야 할 것 같아. 너희가 내 편이라니 너무 다행이야. 이렇게 도와주다니 고마워."

내 연기가 꽤 괜찮다고 생각했는데 사촌들을 속이기엔 부족했던 모양이다. 크리스틴이 내 손을 놓고 벌떡 일어났다.

"그렇게 비꼴 필요는 없잖아. 우리가 그렇게 멍청해 보여? 우리는 그냥 도와주고 싶었을 뿐이라고."

"맞아. 엄마가 친절하게 대해주라고 그래서 우린 노력을 했는데. 정말 감사를 모르는 사람이 있다니까."

"난 진짜로 고마운걸. 너희가 나를 이렇게 걱정해주다니 정말 고마워. 두 사람이 나를 그렇게 신경 써주는 줄 몰랐거든."

사촌들은 나를 빤히 바라보았다. 두 사람의 사슴뿔이 똑같은 각도로 치켜올라갔다. 콧방귀를 끼며 나의 부족한 진정성을 비꼬았다.

"뭐, 우리가 신경을 쓰긴 쓰지." 크리스틴이 씨근거리며 덧붙였다. "지금까지 내내 그렇다고 했잖아."

저녁은 근처 식당에서 배달한 중국 음식 잔치였다. 우리 엄마라면 집에서 만든 요리가 없다고 깜짝 놀라 눈을 의심했을 것이다.

"누가 크리스마스이브부터 뜨거운 오븐 앞에서 집안일을 하고 싶겠니?"

이모가 빨갛게 칠한 긴 손톱을 흔들며 부엌의 아일랜드 조리대 위의 은색 쟁반에 중국 음식 상자를 풀었다.

"크리스마스엔 안 해도 돼. 빅토리아 시대처럼 집에 요리사와 하인이 있으면 얼마나 좋을까. 시대를 잘못 태어났다니까, 정말. 얘, 웬디. 넌 일 좀 해라. 크리시는 식기하고 서빙용 수저 좀 챙기고. 수잔, 넌 그냥 앉아 있어. 뷔페 스타일로 차를 마실 거란다. 접시를 가득 채워서 나이프하고 포크만 움직이렴. 우리가 다 해줄게, 수잔. 조금씩 다 먹어볼 테야?"

그야말로 난투극 같았다. 전자기기에서 눈을 떼지 않던 그 집 아이들마저 높이 쌓인 음식을 향해 빈 접시를 들고 달려와 음식을 채웠다. 몇 분 지나지 않아 부엌에서 사람들이 사라졌다. 남자들은 접시를 들고 게임 룸으로, 아이들은 다시 작은 방으로 사라졌다. 실비아 이모와 웬디, 크리스틴은 라운지로 향했다.

"이리 와, 수잔. 우린 그냥 무릎에 접시만 놓고 먹어." 이모가 나를 불렀다. "크리스마스에 하는 프로그램은 하나도 놓치고 싶지 않거든. 이게 가족끼리 보내는 크리스마스지, 뭐니. 네 접시는 애들한테 갖다 달라고 할까?"

예전 우리 가족이 크리스마스를 보내던 것과는 정말 다른 풍경이었다. 아빠가 살아계셨을 땐 거의 아빠의 존재 여부에 따라 분위기가 바뀌었다.

아빠는 아침 11시부터 집을 비웠다. 동네 술집의 오픈과 동시에 입장하는 첫 손님이었을 것이다. 그리고 오후가 돼서야 비틀거리며 돌아왔다. 그 사이 나는 엄마를 도와 부엌에서 크리스마스 케이크에 크림을 바르고 민스파이(건과일, 향신료, 고기 지방을 넣어 구운 파이로 특히 영국에서 크리스마스에 먹는 음식-역주), 빵가루를 넣은 소스, 스터핑(닭고기, 생선, 채소 등의 안에 다른 재료들을 양념하여 넣고 조리한 음식-역주) 등을 만들며 최대한 아빠를 피했다. 우리는 킹스의 〈아홉 가지 성경 구절과 캐롤(A Festival of Nine Lessons and Carols)〉을 들으며 아빠의 폭언에 맞서 마음을 가라앉히려고 노력했다. 술집이 오후 5시면 다시 문을 여니까, 4시 45분까지만 아빠의 폭정을 견디면 됐다. 나는 술집 마감 시간 전까지 잠에 들려고 노력했다. 크리스마스를 에드워드가 어떻게 준비했는지는 기억이 나질 않는다. 아마 동네를 돌아다니며 길고양이에게 돌을 던지거나 이웃집 담벼락에 낙서를 하지 않았을까. 크리스마스 당일은 떠올리고 싶지도 않다. 술집이 문을 닫는 날이라 아빠는 집에서 술을 마셨다. 어떻게든 우리끼리 헤쳐 나가야 했다.

아빠가 돌아가신 후 크리스마스는 매우 달라졌다. 더 이상 현관문을 여는 아빠의 열쇠 소리에 귀를 기울이거나, 아빠의 기분을 살피거나 몸을 숨기지 않아도 괜찮았다. 에드워드는 여전히 눈에 띄지 않았지만. 아마 그 나이쯤 되었으니 에드워드도 자기 나름의 할 일이 있었을 것이다. 나도 그게 편했다. 아마 둘 다 집에 있었으면 무조건 싸움을 벌였을 것이다. 유일한 단점이라면 에드워드가 어디에서 무엇을 하는지 엄마가 끊임없이 강박적으로 걱정을 하셨다는 점이다.

집에서 나온 이후로, 나는 일부러 크리스마스이브에 버밍엄으로 가는 마지막 기차를 탔고 크리스마스 다음 날 런던으로 가는 첫 기차를 탔다. 그 이상 집에 머물렀다간 동생과 그 애의 무리들을 견디는 것만으로도 고통스러워 아마 내가 먼저 돌아버렸을 것이다.

✦

　"난 크리스마스 아침에 마시는 벅스 피즈(샴페인과 오렌지 주스를 섞은 칵테일-역주)가 너무 좋더라, 안 그러니?"

　실비아 이모가 부엌에 들어가 코르크 마개를 따며 말했다. 이모는 마치 파티에 가는 사람처럼 꽉 끼는 드레스에 하이힐을 신고 짙은 화장을 한 차림이었다.

　"해피, 해피 크리스마스란다, 얘."

　크리스마스 점심 식사 준비로 부엌이 붐빌 줄 알았지만 이모만 홀로 있었다. 아이들은 아침 6시부터 일어나 선물을 뜯고 새로 받은 컴퓨터 게임과 게임 콘솔 따위를 갖고 노느라 작은 방에 있었다. 다른 사람들은 아직도 자고 있었다. 나는 채소라도 썰겠다고 팔을 걷어 붙였지만 이모는 이미 다 했다며 나를 말렸다.

　"요즘은 막스 앤 스펜서만 가도 다 이렇게 팔아. 속을 채운 칠면조에 크리스마스 푸딩이며 브랜디 소스까지. 없었으면 어떻게 살았나 몰라. 예전엔 다 손수 준비를 했어야 했는데 말이야, 안 그러니?"

　웬디와 크리스틴은 30분이 지나서야 보슬보슬한 분홍색 나이트가운과 슬리퍼를 신은 똑같은 차림새로 등장했다. 과연 두 사람의 남편들이 쌍둥이의 외모와 성격을 구분할 수 있을까 궁금했다. 크리스틴이 조금 더 못되게 굴곤 했지만, 내 눈엔 그게 유일한 차이점이었다. 크리스마스 인사를 주고받은 후, 웬디는 샴페인 잔 두 개를 집어 들고 거품을 가득 살려 칵테일을 채웠다. 그리고 쌍둥이들은 놀라울 정도로 빨리 잔을 또 채워나갔다.

"애들이 산타 할아버지가 준 선물을 정말 좋아해."

실비아 이모가 웬디와 크리스틴에게 말했다.

"아, 잘됐네." 웬디가 대꾸했다. "잠 좀 깨면 가서 봐야겠다."

"당연히 좋아해야지." 크리스틴이 말했다. "돈을 얼마나 썼는데."

또 한 번의 셀프 아침식사를 마쳤을 때까지만 해도 별 다른 일은 없었다. 말 그대로 평온했다. 이모는 마트에서 사온 손질된 칠면조를 오븐에 넣었고, 사온 음식의 뚜껑만 열어 차례대로 적당한 그릇에 덜었다. 유일하게 할 일은 식탁을 차리는 것이었는데, 이모는 그것마저 쌍둥이 사촌들에게 시켰다. 마치 이모가 테이블을 새로 만들어오라고 시킨 것 같은 분위기였다. "왜 수잔은 안 해?"라든가 "불공평해." 같은 10분간의 불평이 오고간 후에야 두 사람은 마지못해 이모 말을 따랐다. 내가 나서서 도와주겠다고 했지만 이모는 단호한 태도로 나는 절대 집안일을 하면 안 된다고 못 박았다. 슬슬 지루했다. 쌍둥이의 남편들과 이야기를 나눌 수는 있었지만, 차라리 혼자 있는 편이 낫지 그렇게 절박하진 않았다.

나는 코트를 챙겨 입고 주변을 좀 걷기로 결심했다. 어디로 향하는지는 모르지만 상쾌한 겨울 공기를 만끽하며 긴 진입로를 따라 한적한 시골길을 걷기 시작했다. 맑고 구름 한 점 없는 하루였다. 나는 마을의 신도들이 예배를 마치고 빠져 나오는 작은 중세풍 교회까지 내려갔다. 몇몇 할머니들이 나를 향해 "메리 크리스마스!"라고 인사를 건네주기도 했고, 내 부른 배를 보며 예정일 따위를 묻기도 했다. 그러다가 햇살이 내리쬐는 잔디밭의 벤치가 보여 자리를 잡고 잠깐 눈을 감아보았다. 고요하고 행복했다. 보통의 크리스마스 아침이라면 끊임없이 양념을 치고, 채소를 손질하고 냄비를 젓느라 정신이 없었을 것이다. 그런 면에서 보면 이렇게 보내는 크리스마스도 썩 나쁘진 않았다. 어쩌면 앞으로는 이곳에서 크리스마스를 보내도 괜찮을지 모른다. 아무것도 안 하고 그저 휴식만 취하는 연휴라니. 나는 두 눈을 살며시 떠보았다. 그때 내 눈에 더러운 하얀 SUV가 다가왔다. 꼭 롭의 차 같았다. 하지만 그럴 리가 없지 않은가. 왜 롭이 실비아 이모의 동네에 나타난단 말인가? 나는 사라지는 자동차를 바라보다가 이모의 집으로 돌아가기 시작했다. 어쩐지 불길한 예감이 들었다.

"수즈, 메리 크리스마스."

에드워드가 손 키스를 날리며 입을 나불거렸다. 동생은 모든 어른들이 모여 있는 라운지의 팔걸이의자에 나른하게 앉아 있었다. 양말 신은 두 발을 발 받침대에 올려놓은 게 꼭 자기 집처럼 느긋했다. 나는 몸을 틀어 어깨만 으쓱거리는 실비아 이모를 바라보았다.

"웬디랑 크리시가 부르자고 하더라고." 이모가 말했다. "온 가족이 함께한다면 지난 오해는 다 잊을 수 있을 거 아니니. 너한테 서프라이즈로 해주려고 일부러 말하지 않았지."

"그리고 어떻게 남매 중에 한 명만 초대를 해. 차별하는 것도 아니고."

크리스틴이 천진난만한 목소리로 덧붙였다.

"장례식에서 있었던 일은 다 사과했어, 안 그래?" 이모가 에드워드를 향해 물었다. "스트레스가 너무 심해서 자기도 모르게 그랬다고."

"네, 이모." 에드워드가 장난꾸러기처럼 씩 웃으며 대답했다. "좀 피곤하고 그래서 저도 모르게 감정적이었어요. 아, 그리고 여긴 제 운전기사."

"메리 크리스마스예요, 수잔." 롭이 온실을 통해 난 문으로 들어서며 말했다. "이모님이 에드워드랑 같이 초대를 해주셨습니다. 즐겁게 보낼 수 있을 것 같아서요. 저희는 점심식사만 하고 갈 겁니다."

"응, 진짜 즐거울 거야." 이모가 약간 간절히 바란다는 투로 강조했다. "사람들이 늘 그러잖니. 실비아와 함께 즐겁지 않으면, 인생에 즐거울 게 하나도 없는 사람이라고. 문제가 하나 있다면 식사 인원이 최후의 만찬처럼 열세 명이라는 거지. 아, 수잔의 뱃속 아기도 포함시키면 되겠다. 그럼 열넷이잖아."

나는 머리 뚜껑이 열렸다. 사촌들은 에드워드와 내가 지난 세월 내내 앙숙처럼 지냈다는 걸 안다. 그저 나를 더 자극하기 위해 동생을 초대했을지도 모른다. 실비아 이모는 내가 소송을 멈추었으면 하고 간절히 바라는 것 같아 보였다. 그러므로 내가 동생을 만나면 마음이 누그러질 것이라고 예상했을 것이다. 나는 대체 왜 에드워드가 이모의 초대에 응했는지 궁금했다. 내가 싫어하는 만큼이나 에드워드도 나와 함께 연휴를 보내고 싶지 않았을 텐데. 다시 한 번, 이놈도 단지 나를 자극하는 것이다. 크리스마스에 외로워서가 아니라면 말이다. 불쌍한 고아, 에드워드. 아니, 그렇다면 롭은 여기서 뭘 하는 걸까? 동생을 응원이라도 하러 온 걸까? 나는 방 안의 모든 사람들이 내 반응을 기다리고 있다는 걸 알 수 있었다.

"잠깐 실례해도 될까요?" 내가 말했다.

자포자기의 심정으로 나는 게임을 하고 있는 아이들 틈에 섞였다. 아이들이 내 떨리는 손과 목소리를 알아차리지 못하기만 바라며 크리스마스 선물로 받은 게임에 관심이 있는 척했다. 실제로 아이들은 내가 보인 관심을 꽤 좋아했다. 심지어 열 살짜리 라일라는 자신의 오래된 콘솔게임을 해보라고 나를 부추겼다. 간단하고 반복적인 게임이었는데 이상하게 하고 있자니 뒤틀렸던 심신이 좀 진정되는 기분이었다. 얼마 지나지 않아 나타난 롭은 소파에 앉아 내가 하는 게임을 어깨 너머로 유심히 바라보고 있었다. 게임에 빠져 그가 있다는 사실도 잊었다. 강철 같은 의지력이 없었더라면 금방이라도 중독될 수 있을 것 같았다.

그런 식으로 멍하니 나는 한 시간을 보냈다. 그때 웬디가 점심식사가 준비되었다며 문틈으로 고개를 빼꼼 내밀었다. 솔직히 말해 그냥 영원히 그 공간에서 게임이나 하고 싶었다.

"수잔과 함께 점심식사라니, 정말 좋지 않니?" 이모가 식탁을 둘러보며 말했다. "그리고 당연히 에드워드도 말이야. 가족이 다 같이 모여 크리스마스를 보낼 수 있다니. 난 정말 행운아야. 운이 좋은 여자라니까. 자, 다들 건배해. 수잔, 우리의 조촐한 모임에 함께해줘서 고맙단다. 내년엔 더 좋은 일만 가득하길. 내년은 정말 환상적인 해가 될 게야. 물론 무섭겠지. 지금 네 심정이 어떨지 내가 모르면 누가 알아. 하지만 정말 결국엔 모든 게 다 잘될 거란다." 이모는 샴페인 잔을 들고 크게 한 모금을 삼켰다.

"수잔을 위하여."

식탁에 모인 어른들이 대부분 영혼 없이 중얼거렸다.

"아, 참. 그리고 에드워드를 위해."

이모가 샴페인 잔을 다시 한 번 들어 올리고는 또다시 한 모금을 삼켰다. 나는 이번 축배엔 동참하지 않았다. 실비아 이모는 나를 식탁의 제일 상석에 앉혔다.

"안 돼, 이모 뜻대로 해. 네가 이번 모임의 손님이잖니."

이모는 내 왼쪽에 앉고, 오른쪽으로는 롭을 앉혔다. 이모 곁에는 에드워드가, 그의 반대편이자 롭의 옆자리엔 웬디와 크리스틴이 자리를 잡고 있었다. 남편들과 아이들은 식탁 끝자리를 차지했다. 좋은 소식이 있다면 우리가 더 이상 루돌프 사슴뿔을 쓰지 않아도 된다는 점이었다. 전날 밤, 나는 내 뿔을 쓰레기통에 슬쩍 버렸다. 나쁜 소식은 실비아 이모가 탁자에서 산타클로스 모자를 열세 개 꺼냈다는 점이다. 에드워드는 그 모자를 받아 빙글빙글 돌리며 쓸까 말까 고민하는 눈치였다. 크리스틴이 그런 에드워드에게서 모자를 낚아채 기름진 머리에 푹 씌웠다. 에드워드는 나와 눈이 마주치자 내가 모자를 가지고 소란을 피울 거라 기대한 듯 피식 웃었다. 난 동생에게 놀아나지 않았다. 모자를 머리에 슬며시 올려놨다.

"가족사진 앨범에 들어가면 참 좋겠네."

에드워드가 주머니에서 핸드폰을 꺼내 나를 찍으며 말했다. 나는 최대한 밝게 웃어 보였다.

"그래서," 메인 코스를 막 끝마쳤을 때쯤 크리스틴이 입을 열었

다. "패트리샤 이모의 집은 이제 어떻게 되는 거야? 두 사람 아직
도 싸움 중이야?"

"쉿, 크리스틴." 이모가 황급히 대화를 끊었다. "오늘 같은 날 뭐
하러 그런 이야기를 하니. 그냥 멋진 가족 식사만 하면 되지."

나는 이모의 목소리가 조금씩 낮아진다는 느낌을 받았다.

"하지만 엄마도 두 사람이 그만 화해했으면 좋겠다고 했잖아.
일이 해결되려면 우리 모두 어떻게 된 일인지는 알아야지."

"나는 하나도 모르겠는데." 에드워드가 대답했다. "나는 그냥 변
호사가 하라는 대로만 하고 있거든. 변호사가 집에 계속 살아도
된다고 그래서, 살고 있지. 논쟁은 누나하고 유언집행인 사이에
벌어진 거고. 물론 자리를 파하기 전에 사랑하는 누나와 몇 가지
상의하고 싶은 일이 있긴 하지만."

"오늘은 그만해, 얘들아." 실비아 이모가 다시 말했다. "점심 더
드실 분? 아니면 이제 푸딩을 전자레인지에 데울까?"

"대체 왜 그렇게 유언장에 화가 난 거야, 수즈?" 웬디가 상냥한
말투로 물었다. "패트리샤 이모가 제일 좋아했던 자식이 에드잖
아. 그러니까 상속을 더 많이 해주는 게 당연한 거 아닌가."

"그건 사실이 아닌데." 내가 입을 열었다.

"웬디, 그쯤 해둬." 실비아 이모가 맞받아쳤다.

"하지만 엄마. 이모는 항상 에드워드만 걱정한다고 엄마도 그랬
잖아. 수잔도 알고 있을 거라고도 했고."

실비아 이모가 몸을 수그려 내 팔을 부여잡았다.

"미안하다, 얘. 정말 미안해."

278

이모의 눈에 눈물이 고였다. 이모가 모자를 벗고 두 눈을 깜박이며 눈물을 말렸다.

"뭐가 미안하신데요?" 내가 딱딱하게 굳은 말투로 물었다.

"네 엄마가 너를 딸처럼 사랑하지 않은 게 미안해. 너를 늘 두 번째로 여겼잖니. 널 위해서 내가 뭐라도 했어야 했는데. 내가 그럴 수가 없었어, 세상에."

"자, 자. 여보." 내내 침묵하던 프랭크 이모부가 식탁 반대편에서 입을 열었다. "그만해요. 술만 마시면 자제가 안 되잖아. 문제는 당사자가 해결하도록 하고, 당신은 한 발 물러나."

"시간을 돌릴 수만 있다면. 그럼 내가……."

이모가 코를 훌쩍였다. 프랭크 이모부는 식탁에서 벌떡 일어나 이모에게 다가왔다. 그리고 거의 부축하다시피 이모를 일으켜 세웠다.

"자, 잠깐 누웁시다. 애들이 나머지 식사는 차릴 거요."

이모부의 부축에 이모도 높은 하이힐 굽을 비틀거리며 방을 나섰다.

"이게 다 무슨 소리야?"

크리스틴이 웬디에게 물었다. 상대도 모르겠다는 듯 어깨를 들썩였다.

"참 흥미로운 일이네." 에드워드가 씩 웃으며 대꾸했다. "실비아 이모가 누나에게 유리한 진술이라도 해주길 바랐나 봐? 과연 누나가 어떻게 유리하게 구워삶을지 기대되네."

"난 배불러." 내가 모자를 벗으며 말했다. "나도 방으로 가서 좀 쉬어야겠어. 누구라도 에드워드가 떠나고 나면 좀 알려줄래?"

"아, 가기 전에." 에드워드가 자리에서 일어서며 덧붙였다. "엄마의 유골이랑 보석함에 대해 할 말이 있어. 그거 돌려줘. 2주 줄게. 그 후에도 안 돌려주면 경찰에 신고할 거야. 절도사건이라고."

시야 저쪽에서 웬디와 크리스틴이 환하게 웃고 있는 모습이 아른거렸다. 이게 바로 두 사람이 원하던 개싸움일 테다.

"지옥으로 꺼져 에드워드." 내가 말했다.

✦

그대로 침대에 누워 《공증 청구의 논쟁》을 읽으려 한 시간쯤 사투한 끝에 나는 결국 포기했다. 그때 정원에서 목소리가 들렸다. 창문 바로 옆 그림자에 숨어 나는 밖을 내다보았다. 목을 길게 내빼면 내 방에서 조금 떨어진 방갈로 벽에 기대 서 있는 에드워드가 보일 것이다. 그는 엄지와 검지 사이에 담배를 뻐끔뻐끔 피우고 있었다. 롭이 그 곁에서 맥주 한 잔을 손에 들고 서 있었다. 나는 조심스럽게 창문을 열고 두 사람의 대화를 엿듣고 싶었다. 천부적으로 남의 말을 잘 훔쳐 듣는 사람은 아니지만 이런 경우라면 정당하지 않을까 생각했다. 내게 도움이 될 만한 이야기를 엿들을 수 있을 것도 같았다. 사랑과 전쟁, 그리고 그런 지저분한 일에선 모든 게 정당한 법이다. 나는 두 사람이 무슨 말을 하는지 알기 위해 애를 써야 했다.

"너무 잘해주는 것 같다, 너." 에드워드의 목소리였다.

"내가 뭘. 내 생각엔 네가 일부러 누나를 화나게 한 것 같던데. 그럴 필요까지 있어? 좀 물러서지 그래?"

"그 여자는 악랄한 마녀야. 너도 어떤 사람인지 봤잖아. 누나는 나나 다른 사람들에게 다 그런 식으로 행동해. 갑자기 네가 수잔을 왜 불쌍하게 생각하는지 모르겠다. 솔직히."

"임신 6개월이잖아. 그리고 무엇보다 혼자고. 알다시피 나는 수잔이 악랄하다고 생각하지도 않아. 사실 자기가 옳다고 생각하는 일을 해내려고 노력한다고 생각하지. 물론 가끔 실수할 때도 있지만, 그건 그 여자의 방식이 그런 거고."

"이런 말을 들을 줄은 몰랐네. 같은 여자 말하는 거 맞아? 내가 보기에 너, 분명히 우리 누나한테 마음이 있어. 네가 항상 여자들을 지배하는 데 취향이 있다는 건 알지. 그래도 누나는 널 산 채로 잡아먹을 거야. 롭, 너는 성격이 느긋해서 누나를 감당할 수 없어. 정신 차려, 조심하고."

"멍청한 소리 하지 마. 너도 내가 앨리슨이랑 다시 잘해보려 한다는 거 알잖아. 내 말은, 누나를 그냥 좀 봐주라는 거야. 너는 이미 어머니 집이 있잖아. 대체 왜 가만히 있는 사람을 일부러 건드려?"

"그래, 내가 집을 가졌지. 그리고 누나는 틈만 나면 그 집을 뺏으려고 하고."

"그건 어머니가 쓰신 유언장 배후에 네가 있다고 누나가 의심을 하시니까 그런 거지."

"너도 내가 그랬다고 생각하냐?"

"그건 내가 상관할 일이 아니야."

"맞는 말이다, 친구야."

동생은 담배를 마지막으로 깊이 들이마신 다음 자갈길에 버리며 신고 있던 카우보이 부츠 뒤축으로 짓밟았다. 그가 돌아서서 뒷문으로 사라지고, 곧이어 롭이 뒤를 따랐다.

나는 침실 창문을 닫았다. 밖은 어두워지고 있었다. 스탠드 조명을 켜고 블라인드를 닫은 다음 침대에 걸터앉았다. 이 대화를 듣고 처음 든 생각은 혹시 두 사람이 일부러 나 들으라고 이런 대화를 한 게 아닐까, 하는 것이었다. 하지만 곧 그건 아닐 거란 결론을 내렸다. 만약 두 사람이 내가 엿듣기를 원했다면 내 창문 가까이에서 더 큰 목소리로 떠들었을 테다. 두 사람이 무슨 말을 하는지는 거의 들리지 않았다. 꾸며낸 대화였다면 에드워드가 무죄라는 걸 믿게 만들 만한 이야기를 나눴을 것이다. 놀랍게도 롭은 에드워드가 어머니를 속여 유언장을 쓰게 만들었다는 건 전혀 모르고 있는 것 같았다. 그뿐만 아니라, 그는 동생에게 반기를 들었다. 결론은 한 가지였다. 결국 그는 내 동생과 한 패가 아니었다. 내가 그를 심각하게 잘못 판단한 것 같았다. 물론, 지금에 와서 그가 내게 상황을 잘못 이해하고 있다고 말한 것에 감명을 받은 건 아니지만 그럼에도 불구하고 나는 사건의 변화에 대해 약간의 만족감을 느꼈다. 심지어, 기분이 좋아졌다.

그리고 에드워드가 말하던 것처럼, 롭이 내게 마음이 있다니. 물론 그는 아니라고 했다. 멍청한 사람이라면 그게 사실이라고 생각할지도 모르겠다. 롭은 이미 마음속 깊이 예전 여자에게 집중하고 있었고, 게다가 나보다 나이도 어리고, 친구도 있고, 올바른 관계도 경험해본 적이 있다. 그러니 그는 불쾌했을 것이다. 게다가 나도 굳이 구구절절 변명할 필요도 없다. 나도 그에게 관심이라곤 없다. 분명히 말하지만 나와 지적 수준이 어울리지 않는 남자다. 너무 수줍음을 많이 타고, 키도 너무 크다. 뭐가 더 있을까? 그 남자의 단점을 모두 기억하기란 어렵지만, 그 정도 체격이라면 세차는 깔끔하게 해치우고도 남겠지.

그때 내 침실 문을 두드리는 소리가 났다. 문을 열었더니, 롭이 서 있었다.

"이제 가려고요." 그가 문간에 기대 말했다. "말도 안 되는 짓이었네요, 지금 보니. 에드가 데리러 오라고 했을 때 거절했어야 했는데. 당신을 보면 좋을 것 같았거든요. 그래야 당신이랑 에드가…… 모르겠습니다. 에드는 당신이 무엇을 신경 쓰는지 전혀 몰라요. 다른 사람들도 모두 인정할 거예요. 에드도 괜찮은 놈이에요. 나는 두 사람이 이런 식으로 싸우는 걸 지켜보는 게 힘드네요."

"앞으로 내 주변에서 얼쩡거리지 말라고 전해줘요."

"에드 때문에 이렇게 일이 어그러져서 미안합니다. 연말 잘 보내요."

"그쪽도요."

뜻밖에도 그는 두 팔을 벌리고 나를 향해 다가왔다. 나는 매년 연말이면 피하기 어려운 인사치레쯤으로 생각하고 그의 품을 허락했다. 물론 편하진 않았다. 불룩한 배가 우리 둘 사이를 가로막았으니까.

1월

18.

새해가 밝았고, 새로운 결심도 세웠다. 법적인 지원도 마무리되고 있었으며 주요 절차가 고등법원 주심 재판에서 열릴 예정이었다. 브링크워스가 엄마의 유언장을 입증할 증거를 가져올 때까지 기다릴 수도 있었지만 그렇게 되면 의도하든 의도하지 않았든, 그를 운전석에 앉히는 셈이었다. (아이러니한 비유지만 사실 나는 운전을 못 한다.)

나는 사건 진술서 초안을 작성하기 위해 1월 첫 주는 거의 대부분 법률 책을 들여다보며 보냈다. 법원은 종종 소송 청구인에게 겁을 주기도 하지만, 반격을 두려워한다. 나는 애초에 그런 면에서 두려움이 없었다. 나는 엄마의 정신적 미약함과 부당한 표현에 따른 영향력을 기반으로 내 주장을 피력하여 에드워드와 브링크워스를 피고인으로 지명했다. 내가 지금껏 한 작업에 꽤 만족스러웠다. 나는 최종본을 인쇄하고 확인하며 스스로 변호를 맡을 만했다고 결론지었다.

새해 첫 주 점심시간, 사무실을 나와 1킬로미터 남짓 한 페터

레인에 위치한 법원 단지, 롤스 빌딩으로 갔다. 새로 생긴 건물로 전면이 유리로 된 이곳은 영국 왕립 사법 재판소의 거점인 곳이다. 1층에 들어선 나는 고등법원 쪽을 찾아 수수료를 지불하고 서류를 접수했다. 지루한 인상의 법원 서기는 내게 동생과 그 변호인에게 법원이 통보를 하며, 변호사는 통지 후 28일 내에 변론을 해야 한다고 했다. 두 사람이 서류 봉투를 받아 열어보고 어떤 표정을 지을지 생각만 해도 통쾌했다.

동그란 유리 천장 아래 중앙 아트리움을 가로질러 건물 밖으로 나오면서 나는 승리의 기쁨보다는 불안감을 느꼈다. 내 사건이 합법적이고 승소 가능성이 크다는 것도 알고 있었지만 사법 시스템에 전적으로 맡기기 전에 더 많은 증거를 찾아낼 수 있다면 결과가 훨씬 희망적일거란 생각이 들었던 까닭이다. 수많은 전화 통화와 재촉에도 불구하고 엄마의 의료 기록은 아직도 도착하지 않았으며 증인들은 신뢰하기가 어려웠다. 특히 실비아 이모의 경우 크리스마스에 보인 행동은 정말이지 이해할 수 없었다. 게다가 에드워드의 부정을 입증할 결정적 증거도 얻지 못했다. 하지만 이제부터는 시간 싸움이었다. 출산까지 몇 달 안 남은 상황에서 어서 빨리 이 문제를 매듭지어야 했다. 내 예상보다 훨씬 빠른 속도로 움직일 수밖에 없었다.

사무실로 돌아가기 위해 서둘러 스트랜드 호텔 방향으로 내려가던 중에 나는 누구와 세게 부딪히고 말았다. 말 그대로 '브리짓'을 맞닥뜨린 것이다. 브리짓은 터질 것 같은 서류 가방을 들고 나와 반대 방향으로 돌진하고 있었다.

"두 달 사이에 두 번이나 만나다니, 신기록이네. 대체 내 구역에서 뭐 하는 거야?"

"법원에 들렀다가 가는 중이야. 에드워드하고 유산 상속인을 상대로 소송을 접수 했어."

"잘했네. 변호사는 누구야?"

"내가 직접 하려고."

"그건 현명하지 않은데. 정말 비추야. 중이 제 머리 못 깎는다고 괜히 그러겠어? 내가 검토해주겠다고 한 거 잊지 마. 우리 사무실에 전화해. 아무튼 가야겠다. 2시에 일방적 소송이 있어서. 간다!"

그 말과 함께 브리짓은 서류가방을 들고 점심시간을 갖는 직장인들 사이를 헤치며 사라졌다.

올해는 유독 특이하게 시작했다. 새해 전날 아침 롭이 전화를 걸어왔다. 그의 집에 맡겨놨던 짐을 다 찾아왔으니 더 이상 개인적은 연락은 없으리라 예상했으므로 나는 퍽 당황스러웠다. 롭은 내가 사는 곳에서 불과 걸어서 몇 분 거리인 브릭스턴에서 연말 파티 초대를 받았다며 같이 가겠냐고 물었다. 에드워드는 오지 않을 거라 장담도 했다. 동생은 버밍엄에서 롭이 썩 좋아하지 않는 친구들과 파티를 할 계획이라고 했다. 임신 막달이 다가오는 내가 도대체 왜 한 번도 만난 적이 없는 사람의 집에서 열리는 새해 전야 파티를, 그것도 1년 중 가장 떠들썩한 파티를, 내가 잘 알지도 못하는 남자와 갈 거라고 생각했을까? 나는 그에게 새해는 집에서 조용히 보내고 싶다고 거절했다. 롭은 사교적인 행사의 장점을 늘어놓으며 나를 설득하려 들었지만, 나는 괜한 수고 하지 말라며 일침을 놓았다.

전화를 내려놓은 나는 정확히 뭐라 표현할 수 없는 무거운 감정을 느꼈다. 정확히 실망감은 아니었다. 초대를 거절한 건 나였으므로 실망은 말이 되지 않는 감정이었다. 그저 약간은 우울한 느낌이었다. 내가 내린 결정이 순전한 불가피함 때문은 아니었을까. 믿기 힘들겠지만 나는 새해를 기념한 적이 없다. 친한 친구가 있는 사람도 아니고, 지인들 역시 나를 새해 파티에 초대해준 적도 없다. 지난 관계 사이에서 리처드는 늘 그날 밤이면 다른 곳에서 약속이 있었다.

나는 롭이 말도 안 되는 초대를 했다는 사실을 알려주려고 불쑥 케이트를 찾아갔다. 그러나 상대의 반응은 예상 외로 뜨거웠다.

"수잔, 무조건 가야죠."

그녀가 노아의 엉덩이에 들러붙은 기저귀를 떼어내려 안간힘을 쓰며 말했다. 아이는 자동차 엔진에 달린 피스톤처럼 두 다리를 허공에 허우적거렸다. 아파트는 어느 때보다도 지저분했다. 케이트는 막 석사 과정을 시작하려던 참이었다. 새로운 교과서와 볼펜, 공책 따위가 지저분한 생활 쓰레기와 한데 뒤섞여 있었다.

"정말 괜찮은 남자잖아요. 재미있는 시간 보내고 와요. 어차피할 일도 없잖아요?"

"어떻게 가요." 내가 그녀에게 털어놓았다. "관심도 없는 사람들이랑 스몰토크도 해야 하고. 분명히 춤도 출 텐데. 게다가 사람들이 엉뚱한 생각을 하면 어떡해요. 남자랑 여자가 그런 행사에 같이 가면 분명 커플로 볼 텐데."

"그게 뭐가 그리 끔찍하다고요?"

케이트가 노아가 입고 있는 우주복의 마지막 단추를 채운 다음 물러나 앉으며 말했다.

"수치스러울 거예요." 내가 설명했다. "그 사람은 앨리슨에게 빠져 있고 나는 이제 몇 주만 지나면 출산이라고요. 만약에 사람들이 애 아빠가 롭이라고 생각하고 우리가 사귀는 사이라고 착각하면, 그 사람도 수치스럽고 나도 마찬가지로 수치스럽죠. 게다가 더 중요한 건 내가 롭 같은 남자를 선택했다고 믿게 하고 싶지 않아요."

"왜요?"

"왜냐하면 우리는 너무 다른 종류의 사람이니까요."

"어떤 면에서요?"

"너무 교양이 없잖아요."

"확실해요? 내가 보기엔 꽤 공부를 많이 한 사람 같던데. 아무튼 두 사람이 만나서 사귀는 데 꼭 취향이 같을 필요는 없어요. 알렉스하고 나만 해도 그래요. 우리는 항상 모든 면에서 잘 맞았거든요."

"하지만 롭은 몸을 써서 일하는 사람인걸요."

"그 사람은 조경하고 정원 디자인을 하는 사람이죠. 그리고 설령 그 사람이 노동자라고 해서 뭐가 달라요?"

"에드워드하고 친구잖아요."

"그 남자가 얼마나 독립심이 강한지를 보여주는 거죠. 가장 친한 친구의 적과도 친구가 될 준비가 된 남자란 뜻이잖아요."

"케이트, 잘 들어요. 전 연애는 하고 싶지 않아요. 설령 그 사람이 사귀자고 해도 말이에요. 물론 그 사람은 그런 뜻이 아니었지만요."

"좋아요. 그럼 그냥 친구로서 파티에 가요. 그리고 재미있게 놀다 오는 거예요. 맨날 하는 것 말고 좀 다른 걸 시도해봐요. 당신은 정말 근사한 사람이에요, 수잔. 하지만 늘 틀에 박힌 생활만 하잖아요. 같은 회사에 몇 년째 다니고 있고 같은 아파트에 몇 년째 살고 있고. 게다가 나가서 새로운 사람도 만나질 않죠. 요즘은 특히 외출을 안 했잖아요. 물론 내가 충고를 한다는 게 좀 웃기죠. 요즘 들어 자존감이 뚝 떨어졌으니까요. 하지만 나도 언젠간 다시 세상에 나갈 거예요. 가끔 밀실공포증 같은 게 생기진 않아요? 우리를 둘러싼 벽을 허물고 나가서 내 성격이랑 다른 미친 짓, 좀 색다른 짓을 하고 싶다는 생각 말이에요."

"아니, 잘 모르나 본데 애를 가졌어요, 나는. 이보다 얼마나 더 정신 나간 짓을 할 수 있겠어요?"

"알아요. 그리고 당신이 얼마나 배가 불렀는지도 보이고요. 근데 그냥 수잔에게 좋은 일이 있었으면 좋겠어요. 수잔이 내 친구니까. 롭도 당신 친구가 되고 싶어 하고요. '안 돼'라고만 말하지 말고, 가끔은 '그래' 하고 무언가를 새로 도전해봐요. 최악이라고 해봤자 무슨 일이 있겠어요? 약간의 창피함, 약간의 어색함이 다예요. 그리고 최선이라고 해봤자, 재미있는 사람들을 만나고 새로운 경험을 하는 거잖아요, 또 알아요? 수잔도 즐길 수 있을지. 그냥 롭한테 간다고 해요. 혹시 시간 낭비라고 생각이 들어서 내 탓을 하고 싶으면 그때 가서 해요. 나한테 다신 말도 안 걸고 싶어도 괜찮아요. 얼른요, 수잔. 전화해요, 빨리."

가끔 케이트는 한 마리의 로트와일러처럼 끈질길 때가 있다. 우리는 침묵에 잠겨 노아가 엎드려 닿지 않는 곳으로 기어가려고 애를 쓰는 모습만 바라보았다. 조만간 기어 다닐 것 같다.

"네?" 케이트가 다시 물었다.

"케이트는 새해 전날 뭐해요?" 내가 물었다.

"난 아직 모르겠어요. 알렉스가 크리스마스를 같이 못 보냈다고 애들을 며칠 데리고 있을 거라고 하네요. 왜요?"

"당신이 같이 간다고 하면 갈게요, 그 파티." 내가 대답했다. "그럼 아무도 롭과 내가 사귀는 사이라고 생각하지 않을 거예요."

"좋아요. 콜."

케이트가 자신에게 꽤 만족스러워 하며 대꾸했다.

나는 아래층으로 내려가 롭에게 다시 전화를 걸었다. 그는 내가 마음을 바꿨다는 사실에 상당히 좋아하며 케이트가 함께 가도 전혀 상관없다고 했다. 그렇게 파티에 가기로 했다. 새해 전야 파티. 두 사람과 함께. 1년 전 나에게 누가 이런 말을 했더라면 나는 절대 믿지 않았을 것이다.

뱃속의 새 생명이 몸을 뒤틀고 이리저리 움직이는 것을 느끼며, 등을 대고 가만히 누워 나는 실비아 이모가 크리스마스에 했던 말을 떠올렸다. 나는 일부러 생각을 접어두고 있었다. 다음 날 아침 아무렇지도 않게 다시 가족들을 마주했을 땐 누구도 그 일에 대해 아는 척을 하지 않았다. 연휴 내내 이모는 평소처럼 밝고 명랑했다. 함께 제스처 게임을 하자고 조르고, 손발이 오그라드는 모자를 쓰자고 내밀었다. 아기가 태어나면 다 함께 에스테포나로 놀러 가자고도 했다. 이모는 내가 떠날 때까지 계속해서 그 상태를 유지했다. 마침내 택시에 올라타자, 이모는 차 문을 붙잡고 허리를 수그렸다.

"네 곁에 늘 내가 있다는 거, 알지? 에드워드와 말도 안 되는 논쟁은 그만했으면 싶다만 네가 꼭 싸워야겠다면 이모가 도와줄게. 내가 어떻게 진술해야 하는지 써주기만 하면 서명해줄게."

"하지만 진실이어야 해요." 내가 말했다. "이모한테 거짓말을 하라는 게 아니에요. 그냥 솔직한 의견을 말씀해주셨으면 좋겠어요."

"알아, 얘. 하지만 난 이제 나이만 먹은 바보잖니. 네가 나보다 훨씬 더 많이 알잖아. 네 엄마한테 무슨 일이 있었는지 솔직히 나도 잘 몰랐을 수도 있어. 나는 가끔 나만의 작은 세계에 빠지곤 한단다. 그냥 네가 적어주기만 해."

이모의 변덕스러운 행동과 자기중심적인 태도에도 불구하고, 이모는 진심으로 나를 생각해주는 것 같았다. 나는 이모가 나를 지지해준다는 게 기쁘면서도 동시에 이모의 기억에 조금 더 확신이 있었으면 싶었다. 엄마가 나보다 에드워드를 더 편애했다는 말은 근거가 없긴 했어도 신경이 쓰였다. 혹시 법정에 선 이모가 이렇게 진술을 해버리면 어떻게 될까? 아니다, 나는 스스로 다짐했다. 그런 일은 일어나지 않을 것이다. 이모는 그날 술에 취해 헛소리를 했을 뿐이야. 소송에 대한 심리가 열리면 내가 이모를 잘 이끌어야 한다.

✦

    검은색의 펑퍼짐한 원피스를 입는 것 말고는 달리 대안이 없었다. 임산부복 중에 유일하게 파티에 입고 갈 수 있을 법한 옷이었다. 지난 한 주 사이 발과 발목이 부어오르기 시작했다. 결국 한껏부푼 천막 같은 옷에 굽이 낮고 편한 신발을 신어야 했다. 물론 언제나 멋스러운 장신구와 잘 손질한 헤어스타일, 화장만으로도 잘 꾸밀 수는 있는 법이다. (리처드와 만나면서 장신구를 넉넉하게 사들인 보람이 있었다.)

    준비를 마치고 전신거울에 나를 비쳐보니, 전반적으로 썩 나쁘지는 않았다. 케이트가 내 현관문을 두드리기 전까지는. 케이트의 맨 다리를 이렇게 본 적이 없었다. 언제나 청바지를 입거나 트레이닝 바지만 입고 다녔으니까. 그러나 케이트는 오늘 밤, 아주 마음먹고 다리를 드러낼 작정이었다. 민소매의 짧은 블루벨벳 드레스에 은색 하이힐 샌들을 신은 그녀는 머리를 하나로 느슨하게 묶어 자연스럽게 연출했다. 젊고, 생기 있고, 즐거워 보이는 사람. 딱 보자마자 그런 단어들이 머릿속에 떠올랐다. 케이트를 설득해 파티에 데려가지 말까, 하는 못난 생각이 들었다. 삐뚤어진 마음이었다. 나는 질투심을 억눌렀다.

    근처 호텔에 머물고 있던 롭이 10분 늦게 도착했다. 지난 번 약속에서 교훈을 얻지 못한 모양이다. 나는 그의 형편없는 시간 매너에 주의를 주었지만 그는 잘 모르겠다는 듯 시선을 돌렸다. 이성을 다루는 건 개를 훈련시키는 것과 다르지 않다. 단호하고 끈질기게 훈련시키는 수밖에 없다.

"파티에 오는 모든 남자들이 나를 보고 부러워하겠네요, 이렇게 사랑스러운 숙녀를 둘이나 모시고 가다니."

케이트와 내가 코트를 입는 사이 롭이 아부를 떨었다. 흠, 롭이 노력을 좀 하긴 했다. 카키색 바지와 헐렁한 트레이닝 상의, 방수 점퍼는 온데간데없고 짙은 색의 청바지와 어두운 회색 점퍼에 댄디한 코트 차림이었다. 흙과 거름 냄새 대신 비누와 애프터셰이브 향이 풍겼다. 여전히 거칠고 제멋대로인 머리카락을 조금 다듬었더라면 훨씬 근사했을 텐데.

우리는 1킬로미터가 조금 안 되는 거리를 걸었다. 케이트는 옷장 한 구석에서 찾았다던 하이힐을 욕했다.

"집에 갈 땐 맨발로 가야겠네." 그녀가 말했다.

"그럼 제가 업어드리죠."

롭이 웃음을 터트렸다. 사이좋은 두 사람을 보고 있으니 나도 좋았다.

에이커 레인에서 열린 파티는 런던 기준으로 보면 꽤 호화로웠다. 빅토리아 시대의 주택 한 채가 전부 한 집이었다. 집주인 중 한 명인 리지(Lizzie)는 롭, 에드워드와 1990년대 초 함께 대학을 다닌 사이라며 지금은 지역 내 커뮤니티 아트센터에서 일한다고 했다. 그녀의 애인인 리즈(Liz)는 작은 갤러리를 운영한다고 했다. (평생 같이 살 반려자로 동명이인을 고르는 건 썩 현명하진 않은 것 같다는 게 내 생각이다.) 우리가 복도로 들어서자, 롭이 두 여자를 한 번씩 가볍게 포옹하고, 우리를 향해 소개했다.

"여기는 에드의 누나. 수잔이야. 어제 말했지. 그리고 여긴 친구 케이트."

부엌 쪽에, 그러니까 술을 준비해둔 카운터 쪽에 사람들이 잔뜩 몰려 있었다. 그러나 크리스마스를 맞아 새로 산 점퍼 차림의 땅딸막한 남자 하나가 내 배를 발견하고는 소리쳤다.

"여기 임신을 한 여성분에게 자리 좀 비켜줘요."

그야말로 마법의 주문처럼, 홍해 갈라지듯 길이 생겼다. 케이트는 자신이 운영하는 지역 내 엄마들 모임의 멤버 둘을 발견했다. 두 사람이 케이트를 향해 손짓했다. 프로세코 와인이 담긴 큰 잔을 하나 집어든 케이트가 반쯤 춤을 추며 롭과 나를 버리고 사라졌다. 사귀는 사이라는 남들의 추측을 방패삼아 데려온 보호자가 본분을 잊은 셈이다. 하지만 막상 내가 우려했던 것만큼 당혹스러운 일은 일어나지 않았다. 소개를 해달라는 요청에 롭은 나를 '친구'라고 소개했다. 혹시 우리 둘이 사귀거나 애 아빠가 아니냐는 시선에 그는 웃으며 그런 영광은 누리질 못했다고 답했다. 그리고 대화의 주제가 나를 향하면 그는 노련하게 말을 끊고 다른 방향으로 대화를 이끌었다.

놀랍게도 롭의 친구들은 대부분 내가 생각했던 것만큼 미개하지 않았다. 약간 긴장이 풀어졌고 심지어 조금씩 재미있어졌다. 롭은 빈 식탁 의자를 발견하고 나를 앉혔다. 우리는 롭이 대학 시절 이후로 보지 못했던 한 뚱뚱한 여자와 마른 남자와 대화를 나누었다. 전자는 도예가였고 후자는 스테인드글라스 공예가였다. 어느 순간 얼굴이 벌겋게 달아올라 숨을 헐떡이며 나타난 케이트가 함께 춤을 추러 가자고 졸라댔다. 나는 발목이 부었다는 핑계를 댔고, 롭은 지금 이 자리가 편하다며 거절했다. 한 시간쯤 지났을 때 집주인 리지가, 아니면 리즈일 수도 있지만, 어쨌든 이제 자정까지 5분이 남았다며 잔을 채우라고 손님들에게 알렸다.

"그래도 새해는 샴페인으로 건배를 해야겠죠?" 롭이 물었다.

"그래요, 안 될 건 없죠." 내가 대답했다.

그는 인파를 헤치고 술을 가지러 나아갔다.

새해 전야 파티에 가본 적은 없지만 자정이 되면 무슨 일이 벌어지는지는 수많은 영화를 통해 충분히 알고 있었다. 자정이 되는 순간 남녀는 입을 맞추거나 포옹을 하거나, 보편적인 신체접촉이 이루어진다. 생각만으로 좀 고통스러웠다. 모든 사람들이 코르크 마개를 터트리고 잔을 채우느라 정신이 없는 사이를 틈타 나는 화장실로 들어가 문을 잠가버렸다. 런던 빅벤의 시계탑이 12시를 알리고 사람들의 환호성과 〈올드 랭 사인(Auld Lang Syne)〉(우정을 기리는 오랜 스코틀랜드 노래로 새해 전날 밤 자정에 부른다-역주)이 끝날 때까지 나는 욕조 끄트머리에 앉아 있었다. 몇 분간 머무르며 내 안의 평화를 즐겼다. 작년에 일어난 모든 일과 올해 일어날 일들을 떠올렸다. 내 삶은 내가 신중하게 가꾸는 대로 움직이고, 적응 중이었다. 어쩌면 아주 나쁘진 않은 것 같다.

마침내 사람들 틈에 다시 합류했을 때, 롭은 초조한 기색으로 방을 살피고 있었다. 나를 발견하자마자 그는 안도의 기색으로 얼굴빛이 누그러졌다.

"수잔. 대체 어디 있었어요? 자정 종소리를 놓쳤잖아요. 집에

간 줄 알았습니다."

"그럴 리가요. 화장실에 다녀왔어요. 그럼 새해니까 건배할까요."

나는 그가 주었던 샴페인 잔을 들어 올렸다. 오늘 밤이 어떻게든 포옹 비슷한 것으로 마무리 되어야 한다는 사실을 그만 받아들여야 했다. 어색하거나 유별난 상황을 만들지 않으려고 나는 그의 뺨에 입을 살짝 맞추기만 했다. 그 자체로도 롭은 충분히 행복해 보였다.

✦

파티에서 나와 집으로 걸어가는 사이, 롭은 무심코 내 손을 잡았다. 그럴 필요가 없는 행동이었다. 나는 아이도 아니고, 어디가 불편해 부축이 필요한 상황도 아니었으니까. 하지만 서리가 내린 밤이었고, 장갑도 끼지 않았으므로 뿌리치지 않았다. 1, 2분 정도 흘러 자신이 무슨 짓을 했는지 깨달은 듯, 롭은 손을 풀었다. 케이트는 두 친구와 함께 파티에 더 남기로 했다. 두 사람 모두 남편과 아이로부터 하룻밤 자유를 원했다고, 가능한 오래 파티를 즐기고 싶다고 했단다. 롭과 나란히 걸으며, 그는 자신이 예약한 값싼 호텔이 후회스럽다며 몇 가지 이유를 들었다. 바닥에 깔린 카펫엔 얼룩이 잔뜩 묻어 있고, 욕실 구석에는 곰팡이가 잔뜩 끼어 있으며 방은 너무 추워서 숨을 쉴 때마다 입김이 나온다고. 대화가 어디로 흐르는지를 감지한 나는 롭에게 엄마의 유품을 보관해주어 고맙다고 전했다. 에드워드의 계략이 아니라는 걸 이제는 안다고, 그러므로 원한다면 우리 집 소파에서 하룻밤 묵고 가도 괜찮다고 말이다. 그는 그러겠다고 했다.

집에 도착해보니, 평소 새벽 1시쯤의 내가 아니었다. 훨씬 활력이 돌았다. 나는 이대로 밤을 끝내기 아쉬웠고, 롭도 그건 마찬가지였다.

"집에 마실 게 좀 있어요?" 그가 외투를 벗어 의자 팔걸이에 던지며 물었다. "아직 밤은 이르고 우리도 그런데. 음……."

나는 찬장 뒤편에서 브랜디 한 병을 찾아 그에게 따라주었다. 그가 이제 무엇을 하고 싶냐고 물었다.

"모르겠어요. 넷플릭스라도 볼까요? 아니면, 보드 게임 한판 어때요? '리스크'라는 무서운 게임을 하나 아는데."

"어릴 때 하던 낱말 맞추기 세트는 하나쯤 있을 거예요."

"그럼 어디 찾아서 먼지를 털어봅시다."

내 부탁에 따라 롭은 침대 밑으로 기어 들어갔다. 내 몸으로는 도저히 할 수 없는 행동이었다. 아마 침대 밑에 어릴 때 하던 게임 몇 개가 남아 있을 것이다. 그가 부엌 식탁에 게임을 준비하는 사이, 나는 그에게 후무스를 조금 바른 토스트를 만들어주었다. 음식을 준비하는 동안 롭은 내게 자신의 도전이 어디까지 진척되었는지 말해주었다. 앨리슨의 오랜 룸메이트 중 하나가 앨리슨이 결혼과 이혼을 했다고 알려주었다. 또 롭은 이제 앨리슨이 페이스북 계정에 등록한 성도 알아냈다고 했다. 친구 요청을 보내고 답장을 기다리는 중이라는 그에게 금방 답장이 왔으면 좋겠다고 대답해주었다.

우리는 두 판을 했다. 두 번 다 내가 이겼지만 솔직히 말해 롭도 실력이 대단했다. 이야기를 나눌 때만 해도 그의 어휘력이 그렇게 뛰어난지 알지 못했다.

"다음번엔 꼭 이길 겁니다." 그가 게임 판을 접고 알파벳 타일을 가방에 담으며 말했다. "당신이 유리해요. 술을 한 잔도 안 마셨으니까. 아기가 태어나고 당신이 술을 퍼먹을 수 있을 때 두고 봐요. 아, 미안해요. 방금 한 말은 좀 징그러웠네."

우리는 스크래블 게임을 접고 한때 아빠가 하던 싸구려 카드로 게임을 몇 판 더 했다. 롭이 결국은 최종 승리자였다. 사실 그렇게 마음이 쓰이지도 않았다. 이렇게 게임을 하는 게 얼마나 재미있는 일인지 정말 오랜만에 깨달았다.

슬슬 자리를 마무리하자고 이야기하며 시계를 보니 어느 덧 새벽 3시쯤이었다. 한 번도 이렇게 자발적으로 오래 깨어 있던 적이 없었다. 나는 롭에게 소파에 깔 시트와 담요, 그리고 내 베개를 하나 내어주었다. 그다음 침대 협탁에 놓아두었던 엄마의 유골상자를 소파 옆 탁자에 두었다. 롭은 이게 무엇인지 깨닫고는 약간 당황한 듯 고개를 저으며 낄낄거렸다.

"정말 당신답네."

그가 말했다. 나는 그게 무슨 뜻인지 전혀 모르겠다.

19.

지난 일주일 중 가장 편안한 잠이었다. 법적 분쟁이나 곧 태어날 아이를 향한 모성애에 대한 걱정으로 잠을 설치지도 않았다. 어쩌면 지난밤 늦게 잠자리에 들었거나 파티를 떠나기 직전 마신 샴페인 한 잔 때문일 수도 있다. 오전 11시가 막 지났을 무렵, 내 침실 문 너머로 나를 부르는 목소리에 잠이 깼다.

"혹시 일어났어요?"

"방금이요."

롭은 내 침대 가장자리에 걸터앉았다. 내 침실에 남자가 있는 모습이, 그리고 잠옷차림인 내 모습이 터놓고 말해 부적절한 느낌이 들었다. 하지만 롭은 불편하거나 위험한 사람처럼 느껴지지 않았다. 마치 사회적 매너를 채 익히지 못한 아이와 비슷해 보였다. 마흔세 살의 아이. 그럼에도 불구하고 나는 이불을 목까지 끌어당겼다.

"배가 너무 고파서요." 그가 말했다. "근데 수잔은 괜찮아 보이네요. 나가서 브런치 먹을까요? 배터시 쪽에 훌륭한 비건 아침식사를 하는 곳을 알아요."

새해 첫날이었다. 나는 달리 할 일도 없고 갈 곳도 없고 만날 사람도 없었다. 롭의 제안이 특별히 음흉하거나 이상하지도 않았다. 아니, 이상하다는 건 알지만 이 남자와 점점 친해지고 있다는 생각이 들었다. 그는 거친 면도 있었지만 의외로 함께 시간을 보내기 편했다. 그가 호텔에서 가방을 챙겨 돌아오는 사이 나는 외출 준비를 마쳤다. 그때 케이트가 진통제를 찾아 흐느적거리며 비틀비틀 내려왔다. 오늘 계획이 어떻게 되냐고 물어 배터시에 아침을 먹으러 나갈 예정이라도 대답했다.

"오, 나도 거기 좋더라. 따라가도 돼요?" 그녀가 물었다.

"음, 다음번에 같이 가요. 선약이라서."

"아?"

케이트는 눈썹을 삐쭉 치켜 올리며 바보처럼 씰룩 웃었다.

✦

카페는 붐볐고 우리는 카운터 옆을 맴돌며 자리가 나기를 기다렸다. 롭은 블러디 메리 칵테일을 주문하고 나는 똑같은 칵테일의 무알콜인 버진 메리를 주문했다. 카페는 전날 밤을 새며 파티를 즐긴 사람들이 아침을 먹으러 오는 분위기였다. 따뜻하고 푸근했으며 튀김과 갓 내린 커피 향이 고소했다. 배경음악으로 마일스 데이비스의 노래가 잔잔히 흘렀다. 점심시간이 되어서야 자리를 안내받았고 우리가 주문한 아침식사도 때마침 서빙되었다. 나는 요즘 들어 입맛이 돌기 시작해 계란프라이, 베이컨, 소시지 등이 포함된 전통적인 아침식사를 주문했고, 롭은 단백질이 포함된 비건 음식을 주문했다.

"옛날에 나 만났던 건 기억 못하는 거죠?"

롭이 작은 테이블에 팔꿈치를 기대며 물었다. 난 기억이 나지 않는다고 했다.

"우리가 처음 만난 게 에드하고 제가 대학교 1학년이었으니까 당신은 3학년이었겠네요. 그때 에드랑 있었는데 당신이 필이란 남자랑 파티에 왔었어요. 우리는 다 촌놈 같았는데 당신은 진짜 어른 같고 얼마나 세련됐던지. 보자마자 놀랐어요. 좀 인상적이라고 해야 할까. 솔직히 말하면 당신하고 이야기를 해보고 싶었는데 겁이 나더라고요. 나하고는 말도 안 섞을 것 같았거든요. 어쨌거나 나는 당신보다 두 살이나 어리고 당신은 그때 약혼도 했었으니까. 필이 당신을 억지로 데려온 느낌이 들었어요. 당신이 다른 지역으로 대학에 다니는 사이에 필과 에드가 곧잘 어울렸거든요."

맞다. 믿기 힘든 이야기다. 버밍엄 대학교에 다니며 고전 문학을 즐겨 읽고 사교성도 없던 나의 조용하고 학구적인 약혼자 필이 시립 대학의 예술을 전공하며 반항적이고 날라리 같은 파티를 즐기던 내 남동생과 친구가 되었다. 하굣길에 나타나 필을 괴롭히던 에드워드가 어느 덧 필을 친구라고 생각했다. 두 사람의 우정과 우리의 약혼 시기가 일치한 건 우연이 아니었다.

노팅엄에서 공부하는 동안 필과 나는 일주일에 한 번씩 편지를 썼다. 마지막 1년을 앞두고 보낸 첫 편지에서 필은, 에드워드가 자신에게 전화를 걸어 함께 술이나 한잔하자고 꼬드긴다, 라고 썼다. 어쩐지 불길한 느낌이 들었다. 나는 에드워드가 어떤 이유로 그를 초대했는지 아냐고 답장을 썼다. 그리고 조심하라고도 적었다. 필은 에드워드가 그저 미래의 매형과 친구가 되고 싶어 했다며 꽤나 좋아했다. 그리고 걱정할 게 하나도 없다고. 이어진 편지에는 줄곧 에드워드가 필을 초대해 술집이며 친구들 파티에 같이 갔다는 내용들이 포함되어 있었다. 필은 심지어 에드워드, 그리고 그의 친구들과 함께 북서부 호수 지방으로 여행을 간다고 했다. 시골 여관을 잡고 그 옆 계곡에서 야영을 하며 낮에는 하이킹을 하고 밤에는 술도 마실 예정이라고 했다. 에드워드와 소위 예술가 그룹은 평론가 존 러스킨의 발자취를 따라가며 자기들이 무슨 자연과 하나가 된 시적 방랑자라도 된 양 흉내를 내는 모양이었다. 당연히 여행은 즐거웠을 테다.

크리스마스 연휴에 나는 필과 그 무리들을 따라 에드워드의 친구가 여는 파티에 갔다. 지역의 후원자가 소유하고 미대 학생들에게 싼 값에 빌려주는 3층짜리 조지 왕조풍의 주택이었다. 필을 관찰한 결과, 그는 자의식으로 똘똘 뭉친 그 무리들을 꽤 우러러보는 모양이었다. 그들은 필을 이국적인 반려동물 정도로 취급했다. (그들의 세계에서는 조용하고 학구적인 필이 참신했겠지.) 파티는 전혀 즐겁지 않았다. 술과 대마초라는 어리석은 짓거리를 이해할 수 없었다. 게다가 필을 향해 내뱉는 그들의 모욕적인 언행 또한 견딜 수 없었다. 집으로 돌아오는 길에 우리는 말다툼을 했다. 며칠 후 필은 에드워드의 친구가 여는 새해 전야 파티에 가자고 했다.

당연히 나는 거절했다. 대신 우리는 엄마와 함께 텔레비전을 보며 저녁을 보냈다.

2학기에 접어들며 필의 편지는 여전히 친절하고 다정했지만 예전처럼 주기적이진 않았다. 심지어 편지를 아예 보내지 않는 일주일도 있었다. 편지에 에드워드와 함께 놀러 다닌다는 말은 없었지만 그건 아마도 내가 그걸 절대 허락하지 않으리라는 걸 알고 있었기 때문이지, 두 사람이 함께 어울리는 걸 멈춘 건 아니었을 것이다. 그다음 방학에, 필은 크리스마스에 파티를 연 친구가 또 파티를 주최했다고 했다. 드레스 코드는 부활절을 기념하는 화려한 코스튬이라고. 나는 썩 내키지 않았지만 그의 말을 한번 따라해보기로 결심했다. 필은 에드워드가 골라주었다는 부활절 닭 코스튬을 입겠다고 했다. 나는 같이 입자는 그의 제안을 거절했다. 알고 보니 내가 현명했다. 파티에 가보니 그런 우스꽝스러운 차림새는 필 한 사람뿐이었다. 에드워드가 친구들이랑 꾸민 놀림거리였으니까. 필은 파티에서 이따금 날개를 퍼덕이고 짹짹거리며 웃음거리가 되었다. 나는 그를 대신해 수치스러움을 느꼈다.

그해 여름 학기, 필의 불규칙적인 편지가 불규칙적인 낙서장으로 변했다. 그저 내가 잘 지내기를 바란다며 가끔은 나가서 햇빛도 받고 살라는 한두 줄 따위 전보 수준의 편지였다. 그가 보낸 편지 속 권태를 당연히 느꼈지만 그건 필이 기말고사를 준비하느라 바빠서 그런 거겠지, 하고 나를 다독였다. 우리는 여전히 약혼한 상태였고, 런던에서 일자리를 구하자마자 함께 이사를 할 예정이었다.

그해 7월, 나는 노팅엄에서 열린 졸업식에 필을 초대했다. 동생은 초대하지 않았다. 그러나 필은 미안하다면서 동생과 그 친구들과 함께 다시 한 번 호수 지방으로 여행을 간다고 했다. 숙소 옆 같은 야영지에 머물며 스트라이딩 에지에서 시작해 헬벨린 산으로 가는 길을 걷는다고 했다. 대학 시절을 마지막으로 기념하며 친구들과 보낼 여행이라고 했다. 런던으로 가고 나면 친구들을 만나기 힘들지 않겠냐고. 나는 그에게 화가 났지만 필은 꽤 단호했다. 혹시 에드워드가 뒤에서 그를 조종하는 건 아닐까 하는 의심도 들었지만 어쩔 수 없이 그를 보내주었다. 어쨌거나 그의 말도 옳았으니까. 버밍엄을 떠나면 그놈들과도 더 이상 만날 수 없을 테니까.

필의 엄마는 노팅엄의 내 연락처를 몰랐다. 그래서 졸업식 다음 날 집으로 돌아올 때까지 나는 아무것도 몰랐다. 아무도 그 일이 어떻게 일어났는지 설명하지 못했다.

건조하고 화창하며 바람 한 점 없는 날이었고 시야도 좋았다. 검시관은 사고사라고 했다. 경찰 조사를 통해 나온 증거와 에드워드의 친구들로부터 수집한 증언을 토대로 사고에 대한 조각이 짜맞춰졌다. 남동생과 약혼자를 포함해 총 여섯 명의 청년들이 아침 9시 숙취에 절어 야영지를 떠났다. 그들은 산등성이에서 사진을 찍고 경치를 스케치하며 가파른 구간에서 잠시 숨을 고르고 휴식을 취했다. 필을 제외한 모두에게 힘든 산행이었다. 건강을 돌보며 사는 애들이 아니었으니까.

해가 높이 떠오르자 그들은 재킷을 벗고 선글라스를 꼈다. 이들 중 어느 누구도 제대로 된 하이킹 장비를 갖추고 있지 않았다. 다들 등산복에 등산화, 배낭이 아니라 청바지에 운동화, 캔버스 에 코백 따위를 들고 올랐다. 날이 좋아 다행이었다. 필은 작은 봉우리에 먼저 다다라 몇 번이고 친구들에게 정상이 가까웠음을 알렸다. 그리고 나머지 무리가 필을 만나면 또 다른, 더 높은 산봉우리가 눈앞에 나타났다. 낮의 열기가 산을 덥히면서 계속해서 이어지는 필의 농담에 무리는 짜증이 났다. 벌써 대낮인데도 헬벨린 산은 아직도 중턱이었고, 결국 그들은 잠깐 쉬며 전날 여관에서 산점심을 먹기로 했다. (초콜릿 바와 눅눅한 치즈 양파맛 감자칩에 미지근한 코카콜라였다.)

점심을 먹고 필은 목에 카메라와 쌍안경을 다시 쓴 다음 주변을 어슬렁거렸다. 나머지 다섯 명의 남자들은 재킷과 가방으로 베개를 만들어 뜨거운 태양 아래 누웠다. 1시경, 완전히 휴식을 취한 그들이 다시 출발하기로 결심했다. 하지만 아무리 기다려도 필이 돌아오지 않았다. 필이 사진을 찍거나 풍경을 둘러보나 보다 했다. 그래서 몇 분을 더 기다렸다. 아무리 기다려도 필이 오질 않아, 무리는 그의 이름을 외쳤다. 일행 중 한 명인 이안이 돌출된 화강암 바위로 허둥지둥 내려가 밑을 내려다보았다. 그리고 수백미터 아래, 절벽 경사면에 누워 있는 필을 발견했다. 핸드폰도 없던 시절이라 당장 도움을 청할 수가 없었다. 공포에 떨던 무리는 뿔뿔이 흩어졌다. 에드워드와 이안은 필을 데리러 내려갔고, 나머지 세 명은 왔던 길을 되돌아가 산악 구조대에 알렸다. 무능한 동생과 그의 친구는 필에게 닿지도 못했다. 대신 길을 잃고 혼란에 빠졌다. 헬기 구조대가 일단 시신을 수습한 후 이 멍청한 두 놈을 찾으러 다시 산을 올랐다.

소식을 들은 엄마는 손수건으로 눈물을 닦으며 필과 필의 엄마에게 얼마나 비극이냐고 말하더니 에드워드가 받을 충격과 트라우마를 걱정했다. 그 후로 며칠간 나는 방 밖으로 나서질 못하다가 결국 스스로를 채찍질하고 의지를 불태워 밖으로 나왔다. 열심히 노력한 기말고사가 끝나 나에게도 휴식이 필요했다는 핑계를 되뇌면서.

장례식은 조촐했다. 휠체어를 타고 계신 필의 어머니와 10년 넘게 얼굴을 못 봤다던 필의 아버지, 대학교 사람들 그리고 산에 같이 갔던 일행들뿐이었다. 에드워드는 장례 예배가 시작되고 교회에 나타나 예배가 끝나자마자 사라졌다. 장례식 이후의 조촐한 연회는 필의 어머니가 사시던 집의 비좁은 거실에서 열렸다. 이안은 스트라이딩 에지에서 점심을 먹고 에드워드가 대마초를 말아 다 같이 나눠 피웠다고 인정했다. 필은 아마 피우지 않았을 것이다. 불쌍하고 순수하고, 순진했던 필. 물론 에드워드가 고의로 필을 죽였다고 말하는 건 아니다. 하지만 에드워드는 나를 골탕 먹이려고 일부러 필에게 접근했고, 필에게 익숙하지도, 걸맞지도 않은 생활을 소개해주었으며 그의 판단력에 악영향을 끼칠 약물까지 손대게 했다. 자, 내 남동생이 어떤 사람인지 이제 알 만하지 않은가?

장례식 직후 나는 짐을 싸서 런던으로 떠났다. 경찰 조사를 받으러 잠깐 돌아왔을 때, 에드워드가 가장 좋아하는 동네 술집을 뒤져 그 애를 찾아 다녔다. 당연히 우리는 말다툼을 벌였다. 그 애는 필이 죽게 된 상황 자체에 대한 책임을 인정하지 않았다. 동생은 나를 보며 편집증 환자이자 악마라고 했고, 내가 일부러 사람들의 관심을 피하려 한다고 했다. 나는 그 애에게, 필의 등은 네가 민 거라고 되받아쳤다. 에드워드는 필이 나와 결혼을 하지 않으려고 일부러 절벽에서 뛰어 내렸다고 응수했다. 얼마 후, 엄마는 나를 보며 불편한 기색을 숨기지 않았다.

"술집에서 무슨 일이 있었는지 들었다. 어떻게 동생에게 그렇게 상처 주는 말을 하니. 너도 알다시피 그 애는 네 아버지처럼 예민한 사람이다. 난 그 애가 엇나가는 걸 원치 않아. 그 애는 너처럼 강하지 않다."

내가 집으로 돌아오기 몇 달 전이었다.

✦

"아니요. 말했잖아요. 난 당신에 대한 기억이 없어요."

내가 포크로 계란프라이의 노른자를 찌르며 되풀이했다.

"뭐, 전 당신을 안 잊었어요. 몇 년 동안 에드는 당신이 어떻게 지내는지 이야기를 해줬는데도 우리가 다시 보게 될 줄은 몰랐어요. 그러고 보면 세상 일이 참 웃겨요."

"그러게요. 우연이긴 하지만 다시 만나게 되다니. 아니었으면 엄마 짐 보관료로 큰돈을 썼을 거예요."

"그렇게 볼 수도 있겠죠."

"참, 정말 엄마 가구로 집을 꾸밀 생각이에요?"

"예. 다 잘되고 있어요. 주방이랑 화장실은 새로 개조했고, 실내

장식은 진행 중입니다. 돌아가면 바닥 작업을 할 거예요. 에드워드가 머물 곳을 내어준 건 고맙지만, 내가 살 곳은 마련해야죠. 이사 나오고 나서 에드워드를 자주 못 봤어요. 요즘은 집 공사 때문에 바빠서요."

"다행이네요."

롭이 나이프와 포크를 내려놓고 칵테일을 한 모금 마셨다.

"참고로 에드는 아직도 우리가 친구인지 몰라요. 제 말은, 수잔이 어머님 집을 치울 때 제가 같이 있었다는 건 알고 있지만 그게 전부라고 알아요. 지난밤 파티에 에드워드와 연락을 하는 사람이 한두 명 정도 있었거든요. 다른 사람이 말해주기 전에 내가 먼저 말을 해야 할 것 같아요. 물론 화를 내겠지만 받아들이겠죠. 전 늘 두 사람 사이에선 중립입니다."

"에드워드는 아마 내가 복수를 하려고 일부러 당신과 친구가 되었다고 생각할 거예요."

나는 흐르는 노른자에 버섯을 찍으며 말했다.

"당신 생각도 그래요?"

"물론이죠."

그가 웃음을 터트렸다. 내 말이 진실인지 거짓인지 확신을 못 하는 눈치였다. 물론 나도 그건 마찬가지였다.

"있잖아요. 지난 몇 년 동안 에드는 어린 시절 이야기를 꽤 많이 했어요." 롭이 차가운 토스트를 한 입 크게 베어 물며 말했다. "아버님 술 문제에 대해서요. 솔직히 말해 두 사람 사이가 나빠진 건 아버님이 근본적인 이유가 아닐까 싶네요."

방심하면 이렇게 된다. 사람은 자신이 원하는 곳이면 어디든 침범할 수 있다고 생각한다. 내 영역이 이렇게 침략당하고 있다.

　"당신 의견은 물어본 적 없는데요."

　"내가 듣기론 수잔은 에드랑 완전히 다른 방식으로 아버님을 대했던 것 같던데요. 에드는 밖으로 돌고 당신은 스스로를 가두고. 에드가 그러더군요. 두 사람이 같은 편인데도 당신이 너무 차갑고 거리감을 둬서, 무슨 생각을 하고 있는지 전혀 알 수 없었다고 말입니다."

　"미안한데요, 롭. 당신하고는 이런 이야기는 하고 싶지 않아요. 우리 가족에 대해 아무것도 모르잖아요."

　"맞아요. 그저 에드워드가 나한테 말해준 것들을 바탕으로 행간을 읽어내며 파악한 것뿐이니까요. 하지만 그냥 두 사람의 차이점을 해결해주고 싶었어요. 두 사람이 같은 곳에서 시작했다는 걸 파악하면 도움이 될 수도 있잖아요. 에드도 그렇게 나쁜 놈은 아니에요."

　"하."

　"두 사람은 그냥 성격이 다른 겁니다. 에드는 생활을 잘 꾸려나가질 못해요. 어머님이 에드워드를 과보호하셨던 것 같더군요. 어쩌면 아버님 때문에요. 그렇다고 에드워드가 그 점을 자기에게 유리하게 사용하지 않았다는 게 아니라, 에드워드는 어머님이 모든 것을 다 해주시는 거에 익숙해져서 사람들이 자기를 도와줬으면 한다는 겁니다. 근데 수잔은 반대 같아요. 뭐든 혼자서 다 해내야 했던 사람 같아서요."

"롭, 그만해요. 난 이런 종류의 정신 분석을 좋아하지 않아요. 에드워드가 무슨 말을 했고 당신이 어떻게 추측했는지는 관심 없어요. 당신이 상관할 일이 아니라고."

아침식사를 다 마치지도 않았는데 벌써 속이 더부룩했다. 판단 착오였다. 나는 웨이터를 불러 계산서를 달라고 손짓했다.

"이제 뭘 할까요?"

내가 코트를 입고 목에 스카프를 두르며 가방을 챙기는 사이 롭이 물었다.

"당신 계획은 모르겠고, 난 집에 가서 에드워드를 상대로 낸 소송의 초안을 작성할 거예요. 여기 20파운드예요. 내 식사와 음료 값이면 충분할 거예요. 버밍엄까지 그럼 조심히 돌아가요."

나는 지폐를 꺼내 테이블 위에 올려두었다.

"젠장. 수잔, 또 이렇게 거만하게 굴 겁니까?" 내가 사람이 가득한 카페를 헤치며 나가자, 그가 나를 불러 세웠다. "계산할 때까지만 좀 기다려줘요."

나는 돌아보지 않았다.

5분 후, 택시를 잡기 위해 클래펌 방향으로 길을 따라 재빨리 걸음을 옮기며 가방을 뒤적거려 핸드폰을 찾고 있었다. 그때 롭의 차가 내 앞 연석에 부딪치듯 멈춰 섰다. 그와 나란히 서자 조수석 창문을 내린 그가 입을 열었다.

"저기요, 아가씨. 타고 갈래요?" 그가 외쳤다.

나는 그의 말을 무시하며 계속 걸었다. 그는 나보다 앞서 차를 몰고 다시 세우기를 반복했다. 두 번째로 그와 시선이 나란하자,

그는 조수석 쪽으로 몸을 수그렸다.

"제발요, 수잔. 이성적으로 생각해요. 좋아요. 내가 눈치가 좀 없었어요. 그래도 이렇게 토라질 필요는 없잖아요."

나는 발걸음을 멈추고 그를 빤히 바라보았다.

"나는 '토라진 게' 아니에요. 내가 토라졌다고 불릴 만큼의 행동을 보인 적도 없는 것 같고요. 나는 당신의 대화 방식이 용납할 수 없다는 걸 표현하고 있는 거예요."

"알았어요. 당신과 에드의 어린 시절에 대한 이야기는 앞으로 절대 안 할게요. 그렇다고 이런 식으로 화를 내면 어떡합니까."

"나는 '화를 낸 게' 아니라고요. 다시 한 번 말하지만 난 당신의,"

"아, 아. 알겠어요. 그럼 일단 차에 타요. 우리 시간을 낭비하지 말자고요, 예? 같이 좋은 시간 보내게 해줘요. 큐 가든 식물원에 같이 가요, 우리."

"내가 왜 당신과 거길 가요?"

"왜냐하면 당신도 알다시피, 거기엔 정말 인상적인 선인장 컬렉션이 있으니까요. 타요. 가고 싶잖아요."

그가 조수석 문을 확 열어젖혔다. 잠시 망설이다 슬그머니 차에 올라탔다.

롭의 제안을 부정할 수 없었다. 유혹 그 이상이었다. 정말로 보기 드문 선인장 표본들이 전시되어 있었다. 그리고 런던에 처음 왔을 때 이후로 큐 가든에 가본 적이 없었다.

롭과 나는 오후 대부분을 선인장과 다육이가 있는 웨일스 프린세스 온실에서 보냈다. 실내는 이국적인 향이 짙었고 바깥의 차가운 공기와 어우러진 온화한 공기도 반가웠다. 벗은 코트와 스카프를 팔에 걸고 오솔길을 걸어가는 사이 차갑게 굳었던 몸이 천천히 녹는 것 같았다. 롭은 온실 안에 10개의 구역 중, 주요 구역은 건조한 열대기후와 습윤한 열대기후라고 설명을 해주었다. 남은 8개의 구역에는 사막이나 사바나식물, 식충식물, 양치식물, 난초 등이 서식하는 계절에 따른 건조지대가 포함되어 있었다. 그는 마치 가이드북을 통째로 삼켰다가 하나씩 토해내는 사람 같았다. 상당히 인상적인 재주였다. 그를 칭찬하자, 나에게 큐 가든은 매번 런던에 올 때마다 들리는 장소라고 했다. 그에게 식물 재배는 종교와도 같다고. 나는 그의 열정에 감탄할 수밖에 없었다.

유리 온실 밖의 하늘이 어두워지고 인파가 빠져나가자, 마치 그곳에 롭과 나, 둘만 있는 기분이 들었다. 건조한 열대기후 구역에 가시가 박힌 커다란 골든 배럴 선인장 옆에 서 있자 문득 호기심이 일었다. 나는 그에게 이 모든 게 무엇 때문인지 묻지 않을 수 없었다. 버밍엄으로 돌아가 에드워드와 술이나 한잔하면 그만일 걸, 롭은 왜 계속 나와 시간을 보내고 싶어 할까? 아니면 그냥 런던에 사는 친구와 함께 큐 가든에 들러 좋아하는 식물을 구경하고 꽃 냄새를 맡고 싶었을 뿐일까? 그는 어깨를 으쓱거리기만 했다.

"글쎄요. 우리가 친구니까 그런 거 아닐까요? 항상 남자들하고만 놀면 지루해요. 정신적으로 교감을 할 수 있는 여자 친구가 있다는 건 참 좋죠. 게다가 선인장에 대해 수잔만큼 잘 아는 사람도 없고요. 알고 보니 선인장을 좋아하는 사람이 별로 없더라고요."

그는 소리 내어 웃었다. 롭은 참 잘 웃는 사람이다.

20.

1년 중 가장 우울한 달의 가장 우중충한 날이었고, 나는 출근을 하지 않았다. 트루디는 내가 이번 년도에 연차를 거의 쓰지 않았다며 주말을 끼고 며칠 쉬는 게 어떠하겠냐고 물었다. 임신도 했으니 컨디션에도 도움이 될 거라고. 나는 쉽사리 납득이 가지 않았다. 늘 지키는 루틴이 없으면 나는 마치 닻을 잃고 표류하는 고무보트 같은 느낌이 든다. 하지만 트루디의 말도 일리는 있었다. 엄마의 진료 기록이 전날 아침 엄청난 양으로 도착했고, 서류를 다 검토하고 해석을 하는 데에도 시간이 꽤 걸릴 것 같았기 때문이다.

케이트는 내려오자마자 아이들이 알렉스와 함께 있다며, 저녁에 브릭스톤으로 영화를 보러 가지 않겠냐고 물었다. 영화에 대한 취향이 서로 안 맞지 않을까 싶으면서도 정작 그것 때문에 망설이진 않았다. 아마 임신으로 분비된 호르몬이 내 비판 능력에 영향을 미쳤거나 아니면 마지막으로 다른 사람과 영화를 보러 간 게 언제였는지 기억조차 못 했기 때문일 것이다. 나는 가겠다고 했다. 케이트가 집으로 돌아간 후, 나는 핸드폰 메시지를 확인하고 브링크위스가 보낸 이메일을 확인했다. 차를 우린 다음 식탁에 앉아 천천히 이메일을 읽어보았다.

귀하의 소장을 받았고 오늘 아침 법원에 인정 확인서를 제출했습니다. 그리고 현재 본 변호사는 소송에 대한 변론과 반대 주장을 위한 이의제기를 준비 중입니다.

동생 에드워드 그린 씨는 어제 변호사 사무실에 다녀가셨습니다. 저는 그분에게 변호인을 고용하라고 조언 드렸습니다. 유산 집행인으로서 저는 두 남매가 현재 분쟁 중인 사안에 이해 상충을 막고자 노력하고 있습니다. 지난 미팅에서 에드워드 그린 씨는 수잔 씨가 어머님의 유골과 보석함을 도난한 바 경찰에 신고를 하였다고 전했습니다. 경찰은 현 단계의 가족 분쟁에 얽히지 않겠다는 뜻을 밝히며 본 변호인이 문제를 제기하라는 조언을 전했습니다. 본 문제를 해결하기 위하여, 저는 법원 사건의 원활한 해결을 위해 중립적인 제3자의 중재 하에 도난 사건의 해결을 제안드립니다.

또한 이제 소송이 시작되었으므로 법적 비용 역시 증가할 것임을 알립니다. 어머님의 유산이 고갈되는 것을 막기 위하여, 저는 중재를 통해 이 문제를 해결하실 것을 촉구합니다. 부디 합의에 동의 의사를 부탁드립니다. 동생 에드워드 그린 씨의 대리인에게도 같은 내용을 전달하겠습니다.

브링크위스 변호사, 이게 공식적인 중재라고 과연 말할 수 있을까? 만약 그가 소송에 이길 자신이 있다면 이런 제안은 하지 않았을 것이다. 하지만 협상의 여지가 있는 부분이 과연 어디 있단 말인가? 유언장은 물 샐 틈이 없이 완벽하게 작성되었고, 따라서 에드워드가 집에 거주하거나 아니면 그 집이 팔리는 수밖에 달리 도리가 없다. 어쩌면 브링크워스는 소송이 시작되었으므로 정해진 날짜까지 집을 비울 수 있도록 동생을 설득할 수 있을 거라 생각했을지 모른다. 설령 그렇다고 해도, 물론 나는 말도 안 된다고 생각하지만, 나는 절대 에드워드를 법정에서 마주치는 즐거움을 포기할 생각이 없다. 보석함과 유골을 제3자에게 넘기면 내가 얻는 것이 무엇인지는 알 수 없었다. 게다가 엄마의 유골함은 내게 의미가 있었다. 나는 군이 회신을 하지 않기로 결정했다.

그때 핸드폰이 울렸다. 롭에게서 온 문자였다.

"휴가는 잘 보내고 있을까 궁금해서요."

새해 이후로 그는 이상한 시간대에, 거의 한밤중에, 문자를 보내거나 전화를 걸어왔다. 심지어 내가 먼저 그에게 연락을 할 때도 있었다. 임신이 막바지에 다다르면서 지난 몇 주 요통과 속 쓰림, 다리 경련, 잦은 요의로 잠을 잘 못 자는 날이 이어졌다. 그러나 롭은 올빼미형 인간이었다. 우리가 새벽마다 서로에게 연락해 지루함을 달래는 게 이상할 일은 아니었다. 우리의 대화는 한 주제에서 다른 주제로 흘러가곤 했다. 애초에 무슨 말을 하려고 했는지 기억이 안 날 정도였다. 솔직히 털어놓자면, 롭과 이야기를 나누는 게 재미있었고 기대가 되기도 했다. 그가 전화를 걸지 않는 밤이면 무언가 잊은 듯한 기분이 들었다. 이상한 일이다. 나도 잘 알고 있다.

롭의 문자에 답장을 보내면서 나는 허리 아래쪽에 둔탁한 통증을 느꼈다. 하지만 해야 할 일이 있었고 나 말고는 누구도 해결할 수 있는 일이 아니었으므로 나는 메시지를 보내고 장바구니를 양손 가득 챙긴 다음 목록을 챙겨 시내로 나갔다. 아파트로 돌아오자 조금 더 묵직한 느낌이 들었지만 심각할 건 없었다. 약간의 두통과 복부의 압박감 정도. 나는 장 본 물건을 정리하고 조금 쉬어야겠다고 생각했다. 침대에 누워 책을 조금 읽자고. 근데 옷을 갈아입으려고 보니 속옷에 갈색 얼룩이 묻어 있었다. 생리 혈과는 조금 달랐다. 나는 급히 화장실로 달려갔다. 더 많은 양의 피가 묻어 나왔다. 갓 흘린 피처럼 붉었다. 처음엔 진통이 오는 줄 알았다. 하지만 그러기엔 주 수가 너무 빨랐고, 이렇게 진통이 시작할 리가 없었다. 나는 산모수첩을 찾아 병원으로 전화를 걸었다. 사무적인 말투의 간호사는 내가 임신 몇 주째인지, 겪고 있는 증상은 무엇인지를 물었다. 대답하는 내 목소리가 숨 가쁘게 들렸다.

"일단 검진을 받아보시는 게 좋을 것 같아요." 간호사는 말했다. "걱정하실 건 없고요. 상태가 괜찮은지만 확인하시면 되거든요. 혹시 병원까지 같이 오실 보호자가 있으세요?"

"아니요. 아, 잠깐만요. 네. 있어요."

이게 다 무슨 일일까? 다 괜찮을 거라 믿었던 내가 너무도 바보 같고, 바보 같고, 또 바보 같았다. 임신했다는 걸 알게 된 날부터 나는 내 상태를 알면서도 너무 안일하게 평소처럼 살았다. 40주에 걸쳐 아이를 품고 출산을 하기까지 과정이 평범할 리가 없는데. 이제야 내가 얼마나 순진했는지를 깨닫자 믿을 수가 없었다. 나는 마흔다섯이다. 이미 노산이었다. 잘못될 일이 너무도 많았다. 아기, 임신. 그리고 어쩌면 나까지도.

이건 내 잘못이 분명해, 라고 생각했다. 혹시 아침에 너무 무리를 했을까? 쇼핑카트를 가득 채웠고 바퀴 하나가 꽉 끼어 제대로 움직이질 않아서 있는 힘껏 밀고 다녔다. 집으로 오는 길엔 짐이 너무 무거워서 몇 번이나 멈춰 서서 쉬어야 했다. 왜 인터넷으로 식료품을 주문하지 않았을까. 아니면 뭔가 안전하지 않은 음식을 먹은 걸까. 어디선가 파인애플이 이른 진통을 불러올 수 있다는 기사를 읽은 것 같은데, 혹시 어제 먹은 과일 샐러드가 문제였을까. 아니면 혹시 유통기한이 지난 음식을 먹었을까. 식중독은 임산부에게 위험할 수도 있는데. 아니면 바이러스 감염일지도 모른다. 최근 직장 동료 몇이 심하게 앓지 않았던가. 나는 생각을 정리하려고 애를 썼지만 쉽지 않았다. 나는 비틀거리며 위층 계단을 올라 케이트의 현관문을 두드렸다. 알렉스에게 아이들을 데려다주고 돌아왔으니 천만다행이었다.

"무슨 일이에요? 집에 불이라도 났어요?"

"피가 비쳐요. 병원에 가야 해요. 유산을 하려나 봐요."

그렇게 내 머릿속으로만 되뇌던 말이 마구 튀어나왔다.

"잠깐만, 차 키만 가져올게요."

병원으로 가는 길에 나는 머릿속 걱정을 케이트에게 속사포처럼 쏟아냈다. 혹시 아기에게 무슨 일이 생기면 어떡해야 하나? 혹시 아기를 잃고 나 혼자, 더 이상 임산부가 아닌 상태로 병원을 나오면 어떡할까? 이 모든 게 다 아무것도 아닌 일이 되는 걸까? 반대로 만약에 지금 당장 아기가 태어나면 어떡하지? 나는 준비가 아직 안 됐는데. 현실적으로 아무것도 준비하질 못했는데. 아기 옷도, 가구도, 물건도 준비를 안 했는데. 신생아는 어떻게 키워야 하는지 육아 책도 읽지 않았는데. 정말 다음 달부터 이 모든 걸 준비하려고 했는데.

케이트가 날 안심시켰다.

"만약 진통이라면 나쁜 일은 일어날 리가 없어요. 벌써 30주가 넘었잖아요. 그럼 아기는 당분간 병원에 있어야 해요. 혹시 분만을 할까 봐 신생아한테 필요한 건 내가 다 챙겼어요. 다락방에 보관을 했었거든요. 그래도 가진통일지도 몰라요. 그러니까 진정해요."

◆

"일단 아기 심장 박동부터 들어볼게요."

작은 진료실의 침대에 눕자 아프리카계 카리브해인인 기사가 들어와 말했다. 심장이 쿵쿵거렸다. 그녀는 얼음처럼 차가운 초음파 기계를 내 배에 문지르며 위로, 아래로, 왼쪽으로, 오른쪽으로 움직였다.

"아, 여기 있네요. 들어보시겠어요?"

나는 고개를 끄덕였다. 장치의 볼륨을 높이자 깊고 규칙적인 심장소리가 들렸다. 정말이지 사랑스러운 소리였다.

"괜찮으시면 빠르게 내진 한번 해볼게요. 속옷 벗으시고 커버는 무릎까지만 덮어주세요."

그녀가 말했다. 이웃이 앉아 있는 자리에서 아랫도리를 다 내리고 다리를 활짝 벌릴 거라곤 상상도 못 했다. 케이트에게 잠깐 자리를 비켜달라고 할 수도 있었는데, 솔직히 거기까진 신경을 쓰지도 못했다. 임신은 여자를 이렇게 만든다.

"진통 징후는 보이지 않네요." 검진이 끝나자 간호사가 장갑을 벗으며 말했다. "하지만 당분간은 산모님하고 아기를 좀 지켜볼게요."

태아 심박수 모니터에서 나온 선이 침대 옆에 있는 기계에 연결되어 있었다. 고요하게 쿵쿵 뛰는 아기의 심장소리를 들으며 나는 배에 손을 얹고 작은 움직임이 불쑥 나타났다가 사라지는 걸 느꼈다. 아기의 주먹이나 발 같았다. 제발, 제발 아기만 무사하게 해주세요, 하고 빌었다.

케이트는 카페를 찾아 나섰다가 곧 플라스틱 뚜껑이 달린 테이크아웃 컵 두 개를 들고 나타났다. 나는 사실 일회용 컵에 담긴 음료를 썩 좋아하는 편은 아니다. 하지만 그런 나만의 기준이 우선순위에서 밀려나고 있었다. 나는 침대에서 몸을 일으켜 케이트가 내민 컵을 받아들었다.

"계속 물어보려고 했는데요, 누구랑 같이 분만실에 들어갈 건지 결정했어요?"

케이트가 뚜껑을 열고 뜨거운 커피의 김을 식히며 물었다.

"필요 없을 것 같아요."

"말도 안 돼. 거기 혼자 들어가고 싶은 사람이 어디 있어요. 난 벌써 둘이나 낳아서 요령을 알잖아요. 내가 같이 들어갈게요."

두 아이를 낳으면서 겪은 생생하고 소름끼치는 묘사가 마치 영화처럼 눈앞에 펼쳐졌다. 한 참전용사가 특히 어렵게 이긴 전투에서 자신의 무용담을 늘어놓는 기분이었다. 은유적이든 아니든, 내 손을 잡아줄 사람이 없어도 진통과 출산 정도는 견뎌낼 수 있는 사람이라는 걸 알고 있었다. 하지만 케이트가 함께 있을 거란 생각을 하면 이상하게 안심이 되었다.

"알았어요. 당신의 경험담이 정말 인상적이네요. 당신이 들어와요."

내가 말했다. 그때 조산사가 지쳐 보이는 의사를 데리고 돌아왔다. 의사는 차트와 검사 결과를 확인한 후 내게 간단한 질문을 했다.

"좋아요. 아기는 괜찮아 보이네요. 출혈 원인이 명확하진 않은데 산모님 나이가 좀 있으셔서 위험 가능성을 아예 배재하긴 힘들어요. 일단 하루 입원하시고 밤새 저희가 상황을 좀 지켜볼게요."

인정하고 싶진 않지만 의사가 돌아가고 나는 눈물을 흘렸다. 정말 제대로 된 울음이었다. 눈물이 내 뺨을 흐르고 빳빳하게 풀 먹인 하얀 베개 커버를 적셨다. 케이트는 몸을 숙여 나를 껴안았다. 나는 케이트의 긴 머리카락에 얼굴을 묻었다. 그녀에게선 따뜻한 우유 냄새와 깨끗한 빨래 냄새가 났다. 마지막으로 언제 울었는지 기억나지 않았다. 사실 돌이켜보면 어린 시절에 울었던 기억도 전혀 없다. 울고 싶은 적도 없고 작정하고 운 적도 없는 나에게 이런 영향을 미친다는 게 믿어지지 않았다.

나는 한 번도 엄마가 되고 싶었던 적이 없었다. 아니 그 이상으로, 아이를 낳는다는 생각만으로도 온몸이 움츠러들었다. 아마 1년 전의 나에게 앞으로 12개월 안에 임신을 해 곧 아기가 태어날 거라고 말한다면 나는 무서워 벌벌 떨었을 것 같다. 그런 일이 일어나지 않도록 최선을 다했겠지. 그런데 지금 내 기분은 어떤가? 마치 나의 온 세상이 바뀐 기분이다.

만약 내 건강상의 문제였다면 나는 아마 쓸데없이 불필요한 언쟁을 벌이며 어떻게든 퇴원을 했을 것이다. 하지만 퇴원에 대한 나의 욕구는 다른 고려사항들과 함께 균형을 맞춰야 하고, 지금은 내 욕심보다는 아기가 먼저다. 입원은 마땅히 해야 할 일이었다. 나는 케이트에게 내 현관 열쇠와 잠옷, 세면도구, 책 같은 필요한 물건들을 적어주었다. 과연 케이트가 없었더라면 이 난관을 어떻게 극복했을까.

내가 입원한 병실은 6인실의 작은 공간이었다. 내 왼쪽 침대에 누워 있는 젠은 30대 후반의 교사로 재치 있고 말도 많았다. 그녀는 자신의 이야기를 늘어놓으며 내 상황을 잊게 도와주었다. 나처럼 그녀도 아이를 가지려는 계획이 없었다고 했다. 몇 달 전 피임용 기구를 삽입했는데 임신을 한 상태였다. 생리도 계속되었다. 하도 속이 더부룩해서 병원에 가니 임신 여부를 검사했다고. 그리고 결과는 벌써 임신 6개월이었다. 피임기구를 제거할 수도 없고 유산의 위험도 심각했기 때문에 그녀는 출산을 할 때까지 입원을 해야만 한다고 했다. 임신 사실을 알게 된 지 일주일도 안 됐다는데, 그녀는 놀라울 정도로 평온했다.

젠은 병실의 다른 여자들도 소개해주었다. 내 오른쪽 침대는 열다섯 살짜리 여자애였다. 약간 몸집도 있고 창백하고 퉁퉁 부은 애였다. 얼마 전 임신중독증 진단을 받았다고 했다. 의사는 제왕절개로 쌍둥이를 꺼내자고 했다. 그녀의 왜소하고 주름 가득한 할머니는 담배를 피우러 갈 때 말고는 늘 침대 맡을 지켰다. 두 사람 다 행복하고는 거리가 멀어 보였다. 병실 반대편 침대를 차지한 세 명의 임산부 중 둘은 이미 임신 말기의 합병증을 앓고 있었고 계속해서 세심한 관찰이 필요한 상태라고 했다. 세 사람은 입원을 한 지 꽤 시간이 지나 그런지 서로 친해 보였다. 가장 슬픈 케이스가 마지막 여자였다. 아기의 심장 박동이 멈췄다고 했다. 사산이 확실해서 유도분만을 통해 출산을 하기로 되어 있었다. 그녀는 예비 엄마들과 대화를 하고 싶지 않다는 듯 내내 침대의 커튼을 쳐두었다.

당연히 젠은 내 상황을 물어왔다. 병실에 약간 자매 같은 분위기가 형성되어 있었다. 다양한 유형의 여성들이 다양한 역경을 겪고 있지만, 결국 하나의 이유로 무리를 만든 셈이다. 굳이 내 이야기를 숨길 필요가 없어 보였다. 나는 그녀에게 모든 이야기를 해주었다. 젠은 나를 두고 '터프한 엄마'라고 했다. 참 이상한 표현이다.

"나한테 너나 잘 살라고 해도 괜찮아요. 근데 솔직히 왜 아이가 태어나면 리처드가 아빠 노릇을 안 했으면 좋겠다고 생각한 거예요? 애 아빠가 있으면 휴식도 얻을 수 있고 양육비도 받을 수 있는데? 대부분의 미혼모들은 오히려 양육비를 받으려고 애 아빠를 쫓아다니는데."

"다른 사람한테 의지하고 싶지 않아서 그랬어요." 내가 설명했다. "내 운명을 내 손으로 쥔다면 그 누구도 나를 실망시킬 수 없으니까요."

"그래요. 하지만 우리 모두 곧 엄마가 될 텐데, 감정의 롤러코스터를 탈 차례라고요. 다신 우리 삶을 완전히 통제할 수 없을 거예요. 그러니까 때로는 무언가를 얻기 위해 무언가는 포기를 해야죠."

케이트는 내가 말한 물건을 모두 챙겨 면회시간에 돌아왔다. 마침내, 병동으로 옮겨지며 입었던 끔찍한 병원 가운을 벗을 수 있었다. 젠은 케이트와 나에게 약간 어리둥절해 보이는 남편을 소개했다. 계획하지 않았던 부성애를 받아들이는 게 자기 아내만큼이나 어리벙벙한 느낌이었다. 사실 이 세 사람과 함께 나는 썩 괜찮은 시간을 보냈다.

방문객이 사라지고, 주변 환자들은 책을 읽거나 헤드폰을 쓰고 노래를 듣거나 잠을 잤다. 그러자 오늘 들었던 불길한 생각이 다시 두둥실 떠올랐다. 혹시 내 몸이 감당을 못했다면? 만약 내가 아기를 갖기에 너무 늦었다면? 아직 몇 주 남긴 했지만 차라리 지금 출산을 하는 게 나을지 모른다. 인큐베이터가 나보다 더 아이를 잘 보호할 것 같았다. 병실의 불이 꺼지기 전 회진을 온 간호사에게 나는 조심스레 내 생각을 물어보았다.

"그런 생각은 하지 마세요. 신호가 다 좋아요. 어떻게 회복해야 할지는 환자분 몸이 제일 잘 알아요."

다음 날 아침 잠에서 깨자 기분이 훨씬 좋았다. 아기는 밤새 꿈틀거렸고, 짜증보다는 안도감이 들었다. 화장실에 가서 보니 밤새 깔아놨던 패드에 얼룩 한 점이 없었다. 하혈이 멈춘 것이다. 어쩌면 다 괜찮아질 수도 있겠다. 반면 젠은 복부에 통증을 느끼며 깨어났다. 진통제를 먹은 그녀의 주변으로 휴식을 취할 수 있게 커튼이 쳐져 있었다. 내 동반자가 없어진 하루가 느리게만 흘러갔다. 사산을 한 산모는 유도분만을 위해 일찍 병실을 나갔다. 간호사가 그녀의 소지품을 가방에 넣고 침대 시트도 곧 교체되었다. 점심시간 직전엔 임신중독증에 시달리던 여자애가 제왕절개를 위해 휠체어를 타고 실려 나갔다. 수술 후, 아마 그녀는 쌍둥이 아기와 함께 산후 병동으로 가게 될 것이다. 앞으로 한 시간 안에 열다섯 살짜리 애가 엄마가 될 거라고 생각하니 기분이 이상했다. 나는 그 애의 앞날에 행운이 가득하기만 빌었다.

상태가 어떨지 몰라 병원에서 하룻밤을 더 보내야 하나 싶던 차에, 침대 끄트머리로 자문 의사가 나타났다. 그는 키가 크고 말랐으며 꽤 권위적인 태도를 보였다. 내 차트와 검진 결과를 천천히 살펴본 그가 간호사에게 뭐라 중얼거리더니 마침내 내게 시선을 돌렸다.

"좋습니다. 그린 씨. 이제 퇴원하죠."

"안전할까요? 아기에게요."

"그럼요. 작은 혈관이 파혈되면서 출혈이 있었는데 제가 보기엔 문제는 없습니다. 아기도 잘 놀고 산모도 건강하고. 퇴원을 안 할 이유가 없네요. 집에 돌아가셔서 휴식을 취하시고 남은 기간 잘 준비하세요."

그가 옆 침대로 옮겨가고 나서, 나는 다시 한 번 눈물이 솟았다. 침대 시트 가장자리로 눈물을 찍어 닦았다.

내가 옷을 다 갈아입었을 때 케이트가 나타났다. 케이트는 짐 싸는 것을 도와주었다. 기운이 좀 난 젠은 내가 집에 간다는 사실에 부럽다고 했다. 아마 젠은 앞으로도 몇 주 더 병원에 있어야 할 것이다. 그녀는 내게 집이 정확히 어디냐고 물었다. 알고 보니 그녀는 나와 불과 몇 블록 떨어진 곳에 살고 있었다.

"둘 다 애를 낳으면 같이 산책도 해요."

그녀가 종잇조각에 전화번호를 적으며 말했다. 나는 젠이 좋았다. 몇 달 전이었다면 끔찍하다 생각했겠지만, 지금은 새로운 사람을 만나는 것이 나쁘지 않았다.

"아, 그런데 이걸 안 물어봤네. 애기 성별이 뭐예요?"

내가 막 떠나려던 찰나에 젠이 나를 붙잡으며 물었다.

나는 약간 망설였지만, 뭐 어떤가.

"딸이에요." 내가 말했다.

"딸을 낳을 거예요."

21.

롭이 한껏 흥분한 상태로 자정 넘어 전화를 걸어왔다. 그는 너무도 기쁘고 행복한 목소리로 앨리슨이 페이스북 친구요청을 받아주었다며 메시지를 주고받았다고 했다. 앨리슨이 최근에 이혼을 한 것도 맞고, 다 큰 자녀가 셋이나 있다며 셋 다 대학이나 직장에 다녀 독립했다고 했다. 호텔 경영에 대한 커리어도 날로 발전하고 있었다. 롭은 그녀와 통화를 했는데 마치 지난 몇 년간 한 번도 사이가 틀어지지 않았던 사람들처럼 너무 편안했다고 했다. 제임스는 당연히 아빠에 대해 여러 번 물었고, 앨리슨은 어쩌면 이제 아빠와 아들의 관계를 회복해야 할 때가 아닌가 싶다고 했다. 그래서 앨리슨은 일단 제임스에게는 말을 하지 않고 롭을 에든버러로 초대했다고. 일단 만나보고 상황에 따라 어떻게 대처할지 결정하기로 했다고 했다. 롭은 너무 황홀해했다. 이번 주말 스코틀랜드로 여행을 갈 예정이라고 말했다.

그리고 며칠이 지났지만 지금껏 롭에게선 아무런 연락도 없었다.

충분히 이해할 수 있었다. 앨리슨은 그의 첫사랑이자 유일한 사랑이었다. 아마 그녀와 다시 만나기 위해 필사적으로 노력 중일 것이다. 지금 그의 우선순위는 다른 곳에 있다. 당연히 롭을 위해서라면 나도 기쁘고 그의 가족이 행복했으면 좋겠다. 비록 나는 매일, 매일 밤 주고받던 전화와 문자에 익숙해졌지만 사실 롭이 내 가구를 보관해준다는 거 외엔 그 이상도 그 이하도 아닌 사이였다. 새롭게 불붙은 그의 관계로 인해 굳이 우리 사이까지 변해야 할 이유는 없다. 내 생각엔 그가 에든버러로 이주하겠다는 결정만 하지 않는다면 내가 준비할 건 없다. 아니라면 약간의 불편함이 따르겠지. 나는 후회나 실망의 감정을 느껴야 할 이유가 없다.

다른 일이 있어 나도 정신이 없었다. 하이 홀본에 있는 정신없는 술집에서 리처드와 만난 것이다. 장소는 절충해 골랐다. 나는 비즈니스 미팅과 같은 만남을 원했다. 그래서 예전에 우리가 자주 가던 레스토랑 중 하나로 예약을 하겠다는 리처드를 말렸다. 적어도 계획대로라면 잠깐 들러 그와 이야기를 나누며 음료수를 한 잔 나누고, 정리가 필요한 것들은 깔끔하게 정리한 후 집으로 돌아와 저녁을 먹을 수 있을 것이다.

펍엔 내가 먼저 도착했다. 내가 들어서자 인파는 홍해 갈라지듯 양 옆으로 흩어졌다. 이젠 내게도 퍽 익숙한 모습이었다. 나는 이제 더 이상 꽉 찬 지하철에 위태롭게 서 있거나 우체국에 줄을 서거나 샌드위치를 사려고 내 차례를 기다릴 필요가 없었다. 나는 나를 위한 라임 음료수와 리처드를 위한 진토닉을 주문한 다음 끊임없이 열리고 닫히는 문 옆 구석 테이블에 앉았다. 자리에 앉은 다음, 금요일 저녁 퇴근 후 뛰쳐나와 인산인해를 이루며 술을 들이 켜고 담배를 피우는 젊은이들을 하염없이 바라보았다.

만나기로 한 약속은 며칠 전, 리처드와 내가 옥스포드 스트리트의 막스 앤 스펜서에서 우연히 마주치며 잡혔다. 매장은 신년 세일로 북적였지만 속옷 매장은 비교적 조용했다. 예상치 못한 비율로 불어나는 몸매에 추가적으로 속옷을 사야 했다. 어떤 제품이덜 불편할지 결정하려고 이리저리 물건을 저울질하다가 우연히잠옷 코너를 돌아보았다. 그리고 옆모습이 리처드와 꼭 닮은 남자를 발견했다. 불가능할 정도로 균형 잡힌 이목구비에 깔끔하고 정확하게 자른 머리, 군인처럼 꼿꼿한 자세와 흠잡을 데 없는 옷차림까지. 그는 왜소하고 몸이 살짝 구부정한, 털실 모자를 쓴 할머니와 함께였다. 노부인은 분홍색 꽃무늬 나이트가운을 들고 이리저리 대보았다. 리처드처럼 생긴 남자는 고개를 끄덕이며 찬성을표현했다. 런던에 도플갱어가 있다니 참 이상한 일이다. 물론 지구 어딘가에 우리 모두의 도플갱어가 돌아다니고 있다고는 하지만. 나는 과연 내 도플갱어를 만나고 싶을까. 솔직히 나는 그냥 나하나만 존재했으면 좋겠다.

리처드처럼 생긴 남자는 노부인이 잠옷 코너를 벗어나자 그녀의 뒤를 따랐다. 그가 몸을 움직이다가 나를 발견했다. 다른 사람이 아닌 리처드였다. 우리 둘 다 슬그머니 시선을 돌렸다. 임산부용 브래지어 두 개를 들고 그와 대화를 하고 싶진 않았기 때문이다. 아마 리처드도 그런 상황을 목격한 게 불편했던 모양이다. 사려고 했던 물건을 겨드랑이에 끼고 나는 일부러 매장을 빙 둘러계산대로 향했다. 그러나 리처드의 생각도 나와 똑같았던 것 같았다. 우리는 다른 방향에서 나타나 동시에 계산대에 도착했다.

"수잔, 어떻게 이렇게 만나지?" 그는 놀랍다는 거짓말을 능숙하게 했다. "우리는 늘 사전에 미리 연락을 해야만 만날 수 있는 줄 알았더니."

"네 친구를 소개해주지 않을 테야?"

노부인이 강한 북동부 억양으로 물었다. 뉴캐슬? 선덜랜드? 솔직히 나는 두 지역의 억양 차이를 전혀 구별하지 못한다.

"엄마. 여기는 수잔이에요. 수잔, 여기는 우리 엄마, 아니 어머니, 노마."

"아이고, 아가씨를 언제 한번 만나볼까 기다리고 있었다우. 리치를 아무리 꼬드겨도 두 사람 사이가 정리될 때까지는 절대 만날 수가 없다는 거야. 오늘 나를 만나서 일이 꼬일 테지만, 뭐 어쩌겠어요. 두 사람 사이에 무슨 일이 있든 그건 내가 상관할 바가 아니지."

"만나 뵙게 돼서 반갑습니다."

나는 두 손을 꼭 쥐고 있는 부인에게 악수를 청했다.

"아이고, 수잔! 정말 그림 같네. 배부른 걸 보니 딸이네요."

"정답이에요."

리처드가 씩 웃었다.

"세상에. 난 절대 못 맞추겠군."

"가족들한테는 내가 말할 때까지 기다려야 한다." 부인이 말했다. "좋아 죽으려고 할 거야." 부인이 내가 애써 감추려고 애를 쓰던 속옷을 뺏어 분홍색 꽃무늬 나이트가운을 들고 있던 리처드의 손에 쥐어주었다.

"가서 계산 좀 하고 오렴. 나는 수잔이랑 좀 걸어야겠다. 카디스 매장 앞에서 만나자꾸나."

그런 다음 부인은 내 팔짱을 끼며 자리를 옮겼다. 나는 서두를 이유도 없었고 곧 내 아기의 할머니가 될 부인과 몇 분간 이야기를 나누고 싶었다. 엄마 생각도 조금 났다. 호기심이 일었고, 더 많은 걸 배우고 싶었다.

"그럼 리처드하고 가까이 사시는 건가요?" 내가 물었다.

"나? 아니요. 아니. 나는 게이츠헤드에 살아요. 쟤 누이랑. 가끔 만나는 건 좋지만 나는 여기선 못 살아요, 아가씨."

"저는 리처드가 서섹스에서 나고 자란 줄 알았어요."

노마가 껄껄거리며 웃었다.

"아니, 그 애는 열여덟이 될 때까지 게이츠헤드를 떠난 적이 없어요. 대학 시험을 잘 봐서 케임브리지 대학교에 합격했어요. 우리 모두 어찌나 자랑스럽던지. 그리고 졸업을 하더니 홀라당 남쪽으로 내려가 버리더라고. 근데 왜 그런지는 알겠어. 우리가 사는 곳엔 그 애가 다닐 만한 직장이 없어요."

"리처드는 북부 억양을 아예 안 쓰네요."

"맞아요. 대학 다닐 때부터 말버릇이 고상해지더니 지금은 아주 교양이 넘쳐. 나는 가끔 내 아들 말투에 당황스러울 때도 있는데 이렇게 놀러오라고 초대를 해주니 불평을 할 수가 없지."

확실히 리처드에게서 못 보던 모습을 볼 수 있었다. 자수성가한 사람이라고는 전혀 짐작도 못 했지만 어쩌면 우리 모두 크든 적든 어느 정도는 혼자 성공을 해내야 하니까. 그 사이 노마와 나는 니트 코너에 다다랐고, 노마는 오트밀 색감의 카디건을 뒤적였다. 노마가 내게 사이즈를 찾아 달라고 부탁해서 나는 당연히 그렇게 했다. 그녀가 내게 돌아서며 말했다.

"알다시피 나는 늙은 멍충이가 아니에요. 내가 처녀였을 때랑은 세상이 완전히 달라졌지. 리처드의 청혼을 거절하고 그냥 둘이 애만 낳는다고 아가씨를 비난할 마음은 없어요. 그럼 재앙이 시작될 수도 있으니까. 나도 저 애가 약간, 뭐라고 해야 할까, 세상과 동떨어진 사람처럼 군다고 해야 할까? 어릴 때부터 늘 그랬어요. 그래도 마음은 바른 아이이고, 자기가 할 수 있는 건 다 해내는 자식이랍니다. 나도 그랬지. 이 아기가 내 여덟 번째 손주예요. 아무튼 다른 손주들은 다 가까이 사니까 자주 봐도, 이 아기는 내가 보고 싶다고 아무 때나 볼 수 없을 거라는 걸 받아들였답니다. 그래도 손녀딸하고 잘 지내고 싶어요."

"리처드와 제가 잘 헤쳐 나가볼게요."

"아가씨가 잘 해나갈 거라 믿어요. 아이고, 호랑이도 제 말 하면 온다더니."

리처드가 내 옆에 나타나 쇼핑백을 건네주었다. 그에게 값을 주려고 했지만 그는 자기가 해줄 수 있는 최소한의 호의라며 거절했다. 리처드와 부인이 팔짱을 끼며 쇼핑을 하러 사라지다가, 중앙홀로 가던 부인이 돌아서서 나를 불렀다.

"아가씨하고 우리 새로 태어날 손주가 벌써 보고 싶네. 그러지 말고 게이츠헤드도 놀러 와요."

✦

　술집에 드나드는 사람들에게 예의껏 문을 열어주다가 지친 그
가 마침내 내가 앉아 있는 구석 테이블로 다가왔다. 왜 이 자리만
빈 테이블이었는지 그제야 알 수 있었다. 시끄러운 댄스 음악이
고막을 때리는 스피커 바로 아래에 자리했던 까닭이다. 우리는 필
요 이상으로 소리를 내지르며 일상적인 인사와 예의를 차리고 가
방에서 서류와 펜을 꺼냈다.

　"좋아. 30분밖에 시간이 없으니 빨리 본론으로 들어가자. 우리
가 논의한 내용은 나중에 타이핑을 해서 합의서와 함께 보내줄
게."

　"좋은 생각이야. 그래야 오해가 없지."

　"뭐라고 했어?"

　"오해가 없다고."

　"맞아. 우선 하나, 거주지. 당연히 아기는 나와 살 거고. 곧 상
속 절차에 따라 내 유산을 받게 되면 두 사람이 살기 적당한 아파
트로 이사를 갈 거야. 그러니까 국내에서는 거주지에 대한 타협은
없어."

　"미안, 수잔. 하나도 안 들려."

　그가 내 자리로 몸을 한껏 숙이더니 재빨리 뒤로 물러났다. 나
는 할 수 있는 한 분명하게 또박또박 다시 한 번 말했다.

　"아, 그래. 물론이지. 난 아기가 항상 당신과 함께 산다는 걸 받
아들이기로 했고, 당신이 모든 걸 적절한 방식으로 마무리할 거라

고 생각해."

"좋아."

그때 바에 있던 한 무리의 남자들이 소리를 내질렀다. 나는 환호성이 가라앉기를 기다렸다가 계속해서 이어나갔다.

"두 번째로, 정기적인 면접교섭권. 일주일에 한 번을 생각하고 있어."

"일주일에 한 번이라고 했어?" 리처드가 소리쳤다. "그럼 완벽해. 알다시피 수요일하고 목요일엔 내가 늘 런던에 있으니까, 이틀 중에 하루는 다 좋아. 아이랑 수요일 밤마다 호텔에서 지내도 되고. 내가 리뷰를 해야 하는 회의나 전시에 데리고 다닐 수도 있고."

"나도 그렇게 생각해. 어릴 땐 별 문제가 없을 거야. 거의 하루 종일 잠만 자니까."

"훌륭하군. 그럼 신생아 아기 띠를 하나 사야겠군. 극장이나 갤러리에서는 그게 훨씬 편리할 테니까."

"그리고 아기가 태어나면 병원에 들러 아기도 보러 와. 수요일이나 목요일이 꼭 아니어도 괜찮아."

"정말 친절하네, 수잔."

"뭐라고?"

"친절하다고!"

나는 고개를 끄덕였다. 내 몫의 음료를 한 모금 마신 다음, 지금까지 우리가 합의한 내용을 휘갈겨 적었다. 목소리를 내내 높이느라 목이 아팠다.

"세 번째로, 주말. 가끔 서섹스에 데려가고 싶을 것 같아서. 한 달에 한 번 정도 생각해."

"일 년에 한 번은 동의할 수 없는데."

"세상에. 바텐더한테 잠깐 음악 소리 좀 줄여달라고 할 수 있어요?"

리처드가 잠시 자리를 비웠고, 음악 소리가 금세 견딜 만한 수준으로 줄어들었다. 그가 성공했다는 걸 자연히 알 수 있었다. 그가 자리로 돌아와 나는 3번 항목을 다시 말했다.

"아, 그게 내 제안이었어." 리처드가 말했다. "워털루 역에서 만나 아이를 데려갈 수 있어. 물론 자기 상황을 이해할 만큼 나이가 들면 런던에서 기차를 태워주고 서섹스 역까지 내가 데리러 나갈 수도 있고."

"안 될 이유도 없지. 어린 나이부터 아이의 독립심을 키워주는 게 중요하니까. 그럼 넘어갈게. 네 번째로, 휴가."

"난 보통 휴가는 안 가."

"나도 그래. 하지만 아이가 있으면 휴가를 같이 떠나야지."

"뭐, 그럼 일 년에 두 번? 봄에 한 번, 가을에 한 번? 유럽 대륙의 수도들을 같이 여행하면 참 좋겠군."

"그럼 그렇게 해. 당연히 날짜는 학교 방학에 맞춰서. 그럼 다섯 번째로 넘어가자. 교육과 현실적인 특기. 아이의 진로 문제에 당신의 여러 의견을 듣긴 하겠지만 주된 보호자로서 최종 결정은 항상 내가 해야 해."

"당신이 아닌 사람이었다면 반대했겠지만, 그런 문제라면 당신과 내 의견이 늘 일치할 거라 믿어. 그러므로 기꺼이 받아들이지."

"마지막으로 여섯 번째. 경제적 측면. 이건 우리가 지금까지 논의한 적이 없어. 난 당신에게 양육비를 받고 싶은 마음이 전혀 없는데, 당신은 아마 어떻게든 양육비를 주고 싶어 하겠지. 그래서 타협안을 제시할게. 매달 내가 아이에게 쓴 음식, 옷, 책 등에 대한 항목별 비용을 정확하게 계산해서 정리할 거야. 거기서 더 주지 말고 정확히 50퍼센트를 지불해. 어떤 상황에서도 나를 위해서는 한 푼도 안 받을 거라는 걸 분명히 하고 싶어. 도덕적으로도 당신에게 빚을 지고 싶진 않아."

"이해했고, 동의해."

"그럼 우리가 해결해야 할 건 다 정리한 것 같은데."

내가 마지막 남은 한 모금을 꿀꺽 삼키며 말했다.

"정말 이렇게 잘 마무리되다니 기념이라도 해야 할 것 같네. 어떤 사람들은 자기 욕심만 내세우느라 합의가 안 되는데, 당신과 나는 참 분별 있고 현실적이라 아주 사소한 부분까지 합의가 잘된 것 같아. 이제 실행에 옮길 일만 남았군. 그럼, 이제 6주 남은 건가?"

"5주하고 이틀."

"더 좋은 소식이군. 각자의 길을 가기 전에 마지막으로 다루고 싶은 한 가지 항목이 있는데." 하고 그가 말했다. "지난번 우리가 제대로 결론을 내리지 않은 문제가 하나 있잖아. 내 청혼."

"리처드. 청혼은 고맙지만 솔직히 말해 그건 우리 둘이 동의한 게 아니었잖아. 우리 관계는 꼭 불륜 같았다고. 저녁에만 만나고,

337

호텔에서 지내고, 일상은 하나도 공유하지 않았잖아. 그리고 불륜 당사자들이 배우자를 떠날 의사가 없는 것처럼, 난 우리 둘이 남은 인생을 함께 보내리란 상상 따위는 안 했을 거라 확신해."

"어쩌면 당신의 열정 부족을 그렇게 정당화하는 건 아닐까." 그가 말했다. "난 지난 며칠간 더 생각을 해봤어. 내 목표는 언제나 옳은 일을 하는 거야. 그리고 당신이 마음을 바꿔 결혼이 매력적인 선택이라고 생각했다면 나는 기꺼이 그렇게 했을 거야. 물론 나도 누군가와 결혼해 아주 오랫동안 같이 살아야 한다는 게 과연 성공으로 이어질지는 확신할 수 없겠지. 나도 당신만큼이나 나만의 생활 방식이 있으니까. 다른 사람의 습관이나 일과에 내가 어떻게 적응해서 살 수 있을지 상상도 못 하겠으니까. 그래서 내 제안은 여전히 유효하지만 당신이 거절한다고 해도 난 당신 생각을 이해한다는 거야."

"마음을 편하게 만들어줄게, 리처드. 만약 우리 둘이 결혼한다면 그건 정말 재앙이나 다름없을 거야. 난 당신의 청혼을 받아들일 의사가 없어."

"그럼, 이제 그 제안은 없던 일로 덮자. 오늘 저녁은 상당히 생산적이군. 늘 느껴왔고, 당신도 아마 똑같이 생각했겠지만, 우리는 참 잘 맞아. 우리 둘 다 결혼해서 안주할 수 있는 사람은 아니야. 우린 자기 생활 방식에 너무 길이 들어버렸거든."

솔직히 말해 그의 말에 동의하지 않을 수 없었다.

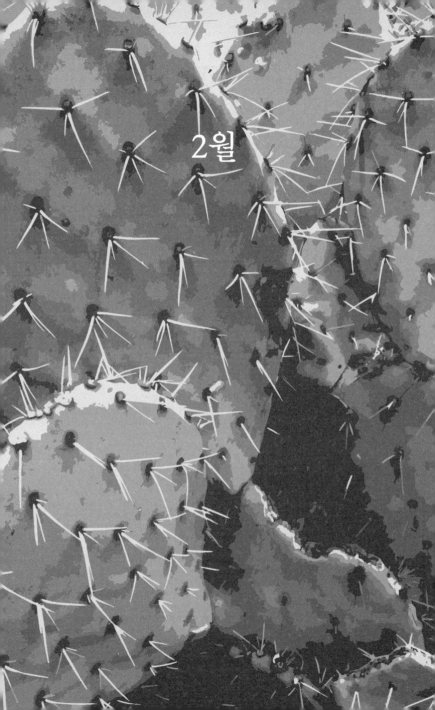
2월

22.

"우리 뭘 찾고 있었죠?"

내가 훑어보던 부엌 식탁 위의 포스트잇이 덕지덕지 붙은 진단서를 뒤적거리던 케이트가 물었다.

"엄마의 정신 건강과 관련되어 우려가 담긴 부분이요. 사소한 거라도 좋아요. 환자가 혼란스러워 한다거나, 기억상실이 있거나, 불안, 우울증 같은 거요. 처방된 약이 있는지도 봐야 해요. 증상에는 핑크색 포스트잇을, 진단은 노란색, 약물은 초록색을 붙여 줘요."

내가 대답했다.

"아, 잠깐만. 저 좀 적을게요."

케이트가 과연 나를 도와주는 게 옳은 일이었기를 바랐다. 그녀는 현재 대학원에서 사이비 과학 이론을 공부 중이었다. 따라서 논리가 결여되어 있을지도 모른다. 사실 내가 퇴원한 후로 엄마의 진료 기록이 유골함 위로 잔뜩 쌓여 처리를 기다리고 있었다. 정신 상태를 파악하는 일은 내 능력 밖의 일이었다. 하지만 이달 초부터 나는 어떻게든 작업에 들어가야만 했다. 나는 우편을 통한 변론을 받았다. 브링크워스 변호사에게 받은 것과 에드워드가 고용한 로펌에서 온 것이었다. 법원 문건에는 내가 몰랐던 내용은 없었다. 그저 내가 제시한 혐의를 부인하는 내용이 전부였다. 그래서 내가 더 열심히 증거를 모아야 한다는 걸 알았다. 케이트에게 주말 내내 그 작업을 하겠다고 했더니, 그녀가 나를 도와주겠다고 했다. 아마 주말 내내 써야 하는 에세이에서 벗어나고자 하는 마음이었겠지만, 그래도 내 짐은 덜어주었다.

"엄마들 모임도 잘되고 있어요." 케이트가 첫 장을 훑어보며 말했다. "지역 사람들 중에서도 특히 부모들과 조부모님들이 후원을 많이 해요."

"잘됐네요." 내가 말했다. "근데 잡담을 하지 않으면 일에 더 집중할 수 있을 것 같지 않아요?"

"알았어요, 보스."

케이트는 엄마의 첫 번째 입원과 관련된 기록들을 살펴보고 있었다. 뇌졸중으로 돌아가시기 2년쯤 전의 자료였다. 몇 장을 넘기던 그녀가 고개를 들었다.

"여기, 어머님이 'TIA' 증상이 있다고 하는데, 이게 무슨 뜻일까요?"

나는 노트북에 손을 뻗어 찾아보았다.

"찾아보니 '일시적 국소 빈혈 공격'이라고 하는데요." 내가 대답했다. "미세한 뇌졸중을 뜻하는 의학 용어래요. 일시적인 마비증상이 있고 목소리도 흐릿하지만 몇 시간이면 회복한대요. 런던에서 출발할 필요도 없었어요. 소식을 들었을 때쯤 엄마는 벌써 완전히 정신을 차리셨거든요. 적어도 엄마는 그렇게 말씀했었죠."

"엄마가 괜찮으신지 확인해보고 싶지 않았어요?"

"그럴 필요가 없어 보였어요. 들은 대로 믿었거든요."

그때도 나는 내가 옳은 일을 했다고 확신했다. 엄마가 미세한 뇌졸중 쇼크가 왔는데 내가 보고 싶었다면 아마 엄마는 그렇게 이야기를 했을 거다. 하지만 케이트에게 죄책감도 들지 않았다는 말을 하고 나니 어쩐지 조금 창피했다. 어쩌면 이성적인 결정이 항상 최고의 결정은 아닐지도 모르겠다. 우리는 다시 자료로 돌아갔다.

"여기 MRI 스캔 결과 뇌에 산소 공급이 일시적으로 중단되는 작은 혈전이 있었대요. 그래서 '클로피도그렐'이란 약을 처방받으셨대요."

나는 다시 노트북으로 눈을 돌렸다.

"혈전이 생기는 걸 막는 일종의 항혈소판제래요. 예방책이죠. 만약에 가벼운 뇌졸중이 오면 더 심각한 뇌졸중이 올 위험이 증가해요."

나는 약의 부작용도 찾아봤지만 엄마의 사고에 영향을 끼칠 만한 것은 딱히 없었다.

"어쨌든 어머니도 몇 주 복용하셨나 봐요. 외래진료에서 두통이 있다고 말씀하셔서 처방을 그만두고 저용량의 아스피린만 처방받으셨네요." 케이트가 말했다.

"다른 건 없어요?" 내가 물었다.

"그래 보이진 않아요. 진단서에도 의사들은 어머님의 회복력이 빠르다고 했어요. 지역 보건의한테 계속 치료를 받는 조건으로 퇴원하셨어요."

내가 살펴보던 진료 기록은 엄마의 두 번째, 더 심각했던 뇌졸중과 관련이 있었다. 서류는 교회에서의 사건 이후 응급실 입원부터 시작했다. 임상 관찰과 혈압, 심박수, 체온, 혈액 검사와 세포 검사 결과, 약물 투여 기록까지 모든 기록이 다 있었다. CT와 MRI 스캔에 대한 보고도 있었다. 진단서에는 엄마가 뇌혈전으로 인한 좌반구의 일시적 국소 빈혈 공격이 있었으며 이번엔 혈전이 더 커졌다고 했다. 엄마의 혈전을 분해하기 위해 조직 플라스미노겐 활성화 물질이란 약물을 투여하고, 고인 혈액을 빼기 위해 와파린과 고혈압을 위한 베타 차단제, 그리고 항혈소판제를 다시 투여했다고 적혀 있었다. 의학 용어가 너무 많았다. 일부는 이해를 했지만 대부분은 다시 한 번 확인이 필요했다. 일단은 조금 더 써먹을 만한 정보가 필요했다.

의사들은 엄마가 치료에 잘 반응하고 있다는 점에 주목했다. 치료 며칠 만에 엄마는 마비된 오른손을 다시 사용할 수 있게 되었고, 말하는 것도 조절할 수 있었다. 이때 엄마를 만났고 그때의 내 기억과도 일치한다. 엄마는 실제로 뇌졸중에서 잘 회복되는 것처럼 보였고 사실 난 엄마가 퇴원하기도 전에 런던으로 돌아왔다. 엄마를 보러 온 실비아 이모와 에드워드를 매일 마주쳐야 했고, 그 사이 밀린 일이 사무실 책상에 켜켜이 쌓여 있을 거란 생각이 들었다. 그리고 리처드가 내가 보고 싶어 했던 바비칸 센터의 콘서트 티켓을 구한 것도 런던으로 급히 돌아온 이유 중 하나였다.

런던으로 돌아가기 위한 여러 가지 이유 중에서도, 특히 엄마가 괜찮은데 굳이 퇴원할 때까지 기다려야 하나, 하는 의문이 든 게 컸다. 나는 어쩌면 엄마가 가벼운 뇌졸중에서 회복했던 것처럼 빠르고 완벽하게 이겨낼 거라 예단하지 말았어야 했을지도 모른다.

이제 나는 엄마의 퇴원 후 병원 정기 방문과 관련된 외래 환자 기록을 살펴보았다. 첫 페이지에는 혈압과 심박수같이 일상적인 점검과 약물 복용 같은 신체적인 문제에 대한 내용이 적혀 있었다.

다음 장부터는 훨씬 더 상세한 내용이 이어졌다. 이제야 조금 흥미로워지고 있었다. 엄마는 의사에게 옆집 고양이가 볼일을 보러 정원에 오거나, 아침 식사를 마치고 나서야 우유가 배달 오는 등 평소에는 전혀 신경 쓰지 않던 일들에 속상한 감정이 든다고 말했다. 물론 엄마도 이런 게 다 사소한 일이라는 건 알고 있었지만 그럼에도 당시엔 감정을 통제하기 어렵다고 했다. 또 엄마는 의사에게 열쇠, 지갑, 주소록 등 물건을 자꾸 잃어버리고 그날 해야 할 일도 까먹는다고 털어놓았다. 정신이 흐리니 어리석은 자기 자신에게 화도 났다며, 그래서 더더욱 아무에게도 이런 상태를 알리지 않겠다고 결심했고, 스스로 꼼꼼히 메모를 해 해야 할 일을 상기시킴으로 거짓말을 잘하고 있다고 확신했다. 하지만 거짓말이 이제 지친다고도 했다. 울적하다고. 병원은 어머니가 신경과와 정신과의 추가 검사와 평가를 의뢰한다고 기록했다. 말미에 어머니가 혈관성 치매를 앓는다고 적혀 있었다.

"아, 안 돼. 세상에." 나도 모르게 탄식이 터졌다.

"뭘 찾았는데요?"

케이트가 마지막 장을 읽다 말고 놀라 고개를 들었다.

"치매요. 엄마가 혈관성 치매를 앓고 있대요."

"그럼 그냥 혼란스러운 것보다 훨씬 심각한 거잖아요. 어머님이 말 안 해주셨어요? 수잔은 몰랐어요?"

"엄마가 좀 이상하다는 건 알았지만 워낙 잘 숨기셨네요. 뇌졸중 이후로 몇 번 찾아간 게 다라서 모든 징후를 다 확인하진 못했어요. 아마 이모도 몰랐을 거예요. 이모는 나보다 엄마를 더 자주 만났을 텐데. 세상에, 우리 엄마 불쌍해서 어떡해."

우리는 잠시 말없이 앉아 있었다.

"긍정적인 측면으로 보자면, 물론 이렇게 냉정하게 말할 의도는 아니지만, 그래도 당신 소송에선 이보다 좋은 증거가 없잖아요, 안 그래요? 내 말은, 어머님이 치매였다는 게 좋다는 건 아니지만. 그건 말할 필요도 없죠. 그래도 옛날 일을 바꿀 수는 없어요. 어머님은 치매를 앓으셨고, 그건 바꿀 수가 없잖아요. 수잔이 옳았다는 거에 만족해야 하지 않을까요."

케이트가 덧붙였다.

"그래야겠죠."

케이트가 옳았다. 이게 바로 내가 찾던 증거다. 하지만 이상하게도 처음부터 만족감이 들진 않았다.

"만약에 그때 엄마가 나한테 말했더라면, 더 자주 찾아갔을 텐데. 내가 도와드릴 수도 있었고, 에드워드로부터 엄마를 보호할 수도 있었을 텐데."

케이트는 내 말에 귀를 기울이고 있지 않았다. 탐정 일의 스릴

이 그녀를 흠뻑 적시고 있었다.

"전 지금 혈관성 치매에 대해 알아보는 중이에요." 케이트가 말했다. "여기 보면 증상이 생각이 느리고 계획을 세우는 데 어려움이 있대요. 특별한 치료법은 없고요. 병원에서는 어떻게 처방했을까요?"

나는 다시 기록을 들춰보았다.

"엄마는 다른 복용약과 함께 항우울제를 처방받았네요. 또 생활습관을 바꿔야 하고, 작업요법(신체나 정신 장애가 있는 사람에게 적당한 육체적 작업을 하도록 함으로써 신체 운동 기능이나 정신 심리 기능의 개선을 꾀하는 치료법-역주)도 추천받으셨어요. 이렇게 일상 활동을 관리할 수 있게 도움을 받으셨나 봐요. 그래서 남들의 눈도 속일 수 있었을 거예요."

나는 서류를 한 장 넘겼다. 이건 치료 계획에 관한 내용이었다. 진단 보고서에는 엄마가 에드워드와 함께 면담을 받았다고 적혀있었다. 동생이 엄마의 1차 간병인이 되었고, 결과적으로 추가적인 가정 지원은 없었다. 에드워드가 엄마를 돌봐주므로 엄마는 동생에게 적당한 월급 조의 비용을 주기 위해 국고보조금을 청구할 권리가 있다는 말도 들었다. 엄마는 의사에게 이미 지원서는 제출했다고 했다.

나는 나머지 서류도 빠르게 살펴보았다. 약물 검토와 기억력, 계획 능력 상실에 대한 논의 진단서, 추가 검사와 검진까지 대부분 비슷했다. 의사도 엄마의 상태가 안정되어 보인다고 기록했다. 그러면서도 당분간은 급격히 악화하지 않겠지만 응괴가 더 진행

될 수 있으므로 정기적으로 약을 복용해야 했다. 에드워드가 면담에 자주 참석하기 시작했다. 그게 끝이었다. 엄마가 유언장 작성 능력에 영향을 미칠 수 있는 주요한 의학적 질환을 앓고 있었다는 증거뿐 아니라 에드워드도 그 사실을 충분히 인지하고 있었음을 증빙할 수 있는 증거가 내 손에 있었다. 사실, 에드워드는 엄마를 도와드리며 경제적으로 이득을 보고 있었다. 나는 엄마가 왜 내게 치매라는 사실을 말해주지 않았는지 알 것 같았다. 엄마는 늘 자신감이 넘치는 사람이었다. 사람들이 자신을 딱하게 여기는 걸 질색하셨을 것이다. 하지만 나쁜 의도가 아니라면 에드워드는 왜 내게 숨겼을까? 생각하면 할수록 엄마의 병에 대한 슬픔은 에드워드의 이중성에 대한 분노로 바뀌었다.

나는 이제 판사가 유언장을 무효화한다고 선언하고, 재산은 법에 따라 동등하게 분배되리라 확신했다. 즉, 집은 곧 팔리고 수익금은 에드워드와 내가 동등하게 나눠 가지게 될 것이다. 드디어 최종전으로 접어드는 기분이 들었다. 그러므로 이것보다는 기분이 더 나아야 했다.

✦

그다음 주 점심시간, 링컨스인 법학원에 있는 브리짓을 만나러 들렀다. 그녀의 연구실은 빗자루 보관 창고만큼이나 좁았고, 가파르고 구불구불한 계단을 통해야만 갈 수 있었다. 내 몸 상태로는 그 계단을 오르는 게 영 쉽지 않았다. 그러나 덩치가 있는 브리짓에게는 이보다 좋은 운동이 없겠지. 그녀의 책상에는 예상대로 서류 더미와 파일뿐 아니라 죽은 화분과 먹다 남은 커피잔, 샌드위치 포장지, 각종 영수증이 지저분하게 널브러져 있었다. 나는 예전에 같이 살던 시절, 브리짓이 쓰던 방이 떠올랐다.

"그래서 뭐 좀 알아내서 온 거야?"

브리짓이 건장한 팔뚝으로 지저분한 책상을 쓸어 한가운데 빈 공간을 만들었다.

나는 그녀에게 소송 양식과 사건 진술서, 그리고 두 변호인에게 받은 변론까지 넘겨주고 브리짓은 몇 분간 말없이 서류만 검토했다. 나는 또 브리짓에게 내가 의료 기록에서 발견한 내용과 가장 중요한 내용도 보여주었다. 마지막으로 마거릿 아줌마와 실비아 이모, 그리고 목사님이 엄마의 건망증으로 생전 엄마가 얼마나 혼란스러워 했는지를 어느 정도 입증할 수 있을 거라고 덧붙였다.

"너는 진짜 천직이 따로 있었는데. 나는 항상 네가 변호사가 되어야 한다고 말하고 다녔어."

"서류 처리 능력은 괜찮지." 내가 말했다. "진술을 받아내는 게 힘들었어."

"내 말이 그 말이야."

브리짓은 의료 기록에서 내가 강조한 부분들을 살펴보며 말했다.

"이런 게 바로 너한테 필요한 증거들이야. 혹시 '뱅크스 대 굿펠로우(Banks vs Goodfellow)' 사건 들어본 적 있어?"

나는 조사 과정에서 읽어봤다고 했다. 이 판례는 누군가 유언장을 작성할 때 자신이 수행하는 행동과 그 효과, 상속 재산의 범위,

그리고 효력을 발휘할 내용 등을 확실히 이해했을 때만 유언장이 유효하다는 점을 입증한 사례였다.

"맞아. 그리고 당사자는 늘 염두에 둬야 해. '자신의 애정이나 권리의식의 왜곡, 심신의 능력을 발휘하지 못하는' 정신 장애에 영향을 받아서는 안 된다고. 일반적으로 유언장이 이성적인 상태에서 작성되었고 부당한 점이 포함되어 있지 않으면 대부분은 정신적인 건강 상태도 온전했다고 받아들여져. 하지만 '본 대 본 (Vaughan vs Vaughan)' 사례는 혼란이나 기억 상실의 증거가 있을 경우엔 유언장에 의지하는 상대방이, 그러니까 너의 경우엔 브링크워스 변호사나 동생이겠지. 두 사람이 정신 능력을 입증해야 하는 거야. 또 다른 사건도 보면 유언장의 비합리적인 분배는 유언장 작성자의 정신 능력을 의심해야 할 여지가 있다고 해. 따라서 의학적인 증거에다가 어머님이 너보다 동생을 더 예뻐했다는 논리적 이유가 없다는 사실이 결합되면 사건은 무조건 네가 이기는 거지."

"내가 예상한 그대로네."

"약간 조심스러운게 하나 있는데." 브리짓이 덧붙였다. "문제는 유언장 작성자가 실제로 자신의 행동을 이해하고 있었느냐가 아니라, 그걸 이해할 정신적 능력이 있었느냐의 여부야. 분배할 부동산이 복잡할수록 심신미약을 입증하기도 쉬워. 하지만 이 건은 상속이 단둘뿐이라서 유언장도 단순해. 너한테 정확히 도움이 되긴 어려울지도 몰라."

"하지만 엄마는 혈관성 치매였어. 거주권이 의미하는 바를 정확히 이해하지 못했을 가능성이 크잖아."

"그게 바로 내가 주장하려던 거야."

"그리고 부당한 영향력도 있었고."

"응, 그렇지. 강압적인 전략이었다는 거야. 그거 알아? 난 이건 말해줄 생각이 없었는데 강압적인 영향력 행사는 실제 압박이 있어야 해. 고인이 원하지 않았어도 유언을 작성했어야만 하는 압력이 있어야 한다는 거야. 쉽게 말해서 강압이라는 건 곧 유언장이 갖는 효력의 강도에 따라 달라져. 고인의 심신미약으로 유언장의 효력이 약해진다면, 반대로 고인의 심신미약이라는 증거의 효력도 떨어지지. 애초에 유언장이 힘이 없으니까. 문제는 유언장에 반하지 않아도 외부의 압력이 행사되었을 수 있다는 거야. 그래서 예를 들어 에드워드가 단순히 어머님을 졸라서 집에 대한 거주권을 얻었다면 그것만으로는 무효를 받아내기 힘들어. 법원은 에드워드가 그 이상의 압력을 행사했다는 걸 알고 싶어 할 거야. 즉, 에드워드가 실제로 어머님께 압력을 행사해서 더 나은 선택지가 있음에도 불구하고 지금의 유언장을 작성했다는 증거가 있어야 한다고. 근데 네가 가져온 증거는 그걸 입증할 수가 없어."

그때 젊은 변호사가 노크를 하고 고개를 들이밀었다. 브리짓은 금방 따라가겠다고 대꾸했다.

"그러니까 수잔," 그녀가 자리에서 일어서서 말했다. "내 조언은 과도한 영향력은 잊고, 엄마의 정신적인 능력이 미약했음에 집중하라는 거야. 증거에다가 증인 진술만 해도 그 문제에 대한 합리적인 판례 제시가 가능해. 가능한 빨리 증인에게 진술서를 얻어내서 서명을 받고, 증거도 제출해버려. 그래야 심리 없이 재판이 끝나. 알았지? 행운을 빌어. 내 몫의 상금도 잊지 말고."

며칠 후 나는 성 스티븐 교회의 목사님으로부터 전화를 받았다.

"그린 양. 다시 통화를 하게 되어 기쁩니다. 크리스마스이브에 이야기했던 문제에 대해 곰곰이 생각을 좀 해봤어요. 그리고 길을 알려 달라고 참 열심히 기도했습니다. 저는 어머님께서 제게 털어놓으신 비밀을 공개해야 할 도덕적, 윤리적 의무가 있다는 결론을 내렸습니다. 이제 어머님은 천국에 계시니까요."

"딱 맞춰 전화주셨네요."

내가 말했다. 사실 목사님이 숨기고 있던 일급 비밀 따윈 까먹은 지 오래였지만.

"예, 너무 오래 기다리게 해 미안합니다. 하지만 결정을 내리기가 너무 어려웠습니다. 결국 저는 그린 양의 인생에 그리고 아마 미래에 어떤 영향을 끼칠 중대한 비밀을 간직하고 있는 셈이라서요. 그리고 어머님이 돌아가시기 전에도 직접 털어놓아야 하는지 계속 고민을 하셨습니다. 저는 이제 어머님께서 비밀을 공개하시려고 했다, 믿습니다. 그러므로 오래도록 심사숙고 끝에, 돌아가신 어머님의 비밀 유지 의무보다는 진실을 알리는 게 낫다고 생각했습니다."

"좋아요. 하느님도 목사님을 이해하실 겁니다. 비밀이 뭔가요?"

"아, 그게. 이렇게 전화로는 말씀드리기 곤란합니다. 교구로 찾아오시면 다 설명드리겠습니다."

"목사님. 제가 160킬로미터나 멀리 떨어진 곳에 사는 8개월 된 임산부라는 건 알고 계신 거죠?"

"알고 있습니다, 그린 양. 특히 이럴 때에 방문을 부탁드려 미안
하지만 어머님께서도 이런 말은 직접 얼굴을 보고 전달하기를 원
하셨을 겁니다."

사실, 중부 지방 쪽으로 다시 한 번 갔다 와야 하나, 고민을 하
던 참이긴 했다. 목사님과 마거렛 아줌마, 실비아 이모의 증인 진
술서 작성을 끝내고 세 사람이 직접 서명하는 걸 두 눈으로 확인
하고 싶었기 때문이었다.

"좋아요. 다음 주 금요일 오후 어떠세요?" 내가 물었다.

"완벽합니다." 그가 잠깐 말을 멈추었다. "친구나 친척을 데려오
도록 하세요. 혼자서는 감당하기 힘드실 겁니다."

23.

　케이트가 다락 창고에 올라간 사이 나는 동시에 사다리를 붙잡으면서 엄마를 따라 올라가겠다고 보채는 에이바와 노아를 제지했다. 잠시 후, 신생아 옷이 가득 든 불룩한 옷가방을 들고 케이트가 내려왔다.

　"세탁만 한 번 하면 새거나 다름없다니까."

　케이트가 다락 출입문 너머로 사라지며 외쳤다. 얼마 지나지 않아 이번엔 아기 바구니를 들고 내려왔고, 그다음엔 침구가 가득 담긴 까만 쓰레기봉지와 신생아용 카시트까지 넘겨주었다.

　"이러면 기저귀 한 팩 말고는 따로 살 필요가 없을 거예요."

　"근데 이 모든 걸 대체 어디다가 보관해야 할까요?"

　"어디든 찾아낼 수 있어요. 당신 집이 '타디스(Tardis)'(영국 드라마 〈닥터 후〉와 스핀 오프 작품에 등장하는 차원과 시간을 초월하는 여행 장치-역주)라고 생각해요. 얼마나 많은 걸 쑤셔 넣을 수 있는지 알면 아마 깜짝 놀랄 걸요".

　나는 물건 값을 주겠다고 했지만 케이트는 한사코 거절했다.

"다 쓰면 다시 처박아놓죠, 뭐. 누가 알아요? 우리 중 하나가 또 애를 낳을 수도 있잖아요."

"참 재밌네요."

그날 저녁, 옷가방을 열고 거실 바닥에 내용물을 펼쳐놓았다. 우주복, 조끼, 카디건, 재킷, 모자, 벙어리장갑까지. 모든 게 믿을 수 없을 정도로 작았다. 어릴 때 갖고 놀던 인형 옷이 떠올랐다. 세 살이 되던 해 받은 인형을 여덟 살이 될 때까지 어디든 데리고 다녔다. 그러다가 엄마와 함께 크리스마스 쇼핑을 하러 갔다 온 사이 내 방에서 감쪽같이 사라졌다. 엄마는 내가 갖고 놀다가 어디다 두고 잊어버린 거라고 했다. 하지만 난 알 수 있었다. 우리가 쇼핑 인파에 치여 터덜터덜 집에 왔을 때 에드워드는 유독 기분이 좋아 보였다. 그날 밤 늦게야 그 이유를 알 수 있었다. 증거는 없지만 분명했다. 엄마는 내가 아무런 이유도 없이 동생을 미워한다며 화를 내셨다.

"절대 그놈을 가만 두지 않을 거야." 아빠가 술에 취해 중얼거렸다. "그놈은 아주 지가 하고 싶은 대로 다 하고 살아."

아기 옷을 정리하고 있는데 전화벨이 울렸다. 핸드폰 액정에 뜬 롭의 번호가 힐끗 시야에 들어왔다. 거의 한 달 만에 듣는 그의 목소리였다. 손이 전화 위를 맴돌았다. 어쩐지 설명할 수 없는 공포감이 몰려들었다. 자동응답기로 넘어가기 직전에 바로 전화를 받을 수 있었다.

"여보세요."

"수잔. 목소리 들으니 좋네요. 백 년 만에 듣는 것 같은데요."

"그러게요. 꽤 오랜만이네요."

"시간이 어떻게 흘렀는지 모르겠어요. 정말 정신없이 바빴거든요."

"그랬구나."

"모든 게 정말 훌륭해요, 수잔. 정말 즐거운 시간을 보냈어요. 처음엔 앨리슨이랑 좀 어색했어요. 내가 진짜로 변한 게 맞는지, 20년 전처럼 멍청한 놈은 아닌지 계속 의심을 하는 겁니다. 그래도 어떡해요, 설득해야죠. 결국 휴가를 내고 에든버러 관광지를 함께 다녔어요. 부모님도 뵙고 다른 두 자녀들도 만나봤죠. 한 명은 도시에 있는 대학에 다니고 한 명은 지역 양조 회사에서 견습생으로 일을 하더라고요."

"좋아 보이네요."

"정말 그랬어요. 모두가 너무 다정해요. 예전에 연락을 했을 때랑은 180도 달라졌어요. 과거는 용서받고 모두들 잊어주었어요. 이젠 새로운 적이 생긴 것도 저한텐 도움이 된 것 같아요. 앨리슨의 전남편 말입니다. 그에 비하면 나는 그렇게 나쁜 사람도 아니였나 봐."

"그럼 아들도 만났겠네요."

"결국은, 만났어요. 지금 리버풀 대학교에서 박사과정을 밟고 있대요. 앨리슨이 둘을 소개해주겠다고 해서, 에든버러에 일주일 정도 있다가 차를 운전해서 내려갔어요. 정말 그때 내 심정이 어땠는지 설명을 못 하겠네요. 그냥 살면서 가장 최고의 하루였다고 해도 모자라요. 근데도 심적으로 그 애를 만날 준비가 안 되는 거예요. 머리로는 그 애가 벌써 스물세 살이라는 걸 아는데, 무의식적으로 나는 그 애가 아직도 꼬마 같은 거죠. 만나보니까 키도 나만 하고, 아니 나보다 더 큰가. 수염도 덥수룩하고. 정말 놀라운 놈이에요. 앨리슨이 진짜 잘 키웠어요."

"아들이랑 잘 지낸다니 나도 기쁘네요."

"잘 지내는 정도가 아니에요. 물론 우리 사이를 부자관계라고 말할 순 없을 것 같지만. 앞으로 몇 년이 지나도 그건 어려울 것 같고. 그래도 우리는 친해졌어요. 앨리슨은 리버풀에 며칠 있다가 에든버러로 돌아갔는데 제임스는 내가 며칠 더 있었으면 좋겠다고 그러는 겁니다. 그래서 그 애가 사는 집에 여분의 방이 있어서 거기서 머물렀어요. 그냥 같이 놀러 다니기만 해도 좋더라고요. 존 레논이 어릴 때 살던 집도 가보고 비틀스 투어도 가고 머지 강을 가로지르는 유람선도 탔다니까요. 그러다가 버밍엄도 보여주고 싶다고 했더니 정말 나를 따라와서 며칠을 같이 지냈어요. 제임스랑 앨리슨을 처음 만난 곳도 가보고 우리가 자주 다니던 곳도 몇 군데 돌아보고. 오늘 아침에 돌아갔어요. 자주 보려고 서로 노력하려고요."

"앨리슨도 자주 만나겠네요. 두 사람도 이제 다시 만나니까요."

그가 웃음을 터트렸다.

"사실, 우리는 잘 안 풀렸어요."

잘 안 풀렸다. 나는 되뇌었다. 잘 안 풀렸다.

"그건 참 안됐네요. 많이 실망했겠어요."

"전혀요. 솔직히 처음 만나자마자 내가 얼마나 말도 안 되는 생각을 했는지 깨달았어요. 앨리슨이 어땠는지, 우리가 함께했을 때 어땠는지 머릿속으로 너무 미화시킨 거죠. 근데 다시 만나보니 그건 사실이 아니라 상상이었고, 지금은 정말 정신 차렸어요. 물론 좋은 여자예요. 우린 잘 지냈고, 나한테도 친절하고 재미있는 사람이고. 어쩌면 앨리슨은 하나도 재미가 없었는데 나만 혼자 재미있고, 앨리슨도 재미있었다고 착각했을지도 모르고. 아무튼 중요한 건 더 이상의 불꽃은 없다는 겁니다, 제가 알기론. 그동안 실제로 존재하지도 않는 사람을 상상하며 집착하고 살았다는 게 정말 미친놈 같아요. 내가 등신이었죠. 앨리슨하고 나는 물론 친구로 남을 겁니다. 제임스라는 공통점이 있고 서로의 과거에 큰 부분을 차지하는 사람이니까요. 하지만 내 미래는 아니에요. 그리고 지난 몇 주 동안 정말 많은 생각을 했어요. 이렇게 오래 연락 못 해서 미안해요. 사실 약간은 구름 위를 둥둥 떠다니는 기분이었어요. 이제 현실로 돌아와야죠. 수잔한테도 내가 다 만회할게요."

"아니, 그럴 필요 없어요."

"사실 그럴 필요가 있어요." 그가 잠깐 말을 골랐다. "아무튼. 그동안 어떻게 지냈어요?" 그가 다시 대화를 이어 나갔다.

"소송 때문에 서류 작업을 하느라 바빴어요."

나는 그에게 내 근황을 전하면서, 어느덧 내가 그와의 대화에 느긋하게 임하고 있다는 사실을 깨달았다. 그리고 엄마의 진료 기록을 발견했다고도 설명했다. 에드워드는 롭에게도 엄마의 혈관성 치매 사실을 알리지 않았다며 그는 깜짝 놀랐다. 에드워드 이야기가 나오자 그는 두 사람 사이가 약간 멀어졌었다고 했다. 우리가 함께 새해 파티에 갔다 왔다는 걸 에드워드가 알게 되었다고. 롭에게 전화를 걸어 이중 스파이라는 둥 배신자라는 둥 뒤통수를 친 나쁜 새끼라는 둥 욕을 했다고. 나는 새어 나오는 웃음을 참을 수가 없었다. 또 몸에 약간 문제가 있어 병원에 하루 입원을 했다는 사실도 털어놓았다. 그는 왜 케이트가 자신에게는 연락을 하지 않았냐며, 당연히 함께 있었어야 했다고 후회를 전했다. 도움이 필요할 때 같이 있어주지 못해 미안하다고.

시계를 보지 않아도 어느덧 전화 통화가 한 시간 가량 이어지고 있다는 확신이 들었다. 마지막으로 다음 주 금요일 중부 지방으로 기차를 타고 올라가 목사님을 만나고 증인 진술서에 서명을 받을 예정이라고도 했다.

"역에서 기다릴게요. 어디든 가고 싶은 데는 내가 다 태워다줄게요."

나는 그의 제안을 거절했다. 아마 내가 의도한 것보다 훨씬 단호한 말투였을 것이다. 하지만 그는 고집을 부렸다.

"누군가 함께 있어야 해요. 만약에 또 아프면 어떡합니까. 다시 무슨 일이 생기면 어떡하려고 혼자 있어요."

그의 고집에 솔직히 약간 행복했다. 분명 시간과 택시비를 절약할 수 있을 테니까.

✦

버밍엄으로 가는 길은 나답지 않게 초조했다. 이유를 알 수 없었다. 아마 목사님을 만나거나 롭을 만나는 것에 대한 불안이었겠지만 둘 다 말이 되지 않았다. 나는 지난주에 산 육아 책에 집중하려고 노력했다. 하지만 같은 부분을 읽고 또 읽는 나 자신을 발견했다. 케이트는 내게 그런 책은 버리라고 했다. 아기들은 침팬지처럼 훈련할 수 없는 존재라고, 그저 자연스럽게 물 흐르듯 키우면 된다고 했다. 물론 케이트의 말처럼 된다면 좋겠지만 만약 그렇지 않으면? 말도 안 되는 생각이었다. 당연히 나는 헤쳐 나갈 것이다.

뉴 스트리트 역의 개찰구를 비집고 나서며 나는 저 멀리 롭을 먼저 발견했다. 그는 '도착' 전광판을 확인하고 시계를 보고 있었다. 그의 외모와는 무관하게 어딘가 생경한 느낌이 들었다. 마치 집을 오래 비웠다가 다시 돌아와 현관문을 열었을 때의 그런 이상한 기분. 익숙하면서도 새로운 느낌. 롭이 나를 발견하고는 성큼성큼 다가왔다. 내 앞에 선 그가 어쩐지 머뭇거리다가 마음을 굳게 먹은 사람처럼 나를 껴안았다. 그리고 그의 인사에 반응하는 나를 발견했다. 그가 내 머리칼에 얼굴을 파묻었을 때 나도 솔직히 그의 재킷에 고개를 묻었다고 고백해야겠다. 이건 선을 넘은 짓이다. 정말 우스운 짓이다. 이런 이야기를 하는 것조차 가엾다. 남들이 보기에 우리는 어떤 모습일까. 작고 임신해서 배가 불렀지만 깔끔하게 치장한 여자와 키가 크고 머리가 제멋대로 헝클어져서 노동자 차림을 한 남자. 정신이 나간 게 틀림없다.

나는 롭이 차를 안팎으로 청소했다는 사실에 깜짝 놀랐다. 심지어 더러운 의자 위에 방석을 놓고 방향제도 달아놓았다. 리무진 서비스만큼은 아니었지만 지난번보다는 한결 개선된 모습이었다.

가는 길에 그는 사업의 진척이 영 느리다고 했다. 겨울엔 늘 그렇다고. 에든버러와 리버풀을 돌아다니는 사이, 빌리가 집의 보수를 감독했다. 그래도 이제 완공이 코앞이고, 큰 이윤을 남기고 팔 수 있을 거라고 했다. 게다가 런던에 있는 규모 있는 조경 회사를 운영하는 친구가 그에게 전화를 걸어 감당할 수 없을 만큼 많은 수주를 받았다며, 혹시 동업을 하지 않겠냐는 제안을 했다고도 했다. 롭은 동업이 현명한 방법이라고 생각했다. 남쪽 지방에는 더 큰 잠재 고객이 있었고 굳이 버밍엄에 살 필요는 없으니까. 그는 내 허락을 구하는 것처럼 보였다. 왜 그런지 이유는 모르겠다. 나는 당신의 사업과 집안일은 내가 관여할 부분이 아니라고 못 박았다.

"그럴지도 모르죠. 하지만 당신 의견이 듣고 싶어요."

롭이 계속해서 자신의 계획을 꾸려나가는 사이 어느 덧 우리는 성 스티븐 교회의 부속 묘지 입구에 다다랐다. 그가 차에서 훌쩍 뛰어내려 조수석을 향해 달렸다. 이미 혼자 차에서 내리는 나를 부축해주었다.

"내가 같이 들어갈까요?" 그가 물었다. "있잖아요, 심적 안정을 위한 도움."

"아니요. 그렇게 오래 걸리진 않을 거예요. 그냥 여기서 기다려요."

잠시 후, 롭은 묘지에서 묘비를 살피고 있었다. 교회 문을 밀치고 나온 나는 자갈길을 쏜살같이 내려가 몇 분 후 그에게 다다랐다. 그가 젖은 풀밭을 가로질러와 묘지 입구 앞에서 나를 만났다.

차에 겨우 올라타자 그가 말했다.

"이제 하나는 처리했고, 두 개 남았네요."

나는 대답을 하지 않았다. 그저 멍하니 정면만 응시했다.

"수잔, 괜찮아요? 마거릿 아주머니 댁에 데려다줄까요?"

잠깐 침묵이 흘렀다.

"거기는 다음에 가야 할 것 같아요."

"원하는 대로 해요. 그럼 이모님 댁으로 갈까요?"

"아니요, 아니요. 우스터는 가고 싶지 않아요. 절대로."

"이모님 댁에서 머무는 거 아니었어요? 이모님이 기다리고 계시지 않을까요?"

"내 말 못 들었어요, 롭?" 내가 차갑게 되받아쳤다. "귀가 먹은 거예요, 아님 멍청한 거예요? 실비아 이모 집은 가고 싶지 않다고요. 마거릿 아줌마네 집도 가고 싶지 않다고요. 아무 데도 가고 싶지 않다고요."

"이리 와요." 롭이 나를 향해 팔을 뻗으며 말했다. "그 빌어먹을 목사 새끼가 뭐라고 했는지는 모르겠지만 당신이 화가 났잖아요. 내가 들어가서 그 새끼 다리라도 부러뜨릴까요?"

나는 그의 팔을 밀치며 조수석 창문에 이마를 기댔다.

"미안해요. 그럼 우리 집으로 갈게요."

그가 조용히 말하고는 차에 시동을 걸었다.

롭의 집으로 가는 길에 나는 목사님과의 만남에서 무슨 일이 있었는지를 되새겨보았다.

부속실은 여전히 얼음장처럼 추웠다. 난방이 가동되고 있었지만, 낡아빠진 2단 전기 히터는 2월의 차가운 바람을 막아내기 역

부족이었다. 우리는 코트와 스카프를 꽁꽁 싸맨 채 서로를 마주보며 앉았다. 목사님은 손가락이 없는 장갑을 끼고 트위드 모자도 쓰고 있었다. 나는 목사님의 이름으로 작성한 간략한 진술서를 내밀었다. 우리가 마지막으로 만났을 때 그가 해준 이야기를 요약한 것이었다. 그는 진술서를 끝까지 읽고 나서 자기 앞에 있는 책상 위에 올려놓았다. 그러고는 손바닥으로 진술서를 살며시 눌렀다.

"미안하지만 이 진술서엔 서명을 할 수 없습니다."

"왜요?"

"그린 양이 작성한 내용에 동의를 하지 않는 건 아니지만, 이 진술서를 제시할 경우 한 가지 더 포함되어야 할 내용이 있습니다."

"그게 뭔데요?"

"그냥 털어놓겠습니다. 수잔, 어머님은 생전에 몇 달간 우울해하셨습니다. 비밀을 품고 계셨기 때문입니다. 어머님은 앞으로의 날이 얼마 남지 않았다는 걸 직감하시고 따님에게 비밀을 털어놓아야 할지 말지 고민하셨습니다. 그래서 말인데, 혹시 본인 출생증명서를 보신 적 있으십니까?"

"아니요." 내가 대답했다. "엄마가 오래전에 잃어버리셨다고 했어요."

굳이 사본을 구할 생각은 안 했다. 여권이나 운전면허를 신청하려면 필요했을지도 모르지만 굳이 그럴 필요가 없었으니까.

"그게 대체 이번 소송과 무슨 연관이 있죠?"

"어머님은 출생증명서를 잃어버리신 게 아니십니다. 숨기셨어요."

"대체 엄마가 왜요?"

"수잔이 우연이라도 발견할까 싶으셨답니다. 혹시라도 우연히 보게 되면 어머님이 생모가 아니라는 걸 알게 될 테니까요. 자매님, 이런 이야기를 전해드려 죄송합니다. 수잔은 태어나자마자 몇 주 만에 입양 되었어요."

"하. 엄마가 정말 제정신이 아니셨네." 내가 말했다. "엄마가 정말 그렇게 생각하셨어요? 나를 낳은 게 아니라고?"

"망상이 아닙니다. 우리는 그 주제에 관해 정말 많은 이야기를 나누었습니다. 수잔에게 비밀로 해야 하는 도덕적 딜레마와 그 사실을 당신이 알게 될 경우 받을 고통에 대해서요. 고인이 제게 하신 말씀은 너무도 설득력 있고 믿을 수 있는 이야기였습니다. 얼마나 충격이 크십니까."

"사실이 아니에요. 거짓말이에요. 내가 입양이 됐으면 알았겠죠. 내가 뭐라도 느꼈겠죠. 보는 사람들마다 내가 부모님을 닮았다고 얼마나 이야기를 했는데요. 증거가 뭐예요? 당신 입에서 나온 이야기 말고는 증거가 없잖아요. 세상에, 지금 목사님이 지어낸 이야기일 수도 있고요."

"받아들이기 어려운 이야기라는 거 압니다. 이해합니다. 혹시 본인 출생증명서를 직접 확인하시면 어떻겠습니까? 어머님이 어디에 보관해두셨는지 말씀해주셨습니다. 어쩌면 이런 상황을 미리 예견하셨던 것일 수도 있고요."

"그럼 엄마가 대체 어디다가 숨겨놨다고 하시던가요?"

"보석함 안에요. 안에 깔린 안감이 헐겁다고, 그 밑에 숨겨뒀다고 하셨습니다. 정말 죄송합니다."

"그럼 목사님은 이런 사실 확인도 안 한 내용을 그럴 위치도 아니면서 전달하신 건가요? 주교가 됐든 장로교회든 누구든 이건 공식적으로 확인을 해야겠어요."

나는 목사님 책상에 놓여 있는 서명하지 않은 진술서를 집어 들고 자리를 박차고 나섰다.

✦

롭의 집 복도에 들어서는 순간 따뜻했다. 난방기가 없는 교회와 외풍이 들이치는 차에서 내린 다음에야 맞는 온기였으니 당연하다. 두 번째로는 페인트 냄새, 나무 니스 냄새, 벽지에 바른 풀 냄새가 났다. 골조만 있던 건물이 이제는 어엿한 집처럼 보였다.

"전화부터 해야겠어요."

나는 코트를 벗어 롭에게 건네며 말했다.

"거실에서 해요. 난 주전자에 물부터 올릴게요."

케이트에게 건 전화연결음이 적어도 여섯 번은 울리고 나서야 그녀는 전화를 받았다.

"부탁 하나만 들어줘요." 내가 말했다. "우리 집 여분 열쇠로 집에 들어가서 책장 맨 위 선반에 있는 엄마 보석함 좀 봐줄 수 있어요?"

"문제없죠. 잠깐만요."

나는 열쇠가 딸랑거리는 소리, 계단을 밟고 내려가는 소리, 자물

쇠 열리는 소리, 도난 경보기가 꺼지는 소리를 차례대로 들었다.

"상자 꺼냈어요. 뭐 어떡하면 돼요?"

"위쪽 칸을 꺼내서 비우고 혹시 안감이 느슨한지 봐줘요."

그러자 상자를 더듬는 소리가 들렸다.

"아, 안쪽에 꼭꼭 접은 종이가 한 장 있네요. 출생증명서 같은데."

심장이 쿵쾅거리며 뛰고 손바닥에 땀이 배어들어 축축했다. 전화를 떨어뜨릴 것만 같았다.

"증명서를 펴서 아기, 엄마, 아빠 이름을 읽어줘요."

"아기 이름은 수잔 메리 그린이에요. 아, 수잔 증명서구나. 엄마이름은 실비아 그레인저. 그리고 아빠 이름은 공란이에요. 이게 어떻게 된 거예요, 수잔? 괜찮아요?"

"도와줘서 고마워요." 내가 간신히 입을 열었다. "다시 원래대로 하고 문 좀 잠가줘요."

나는 전화를 끊었다. 속이 안 좋았다. 수채화 물감이 서로 스며 드는 것처럼 방 안이 빙글거리며 녹아내렸다. 나는 안락의자에 몸을 수그리고 무릎 위에 팔꿈치를 기댄 채 고개를 숙였다.

롭이 스테인리스로 만든 찻주전자에 짝이 맞지 않는 머그잔, 초콜릿 맛이 나는 소화제 한 봉지가 든 쟁반을 챙겨 돌아왔다. 그제야 내 머릿속이 조금씩 맑아졌다.

"이거면 될 거예요."

그가 낮은 테이블 위에 쟁반을 올려놓으며 말했다. 그가 나를 빤히 바라보더니, 이런 것 가지고는 절대 해결되지 않으리라는 걸 직감했다.

"차라리 이야기를 할래요?"

"몸이 좋지 않아요. 혹시 어디 누울 만한 데가 있을까요? 잠깐이면 돼요."

"진통이 있는 건 아니죠?"

"그런 건 아니에요. 그냥 좀 쉬고 싶어요."

그는 나를 위층으로 안내하며 지금은 침대가 하나뿐이지만 내가 써도 괜찮다고 강조했다. 방은 투박했다. 갓 꾸민 티는 나지만 누구도 쓴 적이 없는 방이었다. 침대 탁자 위에 원예용 서적 더미만이 이 방에 사는 사람의 유일한 흔적이었다. 침대 커버를 벗긴 그가 신발을 벗는 나를 도와주었다.

"이모님한테 전화해서 오늘은 못 간다고 전할게요. 정원 이야기를 하시면서 연락처를 받았거든. 원하는 만큼 자요. 난 아래층에 있을 테니까 필요하면 불러요."

나는 두 눈을 감았지만 두근거리는 머리 혈관 때문에 쉽사리 쉴 수가 없었다. 이모가 엄마였고 엄마가 이모였다. 아빠는 나와 하등 관련이 없는 사람이었다. 그걸 받아들이는 게 거의 불가능에 가까웠다. 나는 최대한 소화해보려고 노력했다. 실비아 이모는 엄마보다 열다섯 살이나 어렸다. 나를 가졌을 때 이모는 고작 열일곱이었다. 이모가 프랭크 이모부와 결혼하기 몇 년 전이었다. 엄마는 30대 초반, 아빠와 결혼한 지 벌써 6년이 지났을 무렵이었다. 어떻게 실비아 이모가 애를 낳았을까, 그걸 이해할 수 없었다. 지금 나처럼 이모도 배가 불렀을 텐데. 대체 왜 우리 부모님이 다른 사람의 아이를 입양하고 싶어 했을까. 그리고 왜 다들 비밀로 간직했을까? 나는 세 분의 관계에서 눈에 보이는 것 외에 다른 인상은 받은 적이 없었다. 이모는 정말 짜증날 정도로 우리 집에 드나들며 엄마와도 가까웠다. 이모는 늘 나에게 관심이 많았지만, 난 그게 이모의 오지랖이라고만 생각했다. 실비아 이모. 어리석고, 허영심 많고, 이기적인 이모. 내가 이모의 딸이라는 사실이 섬뜩하게 소름 끼쳤다. 어린 시절 내가 들은 이야기, 나에게 한 행동들이, 내가 경험하거나 느낀 모든 게 전부 거짓말에 바탕을 두고 있었다.

한 시간쯤 지난 후에 나는 다시 아래층으로 내려갔다. 밖은 이미 어두웠고, 커튼도 닫혀 있었고 스탠드 조명엔 불이 들어와 있었으며 가스 불도 켜져 있었다. 부엌에서 라디오 소리가 들렸다. 롭은 식탁에 앉아 지역 신문을 읽고 있었다. 그는 내가 들어가자마자 벌떡 일어나 기분이 어떠냐고 물었다. 나는 우선 이상하게 굴어서 미안하다고 사과했다. 그다음 목사님이 내게 엄마와 관련된 충격적인 이야기를 들려주었다고 설명했다. 그는 혹시 털어놓고 싶은 건 아니냐고 물었고, 나는 그러고 싶지 않다고 대답했다.

"근처에 호텔이 있을까요?" 내가 물었다. "실비아 이모와 의논할 게 있어요. 내일 아침에 찾아가려고요. 오늘 밤 런던으로 돌아가는 기차는 타봐야 아무 의미가 없을 것 같아요."

"말도 안 되는 소리 하지 마요. 여기 있어요." 롭이 말했다.

솔직히 말해 난 친구가 필요했다. 혼자 있을 만한 상태가 아니었다. 우리는 다소 울적한 저녁 식사를 했다. 롭의 곁에서 야채 손질을 도와주었고, 그가 바쁘게 일하는 모습을 지켜보았다. 와인한 병도 나눠마셨다. 내게 꼭 필요한 한 잔이었다. 롭은 설거지를하고 난 곁에서 접시를 마른 행주로 닦았다. 우리는 최근 프로젝트와 버밍엄이 지난 몇 년간 얼마나 많이 바뀌었는지, 우리가 둘다 봤거나 보고 싶은 영화 등에 대한 이야기를 나누며 성 스티븐교회에서 들은 이야기는 교묘하게 피했다. 하루가 끝나가면서 나는 롭이 마음에 무언가를 품고 있다는 느낌을 받았다. 내가 이제그만 잘 준비를 했더니 그가 슬그머니 말을 꺼냈다.

"나 소파에서 잘까요, 아니면 침대를 같이 쓸까요? 킹사이즈 침대라서 둘이, 아니 셋이 같이 누워도 넉넉한데."

나는 그의 제안이 얼떨떨했다. 분명 생각할 시간이 있었거나평소와 같은 상태였다면 주저하지 않고 소파에서 자라고 일렀을테다.

"모르겠어요. 당신 집이잖아요. 당신이 선택해요." 내가 말했다.

"좋아요, 그럼. 침대에서 같이 자요."

롭에게 혼자 자는 걸 좋아한다고 말할 수도 있었지만 그러지 않았다. 나는 항상 모순적인 행동을 크게 개탄하는 사람인데.

다음 날 아침 눈을 떴을 때, 그의 따뜻하고 듬직한 몸이 내 등을감싸고 있었다. 그는 팔을 둘러 손바닥으로 내 배를 감싸고 있었다. 퍽 기분이 괜찮았다.

24.

"어제 못 와서 아쉽네. 웬디랑 크리스틴도 놓치고. 널 못 봐서 아쉬워하면서도 틈을 타 도망을 갔어. 지금 스키를 타러 갔다. 어디로 갔는지 들어도 모르겠네, 동유럽 어디 같았는데. 아무튼 이모부가 공항까지 배웅을 하러 갔는데 아마 점심 전엔 올 거야. 롭이 어제 전화해서 네가 몸이 좀 안 좋다고 그러대. 이렇게 얼마 안 남았을 땐 그럴 수 있어. 마음을 편히 가져야지. 나도 쌍둥이 가졌을 때 너랑 똑같았어. '실비아, 내일이 없을 것처럼 뛰고 그래.' 네 이모부가 맨날 그랬다. 하지만 내가 어떤 사람이니. 잠시도 가만히 있을 수 없지. 그래서 이렇게 지금은 단정하잖니."

자갈 위로 굴러가는 타이어 소리에 이모는 잠시 자리를 떴다.

"오, 롭이 떠나네. 안 들어온다니? 한번 이야기를 나눠보고 싶었는데. 정원 전망대에 미켈란젤로의 다비드 상을 세워놓은 걸 봤는데 꽤 괜찮아 보이더라고. 그래도 예술적 조언을 좀 듣고 싶었는데. 잘 가요, 롭. 나중에 봐요. 얘, 너랑 참 잘 어울린다. 잘 잡았어. 난 자기 사업을 가진 남자가 좋더라. 내가 20년만 젊었어도 어떻게든 해보는 건데."

내가 이모 저택의 문지방을 넘기 전에, 혹은 "안녕하세요."라고 입도 떼기 전에 그와 이야기를 나눴다. 아침 일찍 나는 롭에게 오늘 그의 역할은 단순히 택시운전사와 다를 바가 없다고 했다. 그는 그래도 괜찮다고 했다. 근처에 유명한 정원 디자이너 캐퍼빌리티 브라운이 설계한 정원이 있는 집이 있다며 거기서 행복하게 몇 시간 때우고 있겠다고. 하지만 구불거리는 진입로로 사라지는 그의 차를 보며 나는 그와 함께 동행하지 않았다는 사실을 후회할 뻔했다. 이모와 관련된 짐이 무겁게 내 어깨를 짓눌렀다.

부엌에 서서 커피가 끓기를 기다리는 동안 나는 실비아 이모와 이모에게 과연 앞머리가 어울릴 것인가 하는 중요한 주제로 수다를 떠는 기념비적인 노력을 했다. 가능한 모든 각도에서 피사체를 고려하다가, 이모는 프렌치 프레스를 눌러 커피를 내리고 허리를 숙여 내용물을 확인했다.

"너무 오래 우렸나. 그래도 꽤 괜찮을 거야."

이모는 허리를 세우며 내 배를 다정하게 쓰다듬었다.

그다음 찬장에서 두 개의 꽃무늬 도자기 찻잔을 꺼내 커피를 따르고 그중 하나에 설탕을 세 스푼 넣었다. 이모가 수저를 공중에 든 채 잠시 멈췄다.

"너도 설탕 넣어줄까? 몸에 안 좋은 걸 알면서도 난 어릴 때부터 단 게 좋더라. '실비아, 단 건 이미 충분히 먹었잖니.' 아버지가 늘 그랬는데 그래도 먹으면 좋으니까 약간은 괜찮아."

나는 괜찮다고 했다. 이모가 냉장고로 가서 캔 하나와 병을 들고 왔다.

"크림이나 우유는?"

이모가 자기 머그잔에 쫀득한 거품을 올리며 물었다.

"그냥 블랙으로 마실게요."

"오, 너 꽤 세련됐다. 얘."

우리는 라운지의 크림 가죽 소파에 앉아, 루이 14세 스타일의 유리 상판으로 된 커피 테이블을 가운데 놓고 마주보고 있었다. 그 위에 내가 쓴 초안 진술서가 놓여 있었다. 실비아 이모는 몸을 앞으로 숙여 마지막 페이지로 넘기고 바로 서명을 했다. 내용물은 힐끗 보지도 않았다. 우선 읽어보라고 했지만 이모는 그럴 필요가 없다고 했다.

"네가 나보다 더 똑똑한데 뭐, 괜찮을 거야."

상황이 바뀌었어도 나는 여전히 이모의 서명된 진술서가 필요 했다. 오늘 이야기의 결과가 어떻든 간에 에드워드에 대한 의료 증거를 뒷받침할 증인의 진술이 여전히 필요했으니까.

"이제 그건 두고, 요즘 어떻게 지냈는지 말 좀 해봐."

이모가 머그잔을 들고 높이 올린 크림을 수저로 뜨며 말했다.

"어제 교회 목사님을 만났어요."

"그것 참 잘했다. 네 엄마에게 좋은 친구였어. 턱수염도 잘 어울리고."

"그분이 말하길 엄마에게 비밀이 있었대요."

실비아 이모는 머그잔과 수저를 내려놓고 치마의 먼지를 털어 냈다.

"목사님이 그래? 왜 그런 말을 했을까. 하지만 누구나 마음속에 비밀은 하나씩 있는 것 같아. 아유, 비스킷이라도 좀 내어올걸. 스코틀랜드 쇼트브래드 비스킷이 있는데. 좀 먹을래?"

이모가 자리에서 일어섰다.

"엄마가 목사님한테 그랬대요. 내가 입양된 거라고."

나는 생각보다 침착했다. 이모가 다시 자리에 앉았다. 이모의 목과 뺨이 불그스름해졌다.

"네 엄마는 정신이 오락가락했어. 너도 그랬잖아. 우리 모두 그랬고, 안 그렇니?"

"이건 다른 문제예요. 제 출생증명서 친모 란에 누구 이름이 적혀 있는지도 알아요. 그래서 이모랑 이야기를 해보려고 온 거예요."

"나는 네가 무슨 소리를 하는지 모르겠다. 내 말은…… 애, 수잔." 이모가 조용히 탄식했다. "무슨 말을 어떻게 해야 할지."

"진실을 말씀해주시는 건 어때요? 이제 그럴 때도 된 것 같은데."

"이렇게 말할 게 아니었는데. 언니가 아직 출생증명서를 갖고 있을 줄은 몰랐어. 언니가 입양 절차가 끝나면서 버렸다고 그랬거든. 언제 찾았니?"

"어제요. 엄마의 보석함 바닥에 숨겨져 있더라고요."

"네가 무슨 생각을 했을지 상상도 못 하겠다."

이모는 다시 일어나서 비틀거리며 내 곁에 앉아 있다. 내 손을 잡으려 했지만 나는 이모를 뿌리치고 소파 끝으로 몸을 옮겼다.

"아니요. 그러지 마세요. 전 그냥 사실이 듣고 싶어요."

내가 말했다.

"수잔. 네가 어렸을 때부터 난 늘 말하고 싶었는데 그럴 수가 없었어. 안 그래? 언니는 네 엄마가 맞아. 널 친딸로 키운 거야. 내가 어떻게 갑자기 폭로를 해. 그럼 네 엄마, 아빠, 할머니, 할아버지, 프랭크 이모부까지 온 가족이 난리가 날 텐데. 너도 혼란스럽고. 난 최선이라고 생각하는 일을 했어. 모두가 원하는 방향을 택했다고."

"그럼 엄마가 돌아가시자마자 왜 말씀을 안 하셨어요?"

"나도 생각을 해봤지. 솔직히 말해야겠다고. 근데 넌 너무 슬퍼하고 임신까지 했으니 네가 이 문제까지 감당하는 건 아니라고 생각했어. 그리고 웬디하고 크리스틴에게도 이야기를 해야 하고. 이모부는 알아. 결혼하기 전에 내가 말을 했거든. 결혼을 하기도 전에 겁을 먹었지만 결국엔 나와 식을 올렸지. 애들이 돌아오는 대로 말은 할 거야. 일단 애들도 알고 나면 좋아할 거야. 네가 그 애들과도 자매지간이 되는 거니까."

"쌍둥이들한테 말을 하든 안 하든 그건 제 알 바가 아니에요. 그건 이모가 알아서 하실 일이죠. 제가 알고 싶은 건 제 출생에 대한 진실이에요."

나는 마지막 문장을 유독 천천히 힘주어 강조했다.

그때 복도에서 전화벨 소리가 들렸다. 이모는 일어나려는 듯하다가 마음을 바꿨다. 우리는 전화벨 소리가 멈추고 자동응답기 돌아가는 소리를 기다리며 말없이 앉아 있었다. 마침내 기계 소리가 멈추고 이모는 다시 목을 가다듬었다.

"애, 수잔. 나는 너무 어렸어."

그렇게 내 출생에 대한 이야기가 시작되었다.

"고작 열일곱이었어. 아직 부모 밑에서 살고 있었고 학교를 졸업한 지 1년도 채 되지 않았지. 그때 막 래컴의 넥타이 매장에 취직도 했고. 쫓아다니던 남자애들은 많았지만 그렇게 진지하게 만나진 않았어. 딱 한 번 빼고. 내가 임신했다는 걸 알고 얼마나 겁이 나던지. 인생이 다 망가진 것 같았지."

이모는 기억을 없애고 싶어 하는 사람처럼 고개를 세차게 흔들었다.

"그렇게 끔찍한 실수였다면 그냥 지우지 그랬어요." 내가 쏘아붙였다. "원하지 않는 아이를 군이 낳을 필요는 없었잖아요."

"원치 않는 아이라고 하지 마라. 그런 게 아니었대도. 지우는 건 한 번도 생각 안 해봤어. 그건 내가 못 할 짓이었어. 그때도 시술을 받고 후회하는 애들이 주변에 한둘은 있었어. 아무튼 어떤 이유로든 나는 그건 아니라고 결심했어."

뱃속의 아기가 방광을 짓눌러 몸이 불편했다. 나는 미끄러운 가족 소파에 앉아 자세를 바꾸었다.

"그럼 왜 버렸어요?"

이모가 움찔했다.

"티가 나면서 난 더 이상 혼자만의 비밀로 할 수 없다는 걸 알았지. 내가 털어놓을 수 있는 사람은 네 엄마뿐이었어. 언니가 그때 결혼하고 도시 건너에 살아서 우린 별로 만나지도 못했어. 어느 토요일 점심시간에 짬을 내 언니를 카르도마 카페에서 만났어. 언니한테 털어놓는데 몸이 사시나무 떨리듯 떨리더라. 언니가 화를 낼 줄 알았거든. 나보다 열다섯 살이나 많으니까 그냥 큰 언니 이상이지. 그래도 언니는 이해해줬어. 애 아빠가 누구인지, 괜찮은 사람인지도 물었고. 나는 그냥 댄스파티에서 만난 남자라고 둘러댔어. 전에 만난 적도 없는 사람이라고. '다 잘될 거야.' 언니가 그러더라. '엄마하고 아빠한테는 내가 말할게. 부모님이 뭐라고 하든 언니가 네 곁에 있을게.'라고."

실비아 이모가 자리에서 일어나 탁자 위에 금색 티슈 각을 들고 왔다. 나는 내가 그저 원나잇 스탠드의 부산물이라는 걸 받아들이려고 노력했다. 이모는 다시 소파에 자리를 잡고 진한 화장이 번지지 않도록 눈꼬리를 가볍게 두드렸다.

"네 엄마한테 말하고 나니까 그렇게 큰 걱정을 끼쳤다는 게 얼마나 미안하던지. 그래도 언니는 뱉은 말을 지켰어. 다음 날 집에 와서 네 할머니, 할아버지를 부엌 식탁에 앉히고 사실대로 털어놓았지. 걱정할 게 전혀 없는 것처럼. 할머니는 펑펑 울고 할아버지는 금방이라도 내 다리몽둥이를 분질러놓을 것처럼 화를 냈어. 사람들이 보면 뭐라고 하겠냐, 그 애는 어떻게 키울 거냐, 이제 시집은 다 갔다 등등. 나는 아무 대답도 못 했지. 하지만 언니가 옆에서 대신 대답을 해줬어. 아마 하루 종일 고민을 했던 것 같아. '애 아빠한테는 확실히 어떤 지원도 안 받을 거야?' 언니가 물어봐서 나는 그럴 거라고 했어. '이 아기가 네 인생을 망치지 않았으면 좋겠지?' 언니가 또 물어서 나는 '으응.' 하고 대답했고. '그럼 답은 하나야, 실비아.' 언니가 그랬어. 방법은 이거 하나뿐이라는 듯이. '어떻게 모르는 사람한테 보내.' 내가 언니한테 그랬어. '아주 모르는 사람은 아니야. 나하고 클라이브가 키울게.' 그러더라."

"엄마가 왜 그랬어요? 사고는 이모가 쳤지, 엄마가 해결할 일이 아닌데. 아무리 자매라고 해도 이건 희생이 너무 크잖아요."

"언니한테 이건 희생이 아니었어. 알다시피 네 엄마와 아빠는 결혼하면서부터 아기를 가지려고 갖은 노력을 다했어. 세 번이나 임신을 했는데 세 번 다 유산했지. 엄마는 30대였고 아마 이제는 힘들 거라고 생각했던 것 같아. 이유가 있어서 그런 결정을 한 것 같더라. 언니가 줄줄이 계획을 설명해주던 게 아직도 기억나. '실비아는 일단 사장님한테 친척 집에 며칠 간다고 해서 휴가를 내야 겠어요. 사표를 내긴 해야겠지만 우선은 돌아갈 곳이 있으면 좋으니까요. 릴에 사는 글래디스 이모님 댁에 가서 애를 낳을 때까지 있다가 아무 일도 없던 것처럼 돌아오면 돼요. 아무도 모를 거예요. 그리고 저하고 클라이브가 입양을 할게요. 그렇게 우리끼리 비밀만 지키면 다 괜찮아요.' 네 할머니하고 할아버지는 한동안 말이 없었어. 한 번에 문제가 다 해결되니까. 네 엄마는 자식이 없고 나는 덜컥 애부터 생겼으니."

"정말 깔끔하게 진실을 감추어버렸네요."

"아무도 내 의견은 묻지 않았어. 그저 내가 따라주겠거니, 했겠지. 그래서 난 그냥 어른들 말을 따랐어. 다른 대안은 없어 보였어. 널 낳고 일주일이 지나 언니랑 형부가 릴로 나를 데리러 왔어. 근데 너를 줄 수가 없는 거야. 너는 정말 예뻤어. 네 눈은 내가 지금껏 본 눈 중에 제일 파랗고, 풍성한 머리숱은 지금껏 만져본 것 중에 제일 부드럽고. 두 사람이 글래디스 이모하고 이야기를 하는 사이에 나는 너를 숄로 감싸고 작은 토끼 인형을 안겨주었어. 네가 태어나기 한 달 전에 내가 직접 만든 거였지. 그리고 너를 계속해서 안고, 안고, 또 안았어."

내 토끼 인형. 어릴 땐 그 인형 없이는 잠을 못 잤다. 지금은 휴지에 싸서 내 옷장 밑바닥에 보관하는 인형이었다. 난 항상 엄마가 날 위해 만들어줬다고 생각했다.

"네 엄마 아빠가 떠나면서 널 데리고 갔어. 태어나서 그렇게 많이 울어본 적이 없었어. 네가 영원히 사라지는 건 아니라고 계속해서 혼잣말을 했지. 난 원할 때마다 널 볼 수 있다고. 여전히 너를 껴안고 이야기도 할 수 있다고. 네가 자라는 것도 지켜볼 수 있다고 말이야."

이모는 코를 훌쩍이며 깊이 숨을 들이마시고 나를 보며 웃었다. 나는 몸을 틀어 하얀 대리석 벽난로를 향해 걸어갔다. 거기엔 실비아 이모와 프랭크 이모부, 웬디와 크리스틴, 그리고 손주들의 액자가 가득했다. 근데 가장 가까운 곳에 작은 하트 모양의 은테가 둘러진 갓 태어난 아기의 흑백사진이 눈에 띄었다. 크리스틴이나 웬디의 사진이었더라면 아마 똑같은 액자가 하나 더 있었을 텐데 없었다.

"어쨌든, 그 후로 몇 주 더 릴에 머물렀어. 출산 후 몸조리를 다할 때까지. 네 엄마가 계획한 대로 다 이루어졌어. 이웃들은 아무것도 몰랐고, 난 다시 백화점에 출근했어. 네 엄마는 매주 너를 데리고 집에 왔어. 처음엔 힘들었지. 네가 네 엄마 품에 안겨 있는 걸 보는 게. 그리고 너한테 작별인사를 하고 모든 게 또 반복이었어. 그러다가 어느 순간 좀 익숙해지더라. 넌 패트리샤 언니의 딸이고 내 조카라고."

"그것 참 속편하네요."

내가 다시 이모를 마주보며 말했다. 이모는 다시 몸을 움찍거렸지만 이야기를 이어나갔다.

"1년 후 네 엄마가 또 임신을 했을 때 모두가 놀랐어. 아마 다시 유산을 할 거라고 다들 짐작했던 것 같아. 하지만 이번엔 달랐지. 에드워드가 태어난 날 그렇게 행복해하던 언니를 잊을 수가 없어."

"상상이 되네요."

"솔직히 말해 언니의 가족을 보고 있으면 얼마나 질투가 났는지 몰라. 결국 프랭크를 만나 쌍둥이를 낳았고 나머지는 다 과거가 되었어. 정말 미안하다, 수잔. 네 엄마 아빠가 진실을 말해주지 않아 미안해. 하지만 보면 모르겠니? 이 모든 게 내 잘못이 아니야. 난 시키는 대로 했을 뿐이야. 상황이 달라졌더라면 더 좋았겠지만 그냥 해결할 수 있을 만큼 해결하고 사는 거야. 이제 네가 진실을 알았으니 거짓말은 그만해도 되겠다. 넌 언제나 내 딸이야. 언제나 그랬고 앞으로도 그럴 거고."

이모의 눈가에는 아이라이너와 마스카라가 뒤엉켜 먹색 자국이 가득했다. 이모는 휴지로 다시 화장을 두드렸다.

"그럼 친아버지는요? 그 사람은 뭐하는 사람이었는지 다 말해줘요."

이모의 표정이 가련함에서 두려움으로 바뀌었다.

"생각을 좀 정리해야 할 것 같구나. 잠깐만 기다리렴. 화장실만 갔다가 금방 돌아올게."

나는 이윽고 폐소공포증을 느끼기 시작했다. 라운지의 천장은 너무 낮았고 카펫은 너무 두껍고, 근처 테이블에서 뿜어내는 디퓨저의 향기로 공기는 너무 무거웠다. 나는 힘겹게 일어나 온실로 향했고, 창문 밖을 내다보았다. 하늘은 짙은 회색빛이었고 가랑비도 내렸다. 안개보다는 조금 더 무거운 물기에 금방이라도 흠뻑 젖어드는 그런 가랑비였다. 나뭇가지는 앙상했고 물을 머금은 화단에는 생명체의 흔적이 단 하나도 없었다. 나는 정원에 설치한 새 먹이통에 혼자 앉아 있는 까치 한 마리를 보았다. 까치는 밥이 없다는 걸 알고 이내 날아가버렸다. 얼마 후, 실비아 이모가 체념한 표정으로 문간에 나타났다.

"이건 셰리 주를 한 잔 마시면서 이야기를 해야 할 것 같아. 술기운을 빌려야겠어. 너도 한 잔 주련?"

"아니요, 괜찮아요." 내가 대답했다.

이모는 크리스털 잔을 들고 돌아와 편안한 라운지로 돌아가자고 했다.

"전 여기서 듣고 싶어요."

"여기는 좀 추워. 이렇게 한기가 드는데."

"괜찮아요."

나는 고리버들 안락의자에 몸을 기댔다. 실비아 이모도 마지못해 나를 따랐다.

"그래서? 아버지는요?"

"수잔. 이 말을 과연 해야 할지 모르겠어. 이건 네 이모부도 몰라. 나 말고는 아무도 몰라. 내가 진짜 원하면 무덤까지 가져갈 수도 있는 이야기야. 차라리 나만 아는 게 모두에게도 좋을 거야. 하지만 말은 해줄게. 넌 모든 걸 알아야 할 자격이 있으니까. 더 이상의 비밀은 없으니까. 응?"

실비아 이모는 자신의 손을 내려다보더니, 커다란 다이아몬드가 박힌 결혼반지를 손가락에서 빙글빙글 돌리기 시작했다.

"내가 말했지. 열일곱이라도 사람들은 내가 훨씬 더 성숙해 보인다고 했다고. 그건 내 옷차림 때문이었어. 알잖니, 영화배우처럼. 난 늘 언니를 우러러봤어. 남편, 집, 직장, 좋은 물건을 살 수 있는 충분한 경제적 여유까지 언니는 다 가졌어. 그 시절엔 네 아빠도 매력적인 사람이었어. 서른둘에, 자기 분야에서 존경도 받고 근사하고. 사실 네 아빠는 그때도 그 버릇이 보였어. 술을 좀 많이 마신다고. 사람들도 다 알고 있었지."

"아빠는 알코올중독자였어요."

"그래, 하지만 그 시절엔 올리버 리드나 리처드 해리스처럼 좀 반항적인 사람 같은 분위기가 있었어. 하지만 그 시절 네 아빠의 음주벽은 절대 말년처럼 나약하거나 파괴적인 게 아니라 반항적인 느낌이었다구. 아무도 몰랐어. 네 아빠가 그렇게 될 줄은."

"이게 대체 연관이 있는 이야기예요?"

이모는 한참 말이 없었다. 라운지 문 너머로 희미한 시계 초침 소리와 저 멀리 트랙터의 윙윙거리는 소리가 들렸다.

"그날 저녁, 집안에 결혼식이 있었어. 내 사촌 설리가 결혼을 했지. 기억나니? 지금은 호주에 살고 있어."

나는 고개를 끄덕였다.

"금요일이었어." 이모는 설명을 이어나갔다. "다음 날 출근을 해야 해서 일찍 떠나려고 했지. 설리가 그러는 거야. 네 아빠한테. 나만 집에 데려다주고 피로연에 다시 오라고. 형부는 딱히 내켜하진 않았어. 즐거운 시간을 보내고 있었으니까, 하지만 새 차를 뽑은 지 얼마 안 됐을 때라 자랑이 하고 싶었나 봐. 결국 태워다준다고 하더라. 이미 술을 몇 잔 걸치긴 했는데 그 시절엔 다들 그런 건 신경도 안 썼지. 오는 길에 네 아빠는 나더러 브리지트 바르도를 닮았다며 농담을 했어. 집에 도착해서 우리는 잠깐 차를 길에 세워두고 브랜디를 한잔 마시자는 이야기를 하게 됐어."

"대체 왜 이런 이야기를 하시는지 모르겠어요. 전 양아버지가 아니라 친아버지 이야기가 듣고 싶다고요."

"거의 다 됐어, 조금만 더 들어보렴." 이모가 셰리 주를 한 모금 마시고 이야기를 이어나갔다. "난 약간 취해 있었어. 평소엔 술도 잘 안 마시는 데 그날은 이미 샴페인을 몇 잔 마신 상태였거든. 축음기에 톰 존스의 음반을 넣고 들으며 춤을 추기 시작했지. 네 아빠도 일어나 같이 춤을 췄어. 처음엔 얼마나 우스꽝스러운지 배가 아플 때까지 웃었다."

이모는 술을 한 모금 더 마셨다. 나는 이모의 손이 덜덜 떨리고 있다는 걸 알아차렸다. 갑자기 이야기의 끝이 어디로 갈지 알 수 있을 것 같았다. 난 내가 틀릴지도 모른다는 한 가닥 희망을 품었다.

"여기까지만 하자." 이모가 한숨을 쉬었다. "딱 한 번이었어. 나는 곧바로 후회했고, 분명한 건 네 아빠도 마찬가지였어. 바로 자리를 떠나버렸고 몇 주 동안 네 아빠를 볼 수 없었어. 그래서 임신했다는 이야기도 안 했어."

"말도 안 돼!"

"딱 한 번, 네 엄마가 아기를 입양하겠다는 생각을 하고 나서야 나하고 이야기를 해주더라. 어느 날 오후, 백화점 카운터에 나타났어. 내가 휴직계를 내기 바로 직전이었지. 와서는 대뜸 그러더라. '내 애니?' 나는 그렇다고 했어. 형부는 미안하다고 그러더라. 그게 다였어."

"세상에. 아니야." 나는 두 눈을 질끈 감았다.

"다음 날 언니한테 전화가 왔어. 형부도 아기 입양에 찬성을 했다고. 언니는 형부가 진짜 아빠라는 걸 죽을 때까지 몰랐어. 적어도 난 절대 말한 적이 없어. 그래도 가끔은 궁금하긴 했어. 과연 형부가 술에 취해 언니한테 말을 하진 않았을까. 하지만 만약 그랬다면 날 절대 그냥 두진 않았을 거야. 언니는 가족 중 누구라도, 심지어 나까지도 입양이라는 단어조차 입 밖으로 못 내게 단단히 입단속을 시켰어. 그래서 우리 모두 네가 당연히 언니의 딸인 것처럼 굴었어. 이런 이야기까지 한 건 네가 처음이다."

이모가 나머지 셰리 주를 테이블 위에 올려놓았다.

"수잔, 이건 내 잘못도, 네 아빠의 잘못도 아니야. 네 아빠는 단한 번도 나한테 그런 관심을 보인 적이 없었어. 그냥 둘 다 아주 찰나에 잠깐 정신이 나갔던 것뿐이야. 그리고 세월이 이렇게 흘러 너를 보고 있으면 난 후회 안 해. 이렇게 똑똑하고 예쁘고 근사한 널 보렴. 이보다 더 자랑스러울 수가 없어. 게다가 또 다른 손주까지 안겨주고. 딱 하나 슬픈 게 있다면, 네 아빠의 음주 때문에 네가 겪은 힘든 일들이지. 알아, 나도 옆에서 지켜보느라 얼마나 힘들었는지 몰라. 널 다시 데려올 수만 있다면 그랬을 거야. 하지만 그럴 수가 없었어."

이모는 마침내 입을 닫았다. 내 반응을 기다리는 것 같았지만 난 얼음처럼 굳어 그 어떤 말도 할 수 없었다. 내 상상 속에서 이모의 이야기가 마치 바다로 갈라지는 빙하처럼 쩽 하고 울려 퍼졌다. 피가 차갑게 얼어붙었다. 고통의 고드름이 내 머리를 찌르고, 눈 뒤를 찌르고, 이빨 뿌리까지 흔들었다. 귀에선 날카로운 소리가 들리고, 방 안의 공기가 내 폐를 쥐어짰다.

"이해하지, 응? 수잔? 뭐라고 말 좀 해보렴. 내가 미운 건 아니라고 해봐. 솔직히 이제 네가 다 알아서 너무 다행이야. 이제 우리 모두 새롭게 시작하자. 모든 걸 다 알게 되었으니까."

이모는 내 팔을 부여잡으며 애원하듯 나를 바라보았다.

"아주 정확한 사실만 말씀해주셨네요." 내가 바들바들 떨며 말했다. "하지만 이모 탓이 아니라고는 말하지 마세요."

"수잔, 그 시절이 어땠는지 넌 절대 몰라. 미혼모라는 건 부끄러운 일이었어. 런던이나 트렌디한 예술가들이 사는 곳이라면 모르겠지만 내가 살던 곳은, 우리 부모님은 절대 받아들일 수 없는 일이었다구."

"저도 알아요. 바보가 아닌 이상. 하지만 전 이모가 어떤 사람인지도 잘 알죠. 이모는 항상 남자들과 염문을 뿌렸잖아요. 여성스러움을 잔뜩 묻히지 않으면 남자한테 '안녕하세요'도 못 했잖아요. 다들 알아요. 이모가 질투 많은 동생이라는 거, 이모는 엄마가 가진 건 다 갖고 싶어 했다는 거. 술 때문에 자제력이 약해진 아버지를 꼬셔놓고 행동에 대한 결과는 마주할 자신이 없었겠죠. 이해해요. 정말 완벽하게 이해했어요."

"수잔, 그런 게 아니야."

나는 자기가 한 짓이 얼마나 대단한지 감도 못 잡는 이 여자에게서 그저 도망치고 싶은 마음뿐이었다. 이모의 자기 연민을 무시하고 시계를 확인했다. 이 집에 벌써 두 시간이나 있었다. 우연한 타이밍에 초인종 소리가 복도를 울려 퍼졌다. 나는 의자에서 일어나 라운지와 코트 보관실을 지났다. 이모가 비틀대며 나를 쫓아왔다.

"조금만 더 있다가 가렴, 이야기 좀 더 하고 가."

"이미 서로 할 말은 다 한 것 같은데요."

나는 너무 타이트해진 코트에 억지로 몸을 우겨넣었다.

"하지만 아직 시작도 못 했는걸. 이렇게 가지 마. 롭한테 조금만 더 있다가 데리러 오라고 해. 이모가 먹을 것 좀 만들어줄게."

나는 고개를 저으며 이모를 지나 문을 열었다.

"할 만큼 하셨어요. 그리고 이모가 날 먼저 버렸으니 이젠 내가 이모를 버릴 차례예요."

✦

실비아 이모의 집에서 역으로 가는 내내 롭은 왜 내가 현관문을 열자마자 그를 지나쳐 차로 달려갔는지, 왜 이모의 얼굴이 녹아버린 양초 같았는지 알아내려 전전긍긍이었다. 나는 가족사라고 했다. 그는 분명 그것보다는 더 많은 걸 감지한 표정이었지만.

"당신이 마음을 열 준비가 되면 나를 찾아요. 난 늘 여기 있으니까."

그가 말했다. 어쩌면 롭은 아주 오래 기다려야 할지도 모르겠다.

실비아 이모와의 달갑지 않은 일을 언급하지 않으려고 나는 롭에게 오늘 아침, 그가 방문했던 정원에 대한 이야기를 물었다. 버밍엄 외곽에 도착할 때쯤 그는 이미 아주 구체적으로 정원을 묘사하고 있었다.

롭은 주차타워에 차를 세운 채 엔진을 끄고, 어둠 속에서 나를 향해 몸을 틀었다.

"수잔, 가기 전에 하고 싶은 말이 있어요. 지금이 좋은 때는 아니지만 망설이다간 다 놓친다고 하잖아요. 그리고 어젯밤 일 이후로 나는 그 어느 때보다 확신이 듭니다."

"어젠 아무 일도 없었어요. 우리가 한 침대에서 같이 잤다는 거 말고는. 더 정확히 말하면 당신은 잘 잤고 나는 이리저리 뒤척였지만."

"좋아요. 아무튼 들어봐요. 앨리슨을 만난 이후로 정말 많은 생각을 했어요. 마치 몇 달이 눈 깜짝할 새 사라진 것 같아요. 그리고 이제야 큰 그림이 눈에 들어와요."

"시간이 얼마 없어요, 롭. 본론이 뭐예요?"

"아, 그래요." 그가 깊은 숨을 들이마셨다. "런던으로 이주해서 동료와 함께 사업을 키울 거라고 내가 그랬잖아요."

"네."

"그럼 나랑 같이 사는 건 어떻게 생각해요?"

"대체 그게 무슨 말이에요?"

"진지하게 만나는 게 걱정되면 우선 집부터 공동명의로 빌립시다. 내가 당신에게 감정이 있다는 건 알고 있었을 거예요. 난 당신도 똑같이 느끼고 있다는 생각을 했어요. 우리가 서로를 제대로 안 지 몇 달 되진 않았지만 그건 무시해요. 옳다는 느낌이 들면 그건 옳은 거니까. 우린 서로 많이 다르지만 서로를 완벽하게 보완해요. 전체가 부분의 합보다 더 크다라는 말도 있잖습니까. 그러니까, 그게 우리라는 거죠. 당신은 나에게 좋은 영향을 주고 나도 당신에게 완벽해요. 우리 나이에 더 시간을 낭비할 이유가 있어요?"

이거야말로 내게 가장 필요치 않던 것이다. 난 이미 포위당하고, 폭격도 당했고, 정신적 압박감이 파도처럼 밀려오는 상태였다. 과연 내가 여기서 얼마나 더 감당할 수 있을지조차 알 수 없었다. 누군가와 함께 내 삶을 함께할 계획을 세우기는커녕, 그저 내가 원하는 건 집에 돌아가 문을 잠그고 전화를 꺼버리고 세상을 차단하는 것이었다. 최근의 사건으로 종합해보면 내가 그간 믿고 있던 게 옳았다. 타인은 믿을 수 없다.

"말도 안 되는 소리네요." 나는 서둘러 안전벨트를 풀려고 허둥거리며 말했다.

"알아요, 근데 뭐 어때요?"

"나는 내 인생을 다른 사람과 나누고 싶은 욕구가 없는데, 대체 왜 내가 당신과 함께 살고 싶어 할 거라고 생각했는지 모르겠네요. 난 혼자가 좋고, 내 독립심이 좋고, 내 방식대로 사는 게 좋아요. 얼마나 대단한 벌목꾼인지 몰라도 내 집을 엉망으로 만들고 내 발밑에 멋대로 들이닥치지 않았으면 좋겠어요. 우리가 잘 지냈다고 해서, 내가 당신에게 다른 감정을 가졌다고 해서, 그렇게 멋대로 가정하는 건 정말 잘못된 태도라고 봐요. 기차 시간이 15분 남았네요. 이건 정말 내가 원한 게 아니에요, 롭."

힘겹게 몸을 구부린 나는 발밑에 놓여 있던 핸드백을 잡고 차문을 밀었다.

"그래도 아니라고 말을 하진 않네요."

"아니요, 그 어떤 상황이 와도. 절대 아니에요. 이제 좀 이해가 됐나요?"

3월

25.

내가 출산 휴가를 얻었다는 사실을 기념해야겠다. 더 이상 꽉 찬 통근 열차에 거대한 배를 들이밀며 탈 필요도 없고, 동료들의 분노나 헛된 수다에 시달릴 필요도 없다. 오로지 나만을 위한 충분한 시간을 얻었다. 하지만 나는 내가 약간 어정쩡한 상태에 머물러 있다는 것도 안다. 나는 끝없이 공허한 하루하루를 어떻게 채워나가야 할지 도통 모르겠다. 이번 달, 모든 게 잘 풀린다면 나는 딸아이의 엄마가 된다. 긴장과 기대감이 적절한 감정이라고는 생각하지만 그건 사실 거의 생각도 않고 살고 있다. 과거에 사로잡혀 사는데, 어떻게 앞으로 닥칠 일을 생각할 수 있겠는가?

최근에 와서야 이 모든 허탈감이 몰려들었을 뿐, 버밍엄에서 돌아온 다음 날 아침 나는 잔뜩 화가 나서 일어났다. 나는 그야말로 화가 머리끝까지 나서 돌아버릴 지경이었다. 통제력을 되찾아야 할 때였다. 소송을 통해 죽음의 일격을 날리고, 집과 물건을 팔아 치우고 내 가족과의 유착관계에서 벗어나 내 삶을 살아갈 것이다. 깨끗하고, 단정하고, 빠른 속도로.

나는 마거릿 아줌마에게 진술서를 써서 보냈고, 상대는 며칠 만에 서명을 해서 보내주었다. 브링크워스 변호사와 동생의 변호인 '로슨, 로 앤 컴퍼니'에도 엄마의 생전 의료기록 사본과 이모, 마거릿 아줌마의 진술서를 첨부해 이메일을 썼다. 브링크워스에게 내가 가진 증거로 미루어볼 때, 유언 집행인이었던 그가 엄마의 상황을 의사에게 직접 확인하지 않고 유언장을 작성하여 공증했으므로 이건 최악의 직무태만이라는 점을 알렸다. 그러므로 이 유언장은 더 이상 효력이 없으며, 혈관성 치매에 걸린 노부인의 유언장은 법원의 조사에 결국 두 손을 들고 말 것이라 적었다.

　'로슨, 로 앤 컴퍼니'에는, 엄마의 의료 기록에 의하면 변호인의 클라이언트는 엄마의 진단명이 무엇인지를 정확히 알고 있었고, 엄마가 에드워드가 행사하는 영향력에 취약했다는 점을 지적했다. 에드워드는 엄마가 아프다는 사실을 비밀로 했다. 내가 확보한 증거에 따르면 법원은 나보다 더 큰 상속을 받은 에드워드와 그 유언장을 상당히 의심할 가능성이 컸다. 나는 브링크워스와 동생의 변호사에게 둘 다 소송을 그만두고 패배를 인정하라고 종용했다. 아마 둘 다 금방 두 손을 들 것이다. 내가 가진 증거로 그들의 주장이 무력화된 셈이니까. 나는 스스로 자축했다. 내가 잘해서 일이 잘 풀렸다. 내가 가만히 앉아 다른 이의 태만이나 배신을 구경만 했을 거라 생각했다면 모두들 아주 심각한 오산을 한 것이다.

　나는 트루디에게 전화를 걸어 진통이 오기 전까지 정상적으로 근무를 할 수 있는지 물었다. 예정일을 3주나 남겨놓고 굳이 벌써 업무를 정리하고 싶진 않았다. 너무 많은 자유는 때로 위험하다. 게다가 나로 인한 공백 때문에 벌어질 사무실의 업무 과다로 나중에 복직을 하더라도 모두의 눈총을 살 게 뻔했다. 트루디는 길 건너에 위치한 타이 음식 레스토랑에서 나의 출산 휴가 배웅을 위한 회식을 준비했지만 난 그런 행사가 무의미하다고 분명히 밝혔다. 나는 마치 평범한 금요일 저녁 퇴근처럼 사무실을 떠나고 싶었다.

문제의 마지막 날 오후 5시, 갑자기 탁자를 한쪽 구석에 나란히 맞춰놓고 다들 가방에서 와인을 한 병씩 꺼내는 모습을 보며 나는 약간 당황했다. 내 요청과 달리 트루디는 깜짝 파티를 준비했다. 트루디가 직원들에게 과연 나 없이 이 사무실이 얼마나 엉망진창으로 돌아갈 것이며, 나의 고약한 유머 감각을 얼마나 그리워할 것이며, 내 아기가 과연 얼마나 효율적인 삶을 살 것인가에 대한 연설을 늘어놓는 사이, 나는 그저 정중하게 예의를 차리고 미소를 지어 보였다. 여러 번 축배와 다양한 선물도 받았다. 모두가 보는 앞에서 선물을 뜯어야 했다. 트루디의 선물은 모유 유축기와 가슴 패드 한 묶음이었다. "나도 애를 낳고 처음 몇 주는 여기저기 모유를 흘리고 다녔다니까." 트루디가 말했다. 톰이 더럽다는 듯 얼굴을 찡그렸다. 톰은 신생아용 우주복을 선물로 주었다. 옷에는 1980년대 후반 미국에서 유명했던 힙합 그룹 '스트레이트 아우터 컴튼'이 적혀 있었다. (이게 수잔 세대 맞죠, 그가 피식대며 물었다.) 리디아는 DVD 세트를 주었다. 자신감을 북돋아주고 내 몸을 6주 안에 원래대로 만들 수 있는 운동 영상이었다. ("예전엔 몸매 하나는 근사하셨잖아요.") 어쩔 수 없이 나는 사람들 앞에서 감사 인사를 해야만 했다. 나는 마음에서 우러나오는 듯한 연기까지 펼쳤다. 트루디의 출산 휴가를 겪어봤기 때문에 가능한 일이었다.

대중 사이의 수치스러움을 감내한 나는 겨우 탈출에 성공했다. 사람들은 아니라고 했지만 앞으로 반 년간 그 누구도 내 공백을 눈치 채진 못할 것이다. 짜증스럽게도 나는 클래펌으로 가는 내내 엄청나게 불어나는 택시비마저 감수해야 했다. 나는 다양한 종류의 아기 동물로 장식된 가방을 들고, 내 선인장을 포장한 커다란 마분지 상자까지 겨드랑이에 끼고 있었다. 나는 회사 사람들이 내 선인장을 돌봐줄 거란 기대는 애초에 하지도 않았다. 의심할 여지 없이, 선인장은 원래 건조하게 산다는 사실을 잊은 채 생각나면 한 번씩 아주 흠뻑 물을 뿌려댈 게 틀림없었다.

✦

출산 휴가 첫날 아침부터 나는 기다리던 이메일 두 통을 모두 받았다. 나는 노트북을 들고 안락의자에 앉아 부어오른 발을 받침대 위에 올린 후 첫 번째 메일을 열었다. '로슨, 로 앤 컴퍼니'에서 온 메일이었다.

저희는 최근 수신한 이메일과 첨부된 서류에 대한 에드워드 그린 씨의 입장을 전달하고자 이렇게 회신을 보내드립니다. 당사 의뢰인은 어머님의 진단을 인지하고 계셨다고 흔쾌히 인정하셨습니다. 다만 고인께서 생전에 가족을 포함한 그 누구에게도 병명을

공개하지 말아 달라는 부탁을 하셨다고 전합니다. 최근 당사는 어머님의 진단의였던 샤피크 박사와의 면담을 진행했습니다. 박사는 어머님의 생전 상태는 일상을 영위하시는 데에는 사소한 영향을 미쳤으나 재산의 정도와 유언장을 작성하는 행위, 유언의 효력을 인지하시는 데에는 전혀 영향을 미치지 않았다고 확인해주었습니다. 이 증언은 고인의 생전 의료 기록과 맥락이 같은 바, 어머님의 정신미약 상태라는 수잔 그린 씨의 주장을 반박합니다.

당사는 또한 제러미 위더스 목사의 증인 진술서 역시 작성 중에 있습니다. 제레미 위더스 목사는 당사 의뢰인에게 수잔 그린 씨가 부인의 친딸이 아님을 알렸습니다. 고인의 유언 작성에 타당한 근거가 됨에도 불구하고 이 사실을 공개하지 않으셨다는 점을 명확히 짚고 싶습니다. 위더스 목사는 고인이 되신 그린 씨와의 친분을 토대로 고인께서 생전, 고인의 사후 당사 의뢰인의 생활을 매우 걱정하셨다는 점을 증언할 예정입니다. 고인과 당사 의뢰인과의 친밀한 유대감이 유언장을 작성하는 토대가 되었다는 점도 사실입니다.

이 모든 상황을 미루어볼 때, 저희는 의뢰인에게 소송에서 승소할 가능성은 아주 높다는 법적 조언을 해드렸습니다. 그러므로 의뢰인은 수잔 그린 씨가 제기한 소송에 강도 높은 반박을 할 예정입니다.

두 번째 이메일은 브링크워스 변호사가 보냈다.

고인이 혈관성 치매를 앓고 있었단 사실이 제 입장을 바꾸는 데에는 아무런 영향을 끼치지 않습니다. 어머님의 유언장을 작성하기 전 저는 의사의 조언을 구할 의무가 없었습니다. 어머님의 행동에는 자신이 행동에 대한 인지가 부족하다는 암시가 전혀 보이지 않았기 때문입니다. 동생 에드워드 그린 씨의 변호인은 새로 드러난 증거 역시 공유했습니다. 그러므로 수잔 그린 씨의 소송이 승소할 가능성은 현저히 낮아 보입니다. 저는 동생 분과 고인이 바라던 생전의 소망과, 동생 분과 수잔 그린 씨 사이의 논쟁의 가운데에서 있습니다. 마지막으로 두 분이 원활히 합의점을 찾아 불필요한 법적 소요를 종결하시기를 권고드리는 바입니다.

나는 두 통의 이메일을 다시 꼼꼼히 읽었다. 마치 스크래블 단어 게임에서 일곱 개의 알파벳으로 된 단어를 만들어내는 것만 같았다. 상대는 똑같은 말을 되풀이하며 세 단어로 만든 사각 모양으로 점수를 얻어내려는 듯했다. 나는 엄마의 진단의가 엄마의 병이 영향력이 적고 엄마의 정신 능력에 문제가 없다고 진술할 줄은 꿈에도 몰랐다. 목사님, 실비아 이모, 프랭크 이모부, 그리고 내가 알고 있던 입양 문제도 도마에 오를 줄이야. 내가 입양아라는 걸 아는 순간 에드워드가 얼마나 통쾌해했을지는 안 봐도 뻔했다. 낄낄거리며 손바닥을 비벼댔겠지. 엄마의 유언장뿐 아니라 그동안 내게 했던 말이나 행동이 모두 정당하다고 느꼈을 것이다.

그 빌어먹을 목사. 그는 정말 에드워드에게도 같은 비밀을 털어놓음으로써 윤리적으로 옳은 행동을 한다고 믿었을까? 아니면 단지 장난을 치고 싶었던 걸까. 어느 쪽이 되었든, 그가 내 소송을 말아먹고 있었다. 나는 브리짓이 했던 조언을 떠올렸다.

"유언장의 비합리적인 분배는 유언장 작성자의 정신 능력을 의심해야 할 여지가 있다고 해."

엄마가 에드워드를 편애할 이유가 없어 보인다는 사실은 엄마의 유언장 작성 능력에 의심을 품게 만들었을 테지만 이제는 그럴 만한 이유가 생겨버렸다. 처음으로 엄마가 에드워드에게 집을 남긴 게 어쩌면 치매에 걸려서가 아닐지도 모른다는 생각이 들었다. 엄마는 정말 전적으로 에드워드에게 집을 남겨주고 싶었던 건 아닐까.

나는 그날 옷도 입지 않았다. 소파에 누워 아무 생각 없이 텔레비전만 바라보았다. 감각을 무디게 할 무언가를 찾아 나서며 채널과 채널을 휙휙 넘겼다. 숨이 가쁘고 심장이 두근거렸다. 소송에 이기려고 내 남은 에너지를 다 써버리느라 다른 생각은 비집고 들어올 틈이 없었을 뿐, 이제는 미뤄두었던 모든 생각이 물 밀 듯 몰려들고 나는 숨이 막혔다.

"그대가 진실을 알게 되면 진실이 그대를 자유롭게 할 것이다."

내가 서둘러 교구실을 빠져나오는데 목사님이 그랬다. 요한복음 무슨 구절이라고. 나는 그 숭고한 성자와 다르다는 걸 온몸으로 간청한다. 나는 이제 진실을 안다. 내가 창피한 누군가의 실수로 태어난 사람이라는 걸 안다. 서로에게 감정이 없던 두 남녀가 일시적인 무언가에 홀려 만든 무의미한 결과일 뿐이다. 친엄마는 나를 배려하지 않고 버렸으며, 엄마라고 믿었던 사람은 나를 진짜 아이를 낳을 때까지만 데려다 키울 위안의 도구로만 삼았다. 그렇게 나는 내 유년기와 인생 전반에 걸쳐 가족들의 거짓말에 속고, 배신당하고, 바보가 되었다. 그렇다면 과연 진실은 나를 자유롭게 해주었는가? 그렇지 않다. 나는 오히려 진실이라는 이름에 갇혀버린 느낌이다. 내가 믿던 내가 아니다. 내 이야기의 주인공은커녕, 나는 다른 사람의 인생에 지나가는 단역일 뿐이었다.

✦

봄 햇살이 너무 밝게 비추고 길거리는 사람들로 인산인해를 이루는데, 나는 일주일이나 집 밖을 나가지 않았다. 식료품을 배달시켰다. 굳이 나가서 장을 보고 싶은 마음도 없었다. 요즘은 많이 먹지도 않았다. 케이트는 계속해서 현관문을 두드리며 괜찮냐고 물었지만 나는 그냥 지쳐서 그렇다며, 임신 말기가 되니 너무 힘이 달리고 휴식이 필요할 뿐이라고 핑계를 대었다. 케이트가 잠깐 들어가고 싶다고도 했지만 나는 현관 안쪽으로 그녀를 초대하지 않았다. 그냥 케이트를 보고 싶지도 않았다. 며칠간 청소를 하거나 집을 정리하거나 씻지도 않았다. 내가 아빠와 이모의 불륜으로 태어난 자식이라는 걸 케이트는 몰랐다. 아니 내가 소송에서 크게 지고 있다는 것도 모르겠지. 어쨌거나 아무것도 설명하고 싶지 않았다. 하지만 다른 생각을 할 수가 없다.

롭은 매일같이 전화를 하며 나를 괴롭혔다. 나는 그에게 시간 낭비는 그만하라고 했다. 새로 전할 소식도, 그에게 하고 싶은 말도 없다고. 딱 한 번, 나는 그에게 나에 대한 감정이며 우리가 같이 산다는 바보 같은 이야기를 또 주절거리면 전화마저 받지 않겠다고 으름장을 놓았다. 롭은 일단은 접어두겠다고 했다. 그래도 떠나진 않을 거라고. 실비아 이모도 집 전화와 핸드폰으로 번갈아 가며 나를 괴롭혔다. 나는 이모의 전화를 받지 않았다. 사실 이모가 남긴 자동응답기의 메시지를 지우는 것도 힘에 부쳐서 그냥 기계 콘센트를 뽑아버렸다. 응답기도 필요 없었다.

대체 이모가 왜 이렇게 나에게 연락을 하는지도 모르겠다. 임신과 출산이라는 게 이모에게는 그저 불편한 일이었을 텐데. 의심할 여지없이 이모의 주된 관심사는 아이를 키우며 망가질 이모의 몸매였을 텐데. 만약 이모가 나를 키웠다면 나는 그저 이모에게 창피한 존재로 남았을 것이다. 자신의 매력을 잃어가고 좋은 남편을 만날 기회조차 망치는 존재. 날 엄마 아빠에게 넘겨주고 이모는 아마 조금도 후회하지 않았을 것이다. 미혼에 아무런 거리낌도 없는 자유로운 몸이 되어 이 남자, 저 남자를 꼬이고 다녔겠지. 그 이후로 이모와 나의 관계는 거의 생각조차 하지 않았을 것이다. 사실, 이모가 얼마나 공허하고 자기도취적인 인간인지 아니까, 내가 이모에게 말을 하기 전까지 이모 역시 자신이 나를 낳았다는 사실 마저도 까먹고 살았을 거란 확신이 든다.

나는 요즘 엄마 집에서 가져온 사진 앨범을 보는 데 대부분의 시간을 보낸다. 엄마는 어색해 보이고, 실비아 이모는 동떨어져 보이고, 손님들의 대부분이 우울해 보이는 내 세례식 광경이 이제야 이해가 간다. 모두 자신의 역할을 연기하고 있을 뿐이다. 앨범에는 아기였을 때 내 사진이 몇 장 없다. 엄마가 공원 벤치에서 뻣뻣하고 어색하게 나를 안고 있는 사진 몇 장과 아빠가 나를 안는 사진 한 장이 전부다. 엄마는 한 번도 웃질 않는다. 왜 그랬을까? 결국 입양을 하자고 한 건 엄마였는데. 어쩌면 갑자기 생긴 아이에게 모성애가 예상했던 것만큼 쉽게 생기지는 않았던 모양이다. 아니면 자신이 낳은 아이가 아니라 유대감을 형성하는 데 어려움을 겪었을 수도 있고. 반면 아빠는 행복해 보인다. 불륜이 들통 나지 않아서일까. 잘못된 방식으로 유전자를 다음 세대로 물려주고도 그 어떤 비난도 받지 않았다. 사실 다른 사람의 아이를 도맡아 키우겠다고 했으니 주변에서 얼마나 그를 칭송했을까.

놀랄 것도 없다. 동생이 아기였을 때는 수많은 사진이 남아 있다. 에드워드가 발가벗고 담요 위에 누워 있는 사진, 에드워드가 할머니 품에 안겨 있는 사진. 에드워드가 유모차, 간이침대, 안락의자 그리고 나중엔 유아용 의자에 앉아 있는 사진, 세발자전거를 타고 제일 좋아하는 곰 인형을 안고 있는 사진까지. 가끔은 사진의 배경에 내가 찍혀 있을 때도 있다. 가끔 사진의 피사체가 되기도 했지만 그건 액자의 가장자리를 겨우 비집고 들어가 찍힌 사진이다. 가족사진은 주로 엄마가 찍었고, 아빠의 음주가 심해지면서부터 아예 엄마만 사진을 찍었다. 에드워드와 나의 사진은 장수부터 다르다. 왜 진작 알아차리지 못했을까.

나는 정의와 공평을 위해 소송을 시작했다. 엄마가 내게 주고자 했던 걸 지키기 위함이라는 내 자신의 명분을 위해서였다. 그러나 이제야 알겠다. 소송은 그것 때문이 아니었다. 나는 엄마에게 에드워드와 내가 동등한 자식이라는 걸 증명하고 싶었다. 판사가 법정에서 "어머님의 정신이 올바른 상태였다면 절대 나보다 에드워드를 편애하지 않았을 겁니다."라는 선언이 듣고 싶었다. 물론 나는 엄마가 나보다 에드워드를 더 아낀다는 걸 늘 알고 있었다. 증거는 누가 봐도 명백했다. 하지만 때로 자기보호가 우리의 눈을 가리는 법이다.

엄마는 에드워드가 아빠의 성격과 약점을 물려받았을까 봐 걱정했다. 에드워드가 계속해서 별다른 경계심 없이 알코올이나 약물 중독에 빠질지도 모른다고. 그래서 에드워드를 보호하는 게 우리의 의무라고. 나도 아빠의 유전자를 받았다는 걸 엄마가 혹시 알았더라면, 엄마는 나도 걱정했을까. 글쎄, 엄마는 내가 감정적으로 연약하지 않다고 생각했다. 아니, 나를 자세히 보려고 하지도 않았다. 내가 입양되었다는 걸 밝히지 않은 건 혹시 에드워드가 내 친동생이 아니라는 걸 알았을 때 그 애를 끝장내버릴 거라고 생각해서일까. 거짓말을 계속한 건, 엄마가 돌아가시고 나서도 누군가 아들을 돌봐줄 수 있으리라는 걸 확실히 하기 위한 필사적인 노력 아니었을까.

한때는 에드워드와 나의 어린 시절이 그토록 달랐던 건 아빠의 음주벽에 대응하는 각자의 방법 때문이라고 생각했다. 아마추어 심리학자라면 내가 나이보다 훨씬 심각했고, 삶을 완전히 통제하려 들고, 나 자신과 다른 사람을 가혹하게 판단하는 증세가 있다고 했을 것이다. 마찬가지로 심리학자는 에드워드가 충동적이고 무책임하고, 손이 많이 가는 사람이라고 진단 내렸을 테다. 어쩌면 내가 받아들일 수 있는 것보다 훨씬 정확한 분석이 아닐까. 또 동시에 과연 그게 우리의 유일한 차이점일까, 싶기도 하다. 에드워드와 나의 유년 시절의 차이점은, 난 사랑받지 못했고 동생은 사랑을 받았다는 거 아닐까.

이제 그만. 나는 결정을 내렸다. 노트북을 열고 브링크위스 변호사와 에드워드의 변호사에게 모두 회신을 보냈다. 중립지역에서의 만남을 원한다고. 예정일이 얼마 안 남은 관계로 가능한 빨리 만나고 싶다고 말이다.

샤워를 하고 머리를 감은 다음 옷을 입고 우유와 빵을 사러 시내로 뒤뚱뒤뚱 걸어갔다. 돌아와 식기세척기와 세탁기를 돌리고 아파트를 정리하는 데 나머지 시간을 보냈다. 집을 다 치우고 나서, 나는 마지막으로 계단 아래 찬장에서 마분지 상자를 하나 꺼내고 엄마의 유골함을 그 안에 넣었다. 신문지를 공처럼 뭉쳐 단단히 고정하고 상자 테두리에 계속해서 테이프를 둘렀다. 테이프 한 통을 거의 다 쓸 때까지 아주 꼼꼼하게. 그리고 맨 위에 에드워드의 이름과 집 주소를 검은 마커 펜으로 적었다. 인터넷으로 예약한 택배회사가 유골함을 수거했다. 엄마의 유골을 내가 보관하는 건 적절치 않다. 엄마는 아들과 함께하기를 바랐을 것이다. 유감스럽지만 큰 손실은 아니다. 엄마의 유골함은 내게 발 받침대에 지나지 않았으니까.

26.

나는 회의실 탁자 중앙에 놓여 있는 유리병에서 물을 한 잔 따라 한 모금을 마시고 내 서류 가방을 열었다. 차라리 조금 늦게 올걸 하는 마음도 들었다. 빨리 와서 가장 좋은 자리를 선택하면 에드워드가 도착하기 전 생각을 정리할 시간도 가지고 전술적으로도 우위를 선점할 수 있을 거라 생각했다. 하지만 기다림은 긴장을 고조시킨다. 말도 안 된다. 불안해할 필요 없다. 난 내가 무슨 말을 해야 하는지 정확히 알고 있었다.

오늘 아침부터 만성적인 속 쓰림에 시달리고 있었다. 그래서 아침을 걸렀더니 후회됐다. 뱃속에서 우레와 같은 소리가 들렸다. 배고픔과 아픔이 동시에 일어나다 보니 그 어느 때보다도 배가 단단히 조여왔다. 속 쓰림과 수축은 엊그제부터 진행되고 있었다.

책을 뒤져 이게 무슨 상황인지를 빠짐없이 읽었다. 브랙스턴 힉스 수축(braxton hicks contractions)이었다. 앞으로 일어난 진통에 대비한 가진통이었다. 나는 이 조정 면담이 어서 빨리 끝나 집으로 돌아가고 싶은 마음뿐이었다.

아무런 특징 없는 회의실을 둘러보았다. 규칙적인 간격으로 열두 개의 의자가 나란히 줄을 지어 있고, 밝은 나무색 테이블이 길게 중앙을 가로지르고 있었다. 소리를 죽이고 방을 편안한 분위기로 만드는 녹색 카펫도 깔려 있었다. 탁자 위에는 유리 물병뿐 아니라 각 자리 앞으로 유리잔, 메모지, 펜이 놓여 있었다. 좀 지나치다는 생각이 들었다. 오늘 조정 면담에는 중재자와 에드워드, 그의 변호사 그리고 나, 이렇게 네 명이 전부다. 브링크워스가 이 특정 변호사와 그의 회사를 중재자로 제안했다. 전에 일하다가 본적이 있는데 일 처리가 감명 깊었다고. 그러나 이 조정 면담에 동석한다고 해서 그가 얻는 건 아무것도 없다고도 했다. 에드워드와 나 사이에 합의가 이루어지면 그는 과실을 인정하지 않고 동의서를 작성하고 자신의 비용은 자신이 부담한다. 재정적인 타격마저도 감수하겠다는 브링크워스 변호사의 제안이 부분적으로는 그도 역시 이번 일에 책임감을 느낀다는 점을 드러냈다.

11시가 조금 넘자 문이 열리고 윤기가 도는 밤색 서류 가방을 든 동양 남자가 들어섰다. 그는 에드워드를 따라 들어왔다. 책장 모서리가 잔뜩 접힌 책과 차를 마시다가 흘린 얼룩이 묻은 서류 폴더도 함께 들고 있었다. 동생은 상황이 낯선듯 어색해 보였다. 그나마 격식을 차린다고 입은 청바지, 셔츠, 정장 재킷과 금속 볼로 타이에 검은 카우보이 부츠 차림이었다. 가는 곳마다 향이 먼저 그를 알렸다. 술집 냄새가 나는 향수.

"누나 일찍 왔네." 그가 테이블 반대편으로 동행 변호사를 쫓아가며 말했다. "아 잠깐만, 이제 그렇게 부를 수가 없다. 누나도 아니라며. 잘 지냈어, 수즈? 좀 있으면 낳겠네. 아주."

여기 오는 길에 첫 대사를 연습한 것 같다. 분명.

"잘 지내. 물어봐줘서 고마워." 나는 대꾸했다.

"저는 그린 씨의 변호인 사지드 이크발입니다."

다부진 남자가 말했다. 그는 손을 뻗어 테이블 너머로 내밀었다.

"법적 대리인이 없다고 불리하게 생각하지는 마세요. 저는 그저 이야기를 듣고 중요한 점은 메모도 하고, 제 의뢰인에게 필요하면 조언을 드리는 정도로만 참석할 겁니다."

"확실히 말씀드리는데, 불리하다고 느끼지 않습니다."

"그렇다면, 뭐. 그나저나 여기 아주 근사하네요, 안 그래요?"

에드워드가 의자를 뒤로 밀어 다리를 쭉 뻗고는 머리 뒤로 손가락 깍지를 꼈다. 태연함을 과시하려는 모습이 나를 짜증나게 만들었다. 하지만 이게 무슨 의미인지는 나도 잘 안다. 에드워드는 지금 연기를 하고 있다. 그도 나만큼이나 어색해 죽겠다는 뜻이다. 나는 그가 형광등 아래에서 얼마나 늙어 보이는지, 관자놀이가 어느덧 희끗해졌고, 눈언저리에 주름도 많이 생겼다는 걸 발견했다. 이렇게 하루 종일 파티만 하며 사는 동물은 금방 늙는다.

그때 문이 다시 열리고 이번엔 중재자가 들어왔다. 비둘기색 바지 정장에 바삭바삭 다린 흰색 셔츠를 입은 50대 후반의 여성이었다. 그녀의 깔끔한 금발은 잔머리 하나 없이 매끈하게 틀어 말려 올라가 있었다. 그녀는 테이블 맨 앞에 앉아 금색 체인으로 된 돋보기를 쓰고 파일을 열었다.

"좋은 아침입니다, 여러분. 저는 마리온 쿰베스입니다. 오늘 여러분의 중재자 역할을 하겠습니다. 격식을 차리지 않는 분위기를 선호해서 오늘은 서로의 이름으로 호칭을 대신하겠습니다. 모두 동의하십니까? 좋습니다. 그럼 일단 사건의 옳고 그름에 대한 판단을 내리는 것이 제 역할이 아니라 단순 합의점을 찾고 당사자 간의 소통의 통로를 찾고자 함이라는 점을 먼저 강조드립니다. 일단 제출하신 서류는 모두 살펴보았고, 이번 조정 면담이 끝나기 전에 합의점을 찾을 수 있기를 희망하겠습니다. 자, 그럼 사건의 사실관계를 간략하게 요약한 다음 양 당사자에게 발언권을 드리겠습니다."

그녀는 앞에 펼쳐놓은 노트를 내려다보았다.

"여기 보니 수잔과 에드워드 그린 씨는 고 패트리샤 그린의 딸과 아들입니다. 유언장에 따르면 에드워드는 가족이 거주하던 집에 거주권을 얻었습니다. 수잔은 유언장이 무효라고 주장하며 에드워드와 유언 집행인을 상대로 소송을 걸었고요. 모든 증거와 증언 진술서도 제출했고, 현재 합의점은 교착 상태입니다. 다음 단계는 공개 법정 심리이군요. 맞습니까?"

나는 고개를 끄덕였고 에드워드와 이크발 변호사 역시 무언가를 속삭였다.

"정확히 짚고 싶어서 말씀드리는데요." 에드워드가 니코틴이 쩐 손톱으로 회의실 탁자를 매만지며 입을 열었다. "수잔은 엄마의 딸이 아닙니다. 입양됐어요. 생물학적으로 우리 가족과 전혀 관계가 없습니다."

쿰베스 변호사 대답했다.

"아, 네. 위더스 목사의 진술서에 그 문제가 언급되어 있군요. 변론하겠습니까, 수잔?"

그때 또 다른 가진통이 슬금슬금 배를 조여오는 느낌을 받았다. 마치 복부에 넓은 벨트를 두르고 점점 더 팽팽하게 당기는 느낌이었다. 동요를 가라앉히고자 천천히 숨을 들이마시고 내쉬어보았다. 수축이 가라앉는다.

"네, 저는 입양되었습니다." 내가 대답했다. "아주 최근에서야 그 사실을 알게 되었습니다. 하지만 정확한 사실관계를 위해 저도 덧붙이고 싶습니다. 저는 엄마, 그러니까 고인과 여기 제 남동생과 생물학적으로 관련이 있습니다."

"대체 그게 무슨 소리야?" 에드워드가 물었다.

"실비아 이모가 내 생모야. 그러니까 엄마는 생물학적으로 내게 이모고, 동시에 내 양어머니가 되는 거지."

"실비아 이모가 누나 엄마라고? 장난치지 마."

"내가 장난치는 것 같아 보이니?"

"성격도 그렇고 가족이라고 닮은 점은 잘 모르겠는데 누나 말은 믿을게. 어느 날은 내 누나였다가 또 자고 일어나니 아니랬다가. 이제는 사촌이라네. 약간 롤러코스터를 타는 기분인데?"

에드워드가 긴장 섞인 웃음을 터트리며 방 안을 둘러보았다. 아무도 그의 말에 웃지 않았다.

"이 코스에 반전 구간이 하나 더 있어. 네 말대로 롤러코스터가 맞나 보다. 나 네 누나가 맞아."

"무슨 뜻이야?"

"우리는 아빠가 같다고."

"잠깐만. 아빠가 실비아 이모랑? 이제 진짜로 열받네. 이모는 생각하는 게 늘 꽃밭이라고 욕했잖아. 멍청이 실비아라고. 그래놓고 이모하고 그런 사이였다는 게 말이 돼?"

"확실해. 이런 걸로는 장난 안 쳐. 못 믿겠으면 이모한테 네가 연락해봐."

쿰베스 변호사와 이크발 변호사가 빠르게 무언가를 받아 적었다.

"그럼, 이게 어떻게 결론지어질지는 모르겠지만. 어쨌거나 에드워드, 수잔은 당신의 사촌이자 이복 남매가 맞네요. 그리고 동시에 양누나이기도 하고요. 수잔이 말한 내용을 받아들이시겠습니까?"

쿰베스 변호사가 받아 적던 노트에서 고개를 들어 물었다.

"그래야겠죠."

에드워드는 정신이 나간 것 같았다. 왼쪽 눈가에 미세한 경련이 일었다. 그는 주먹으로 눈을 문지르며 다시 대답했다.

"아, 네. 좋아요. 어떻게 해야 할지는 모르겠지만 알겠습니다. 그래도 이번 일에는 전혀 영향이 없어요. 제 말은, 그러니까 누나는 엄마의 친딸이 아니잖아요. 미안해, 수즈. 하지만 이런 일이 다 그렇지 뭐."

"네 말이 맞아, 에드워드. 전 친딸이 아니에요."

내가 쿰베스 변호사를 향해 몸을 틀었다.

"하지만 시간을 낭비하기 전에 한마디 덧붙이고 싶습니다."

"그럼요, 하세요. 우리는 절차, 규칙에 따르지 않으니까요."

나는 내 동생을 바라보며 다시 주장을 펼쳤다.

"에드워드, 툭 터놓고 말할게. 이번 일은 나도 받아들이기가 너무 힘들었어. 아마 너에게, 아니 그 누구에게라도 다시는 이런 소리는 안 할 거야. 그러니 잘 들어. 내가 입양되었다는 사실을 알고 나는 정말 산산조각 났어. 그리고 받아들일 준비를 다시 시작했지. 마치 망치로 우리의 어린 시절을 조각조각 때려 부수는 기분이었어. 그리고 난 불확실성에 압도당했고. 그런데 시간이 좀 지나니까, 그 일이 언젠가는 드러났어야 할 일이고, 이미 오래전에 밝혀졌어야 하는 게 맞다는 생각이 들더라. 나는 며칠 동안 과거의 생각, 느낌, 사건을 돌이켜봤어. 그랬더니 엄마와 아빠의 관계가 새로운 시각으로 읽히는 거야. 심지어 너와 나의 관계도. 아빠가 우리한테 한 짓을 지난 몇 년간은 회피하며 살았어. 그게 무엇인지는 말 안 해도 알 거라 믿어. 너도 알 거야. 엄마의 경우엔, 엄마는 절대 너를 사랑하는 것만큼 나를 사랑하지 않았어. 이제 명확히 그 이유를 알게 된 거지."

에드워드는 입술을 오므린 채 고개를 흔들었다. 나는 그를 무시한 채 계속 말을 이어나갔다.

"그리고 나니까 엄마가 돌아가신 다음 엄마는 뭘 원하셨을까 생각을 안 할 수가 없더라. 나는 여전히 유언장 작성 전에 브링크워스 변호사가 치매에 걸린 엄마에 대한 의사의 소견을 물었어야 한다고 믿어. 그리고 최소한 네가 엄마에게 유언장을 쓰시라고 압박하거나 영향을 줬다고 생각해. 내가 원하면 소송을 이어나가고 법원에서 증명할 수도 있어. 나는 유언장의 타당성이 부족하다고 믿지만 유언장의 내용이 엄마가 원하던 것과 일치한다고 생각해. 엄마는 네가 엄마 없이는 스스로 생활을 못 할 사람이라는 걸 잘 알고 계셨던 거……."

"거참, 고마워, 수즈."

"…… 그리고 엄마는 당신이 돌아가신 후에도 네가 안전한 곳에서 살기를 바라셨을 거야. 설령 내가 상속을 못 받는다 해도 말이야. 난 협상을 하러 온 게 아니라 내 결정을 말하러 온 거야. 난 더 이상 소송을 진행하지 않을 거야. 원하는 만큼 오래도록 그 집에 살아. 내 유일한 조건은 네가 직접 모든 절차에 소요된 비용을 내는 거야. 타인의 부도덕한 행위 때문에 내 돈을 쓰고 싶지 않아. 브링크워스 변호사에게 유산 집행 동의서를 써달라고 해. 서명해 줄게."

동생은 말이 없었다. 나는 그의 표정을 읽을 수가 없었다. 기쁨에 겨워 고함이라도 내지를 줄 알았더니.

"혹시 이해를 못했을까 봐 말하는데 네가 이겼다는 뜻이야. 에드워드. 네가 원하는 걸 얻은 거라고."

"음. 수잔. 아주 건설적인 제스처네요." 쿰베스 변호사가 말했다. "이렇게 일찍 합의가 이루어질 거라곤 생각 못했는데요. 에드워드, 답변하기 전에 이 제안을 변호사와 검토하고 싶으신가요?"

에드워드는 몸을 앞으로 수그리고 팔꿈치를 테이블 위에 올려놓았다.

"그럴 필요 없습니다. 나도 이렇게 빨리 끝날 줄은 몰랐는데. 우선, 수즈. 나는 절대 엄마에게 유언장을 쓰라고 압박한 적이 없어.

누나가 절대 나를 안 믿는다는 건 알지. 항상 나를 사기꾼으로 몰아갔으니까. 하지만 상식적으로 생각해. 내가 엄마에게 유언장을 쓰라고 협박이라도 했으면 차라리 이사 갈 때나 받을 수 있는 집의 절반보다는 더 많은 걸 뜯어냈을 거란 생각은 안 들어? 그런 생각은 한 번도 안 해봤어? 하지만 무엇보다 알아둬야 할 건, 수즈. 난 엄마가 돌아가신 집에서는 단 하루도 더 살고 싶지 않아. 애초에 그 집에 다시 들어간 건 엄마를 도와드릴 사람이 필요했기 때문이야. 나는 그 망할 놈의 집구석 꼴도 보기 싫어."

이크발 변호사가 눈치를 주며 헛기침을 했다.

"아, 욕해서 미안합니다." 에드워드가 쿰베스 변호사에게 사과했다. "하지만 그 집엔 나쁜 기억이 너무 많아요. 그 집에 있으면 기분이 바닥까지 떨어져요. 그뿐 아니라 그 집은 나 혼자 살기엔 너무 커요. 밤마다 음악 소리 좀 줄이라고 소리치는 거지 같은 이웃들도 견딜 수가 없고, 이 집엔 진짜 엄청 큰 정원도 있어요. 근데 나는 정원이 싫어요. 설령 그 집에 살고 싶다 해도 그럴 형편도 못 돼요. 지방세는 하늘을 찌를 듯이 비싸고 난방비는 천문학적인 숫자라니까요. 시내 중심가에 있는 멋진 신축 오피스텔 본 적 있어요? 관리비만 내면 아무것도 할 게 없어. 차라리 집을 팔아서 그 돈의 절반으로 오피스텔을 사서 세를 놓고 몇 년간 여행이나 하면서 살고 싶어요. 나는 진짜 떠나고 싶어요. 태양이 간절해요. 동남아시아를 고려 중이에요. 집만 팔리면 비용은 다 충당돼요. 며칠 전에 부동산 중개업자들을 만나서 벌써 사진도 다 찍어갔어요. 좋은 지역에 학교도 많아서 애 키우는 집들을 많이 찾는다고 하더라고요. 여름이 시작되기 전엔 꼭 해외로 나가고 싶어요."

폭탄선언을 터트려놓고 에드워드는 다시 의자에 기대앉았다.

"그래서 아무튼, 누나가 이겼어."

내가 예상한 대화가 아니었다. 에드워드가 한 말을 이해하기 위해 시간이 필요했다. 내 기다림이 거의 끝나가고 있었다. 내가 내 몫의 유산을 받을 수 있다니. 믿을 수가 없는 일이긴 했지만.

"집이 그렇게 싫은데 왜 계속 그 집에 살고 싶다고 한 거야? 왜 바로 팔지 않는다고 한 건데? 왜 절차대로 하자는 걸 반대했어?"

"나도 모르겠어. 습관, 아닐까. 우린 항상 싸웠잖아. 우리 사이가 늘 그랬잖아. 유언장에 대해 누나가 얼마나 화를 내는지 보니까 나도 화가 났어. 누나는 터무니없는 주장으로 나를 몰고갔지. 누나가 공격을 하면 할수록 나는 궁지로 몰렸어. 그래서 일부러 누나를 더 건드렸어. 이건 다 누나 잘못이라고 봐. 처음부터 조금만 좋은 쪽으로 생각했다면 우리가 오늘 이렇게 중재를 하러 올 필요도 없었다고. 이미 몇 달 전에 누나가 원하는 대로 됐을 테니까."

"말도 안 되는 소리야. 너조차도 이렇게 유치한 행동을 할 줄은 몰랐을 거라고 생각해. 우리가 서로 싸우느라 이 모든 시간과 노력과 돈을 낭비했다는 거잖아?"

에드워드가 피식 웃었다.

"그래도 솔직히 좀 재밌었잖아, 안 그래? 누나?"

"이건 좀 이례적인 일이긴 하네요." 쿰베스가 말했다. "양측 모두 쉽게 패배를 인정한 사건은 저도 처음인 것 같네요. 자, 그럼 양측 입장을 요약해보면 이렇습니다. 에드워드, 당신은 집을 내놓겠다는 겁니다. 어머니 유언대로 집을 처분하고 생긴 수익은 두 분이 나누는 걸로 하고요. 법원 절차는 고등법원에 합의 신청으로 종료될 겁니다. 모든 당사자는 소송비용을 각자 부담합니다. 두 분, 동의하십니까?"

중재자가 테이블 한쪽에서 다른 쪽으로 고개를 돌렸다.

"에드워드가 이렇게까지 밀어붙였다니 믿을 수 없지만, 저는 괜 찮아요."

내가 말했다. 절제된 표현이었다. 괜찮다는 말 이상으로 만족스 러웠다.

"저도 동의합니다." 에드워드가 말했다.

"오늘 조정에 대해 양측의 솔직하고 합리적인 태도에 감사드리 며 전반적으로 상당히 만족스러운 결과를 도출해냈다고 생각합니 다. 이 정도라면 정말 좋은 아침입니다."

쿰베스는 파일을 집어 들고 일어나 우아하게 고개를 끄덕이며 방을 나섰다.

"오늘 아침 저 여자의 일과 중 가장 쉬운 일이었겠네."

에드워드가 서서 기지개를 켜며 말했다. 동생의 기색에서 초조 함이 사라졌다. 그는 느긋하고 만족스러워 보였다.

"고맙수, 변호사 양반."

그가 이크발에게 고개를 돌려 악수를 하며 덧붙였다.

"할 일이 별로 없어서 미안하네요. 저쪽에서 조정을 속결할 것 을 대비해서 변호사가 필요했거든요. 변호사님은 우리 누나가 어 떤 사람인지 절대 모를 겁니다."

에드워드가 나를 보며 한쪽 눈을 찡긋거렸다.

✦

이크발 변호사는 버밍엄으로 돌아가는 1시 기차를 타겠다고 했다. 그가 서류 가방을 닫은 후 외투 소매로 손가락 자국을 닦고 서둘러 밖으로 나갔다. 에드워드는 괜히 머뭇거리며 서류 정리하는 나를 지켜보고 있었다.

"아무튼……." 그가 말했다.

"뭐?"

"그래서 예정일은 언제야?"

"어제."

"제기랄. 코끼리만 하게 부어 있던 게 이제야 이해되네."

"고마워."

"나쁜 의도는 아니고."

배가 다시 조여오는 기분이 들었다. 수축이 이전보다 훨씬 셌다. 숨을 들이쉬고 멈추고, 다시 숨을 내쉬었다. 마시고, 멈추고, 내쉬고. 가진통이 지나가는 데 시간이 좀 필요했다.

"의자에 낀 거야? 일어날 수 있게 도와줘야 하는 거야?"

"나 혼자서 일어설 수 있거든."

나는 탁자 가장자리에 손을 뻗어 몸을 지지하며 힘겹게 움직였다. 변호사 사무실을 나와 함께 1층으로 내려가는 엘리베이터에 올라탔다. 어색한 침묵이 흘렀다. 대리석으로 마감된 로비에 내리자, 에드워드가 내 코트 소매를 매만졌다.

"저기, 수즈. 누나가 틀렸어. 엄마는 누나도 사랑했어. 그렇지 않으면 왜 엄마가 유산의 절반을 누나한테도 남겼겠어? 엄마랑 누나는 그냥 다른 종류의 관계를 가졌다고 생각해. 솔직히 말해서 나는 엄마가 누나를 동등하게 대하는 게 부러웠어. 가족 중에서 항상 무책임한 놈이 되는 건 누나가 생각하는 것만큼 늘 재미있지는 않거든. 엄마는 그냥 누나가 엄마 도움이 필요하지 않다는 걸 알았던 것뿐이야. 누나의 인생은 항상 좋은 쪽으로 풀릴 테니까."

"난 그렇게 생각하진 않아. 그래도 모르지 뭐. 사람 마음속을 어떻게 다 알겠어."

"이제야 말이 좀 통하네."

우리는 사무실 건물 밖 포장도로 계단을 내려가며 주춤거렸다.

"그럼, 순산하고. 잘 살고."

부자연스럽고 이상했지만 어쨌든 나도 이렇게 대답했다.

"고마워, 여행 잘 하고."

이게 끝이었다. 동생에게 마지막 작별인사를 하고 우리는 서로 갈 길을 가는 거다. 다시는 서로에게 폐를 끼치지 않겠지. 그런데, 이게 끝이 아닐 것 같은 기분이 든다.

"아, 세상에." 내가 숨을 들이마셨다.

따뜻한 물줄기가 금세 시냇물처럼 흐르며 발밑에 고였다. 다리에서 흐른 양수가 두 다리 사이의 포장도로를 적셨다.

"농담하지 마. 이거 지금 내가 생각하는 그거야?"

"아, 젠장. 지금 할 수 있는 건 내가 만든 웅덩이에 서 있는 것밖에 없어.”

“어떻게 해야 돼?”

“나도 모르겠어.”

“애는 누나가 가졌잖아.”

“모르겠다고.”

“누나가 모르면 누가 알아. 진통이 있었어?”

“요 며칠 새 그냥 조금씩 오길래. 근데 점점 심해지는데.”

“좋아. 당황하지 말자 우리. 다른 사람들도 다 하는 거잖아. 요 근처 주차장에 차를 세워놨거든. 병원까지 데려다줄게.”

에드워드가 내 팔을 잡아주었다. 우리는 연석으로 흘러내리기 시작하는 웅덩이를 천천히 건넜다.

“저기 한 가지 부탁이 있는데.”

“뭔데?”

“만약에 내 차에서 출산을 하면, 세차 비용은 누나 상속분에서 떼어갈 거야.”

27.

케이트에게 끊임없이 전화를 거는 사이 에드워드는 자신의 역할을 즐기며 이리저리 차량을 추월하고 차선을 바꿔댔다. 신호등도 무시하고 경적을 마구 울리며 즐거워하는 중이다. 어느 순간, 그는 창문 밖으로 몸을 내밀어 횡단보도를 건너는 노파를 향해 누나가 곧 애를 낳을 것 같으니 빨리빨리 움직이라고 외친다. 예전 같으면 에드워드의 도움을 받았다는 사실에 이미 분노와 굴욕감을 느꼈을 것 같은데, 지금은 아무렇지도 않다. 그게 지금 무슨 도움이 된다고?

우리가 출발한 뒤로 수축은 점점 세지고 있었다. 고통보다는 불쾌한 감각이었다. 위경련과 생리통, 심한 요통이 합쳐진 기분이 든다. 수축 하나 하나가 나를 덮칠 때마다 배는 돌처럼 단단하게 굳었다. 나는 꾸준한 호흡으로 쉽게 해결해 나가고자 노력했다. 그래, 할 수 있다.

세 번째로 전화를 걸었을 때야 케이트는 마침내 전화를 받았다. 그녀는 아이들은 친구 집에 맡겨놓고 한 달간 필요한 출산용 물품과 옷 가방을 챙겨 병원으로 달려가겠다고 했다. 통화가 끝나고 나는 계속해서 핸드폰을 보며 진통 시간을 재보았다. 대량 5분 30초 간격으로 30초씩 진통이 이어지고 있었다.

"천천히 가도 돼. 아직 병원에 달려갈 정도는 아니야. 아기가 태어나려면 아직 시간 좀 있어." 내가 에드워드에게 말했다.

"진짜로?" 그가 액셀러레이터에서 발을 조금 떼며 되물었다.

"응. 믿어. 에드워드. 거짓말 아니야. 내 애를 네가 받는 건 정말 내 계획과는 머니까."

"휴, 그럼 좀 우회해서 가도 돼? 이 근처에 잠깐 들리고 싶었던 레코드숍이 있는데."

나는 그에게 말도 안 되는 소리는 하지 말라고 되받아쳤다. 에드워드가 희귀한 LP판을 보며 침을 흘리는 사이 지루하고 불편하게 차에 앉아 기다릴 생각은 추호도 없으니까. 그러자 보란 듯이 에드워드는 오른쪽 코너를 드래프트하며 차를 몰아댄다. 나는 동생에게 몸이 쏠렸다가 가까스로 의자를 부여잡고 자세를 바로 잡았다. 병원까지 가는 내내 에드워드는 입을 삐쭉 내밀었다.

외래환자용 주차장에 가까스로 빈 공간을 찾을 때쯤 나는 불편함보다 더 큰 고통에 직면했다. 분주한 병원 로비를 지나던 그때 예상치 못한 강도의 수축이 나를 덮쳤다. 나는 우뚝 멈춰 서서 에드워드의 팔뚝을 세게 부여잡고 신음했다.

"아, 누나. 나 좀 아픈데." 그가 말했다.

"응. 나도."

진통이 지나가고 우리는 엘리베이터를 타기 위해 줄을 섰다. 다음 수축이 일어나기 전에 긴 복도를 지나 산부인과로 가는 복도를 빠르게 걸었다. 데스크 너머의 여자에게 상황을 설명하는 사이 에드워드의 팔을 다시 부여잡았다. 스페인 억양으로 자신을 소개하는 어두운 머리의 조산사는 자신의 이름을 클로디아라고 소개하며 우리를 작은 방으로 안내하고 침대에 편히 누워 있으라고 지시했다. 에드워드는 구석에 있는 의자에 털썩 주저앉아 나를 다른 사람의 손에 맡겼다. 클로디아는 수축 시간을 재고, 맥박과 체온, 혈압을 확인했다. 나는 그녀에게 분만 계획을 설명했다. 그 어떤 상황에서도 의학적 간섭이나 인공 통증 완화 및 다른 약물 투여 없이 자연분만을 하고 싶다고. 의사와 조산사가 의료기술을 통해 분만을 쉽게 하고 싶어 한다는 건 알지만 나는 그런 게 싫다고. 그녀는 배시시 웃으며 메모를 이어나갔다. 다음으로, 클로디아는 내게 병원복으로 갈아입으라고 한 다음 내 배에 손을 대보고 내진을 한번 해보자고 했다. 나는 에드워드에게 나가 있으라고 했다.

"분만 파트너도 계셔도 돼요. 계시고 싶으시면."

클로디아가 말했다.

"제 남편 아니에요. 동생이에요."

"그럼 나가계셔도 되겠네요. 그래도 동생이 누나를 부축해오는 모습이 보기 좋네요."

복부를 주무르고 자궁 경부가 얼마나 열렸는지를 확인했다. 3센티미터라고 했다. 갈 길이 멀다. 조산사는 조금 후에 다시 한 번 진행상황을 체크하겠다며 방을 나갔다. 에드워드가 돌아오자마자 또다시 진통이 찾아왔다. 나는 그의 팔을 붙잡고 꾸준히 숨을 들이마시고 내쉬었다. 멀리서 한 여자가 비명을 내지르고 다른 여자들이 웅성웅성 떠들었다. 나는 그런 식으로 소란을 피우고 싶지 않다. 난 어렸을 때부터 고통을 잘 견디는 아이였다. 무릎이 까지면 혼자 구급상자를 찾아 스스로 상처를 소독하고 약을 발랐다. 같은 상황이었다면 에드워드는 벌써 엄마를 찾고 난리를 피웠겠지만.

"우리가 겪은 일을 생각하면 참 웃기네. 누나가 애를 낳는데 내가 도와주다니."

내가 팔을 놓자 에드워드가 입을 나불거렸다.

"진짜 웃기지."

"난 이상하게 누나가 그리웠어. 좀 이상한 방식으로."

"정말 믿기 힘든 소리다."

"진짜로. 엄마가 우리를 하나로 묶어준 거나 마찬가지잖아. 지난 몇 달 동안 생각해보니까 이제 엄마는 없고 우리는 다시 못 만날 수도 있잖아. 그런 생각이 들면 좀 슬펐어. 누나가 아니면 내가 누구랑 이렇게 싸워?"

"다른 사람을 찾아봐. 쉽게 찾을 거야. 그리고 모든 형제들이 다 이렇게 싸우진 않아. 꼭 그럴 필요는 없다고."

"나도 알아. 근데 우리는 처음부터 단추를 잘못 끼웠잖아. 엄마는 날 두고 끊임없이 야단법석을 떨고 누나는 완전 파파걸이고, 우리는 이미 처음부터 싸우도록 프로그램이 되어 있었다니까."

"내가 언제 파파걸이었어. 아빠는 우리 둘 다 끔찍하게 대했어."

"그래도 아빠 눈에 누나는 눈에 넣어도 안 아픈 존재였다니까.

누나는 아빠처럼 학구적이고 조용하고, 사려 깊고, 얌전하고. 난 말썽꾸러기였잖아. 그러니 내가 미스 도덕왕이랑 어떻게 싸워서 이겨."

"아빠는 우리 둘 다 관심이 없었을 거야. 에드워드, 아빠가 신경 쓴 건 다음 술을 어디서 마실까 정도지."

"정말 나랑은 다르게 기억하네. 역시 진실은 주관적이라니까. 다들 자기 보고 싶은 것만 보는 거야. 어쩌면 우리 둘 다 맞을지도 몰라."

내 동생답지 않게 진중한 모습이다.

"그럴지도 모르지. 하지만 내 진실이 너보다는 조금 더 옳아."

다음 진통이 끝나고 나는 에드워드에게 병원까지 데려다주었으니 이제 그만 가도 된다고 했다. 굳이 여기서 서성거릴 필요 없다고. 그는 자기마저 떠나면 안 될 것 같다고, 내 곁엔 누구라도 있어야 한다고 고집을 부렸다.

"좋아, 알았어. 하지만 케이트만 도착하면 더 있을 필요 없어."

"알았어. 잠깐 담배 하나만 피우고 다음 진통 전에 바로 올게."

하지만 에드워드는 시간을 맞추지 못했다. 나는 허리를 굽혀 이를 악물고 시트를 한 움큼 움켜쥐었다. 시끄럽게 하지 않을 거다. 난 절대 그런 사람이 아니다. 여성의 신체는 출산을 위해 만들어졌으므로 고통은 견딜 수 있을 만큼 온다. 이건 정신력 문제다. 수축이 다시 사그라들며 나는 방의 다른 쪽 창문을 통해 이미 밖이 어두워졌다는 걸 깨달았다. 약간 외로웠다. 에드워드가 옳았다. 이건 누군가의 도움이 필요하다. 나 혼자 해내고 싶지 않은 일이다.

두말할 나위 없이 내 친구 케이트가 빨리 왔으면 좋겠다. 그녀는 차분하고 요령 넘치게 나를 도와줄 든든한 존재가 될 것이다. 케이트는 이미 출산 경험도 있다. 그럼에도 롭에 대한 생각을 멈출 수가 없었다. 실용적인 측면에서는 별 쓸모가 없겠지만 그를 보고 있으면 나도 모르게 미소가 지어진다.

지난 몇 달간 그가 나를 위해 해준 모든 호의를 떠올렸다. 엄마 물건 정리를 도와주고, 가구도 보관해주고, 나를 태워주고 돌봐주고, 내가 입양됐다는 소식에 절망했을 때, 내가 잠을 못 잘 때마다 나에게 전화를 하고 문자도 보내주었다. 내가 그에게 냉정하게 굴거나 에드워드가 그를 배신자로 욕해도 늘 그 자리에 있었다. 생각해보니 지금껏 롭에게 고맙다는 인사를 한 적이 있었나. 난 이제 확실히 그에게 고마운데. 지금 당장 그가 내 곁에 있었으면 좋겠다. 그리고 출산이 끝난 후에도. 별로 놀라울 일도 아니다. 사실은 나도 오래전부터 알고 있던 감정이었다. 나 역시 다른 사람들처럼 그런 비이성적인 감정의 대상이라는 걸 인정하고 싶지 않았을 뿐. 사람의 감정은 나의 경계심을 늦추고 나를 노출시키고 취약하게 만든다. 정말 그럼에도 내가 감정을 표현해도 되는 걸까?

몇 시간처럼 느껴지는 몇 분이 지나고 케이트가 내 가방을 의자 위에 던지며 뛰어 들어왔다. 어쩐지 에너지가 넘쳐 보였다.

"다시 입원이네. 좀 어때요?"

그녀가 침대 끝에 털썩 주저앉으며 물었다.

"좀 더워 보이네. 잠깐 기다려봐요."

그리고 가방에서 면 수건을 하나 꺼내 싱크대로 가서 물을 적신

뒤 이마에 올려주었다. 그때 또다시 진통이 찾아왔다. 케이트는 손을 세게 잡아도 된다며 내주었다. 나는 이상한 신음을 터트리며 비명이 새어 나오려는 걸 억지로 삼켰다. 진통이 지나가자 긴장도 풀렸다.

"동생도 있을 줄 알았더니. 버리고 간 거예요?"

"그럴 리가요. 이렇게 재미있는 무료 공연을 놓칠 놈이 아니죠. 아마 내내 여기저기 돌아다니면서 구경하고 있을걸요."

"호랑이도 제 말하면 온다더니."

에드워드가 어슬렁거리며 들어왔다. 내 동생과 내 친구는 서로를 만난 적이 없다. 그는 그녀를 위아래로 훑어보고, 케이트는 못마땅한 듯 에드워드를 노려봤다. 문득 에드워드는 케이트가 자신에 대해 너무 많이 알고 있다는 걸 깨닫고 체념의 표정을 지었다.

"케이트가 왔으니까 너, 이제 가도 돼." 내가 말했다.

"아니 방금 조산사한테 물어봤는데 보호자가 둘이어도 괜찮대."

"에드워드, 꺼져. 네가 내 출산을 도와준다고 생각만 해도 너무 괴상해."

"혹시 마음이 바뀔지도 모르니까, 밖에서 기다릴까?"

나는 그마저도 거절했다. 그는 어쩐지 약간 실망한 눈치다. 그가 분만실을 나서려는 찰나, 나는 동생을 다시 불러 세워 롭에게 내가 출산 중이라고 전해달라 부탁했다. 그의 얼굴이 본능적으로 일그러졌다. 못마땅한 기색에 곧 비웃음이 스며들었지만 그는 내가 시키는 대로 한 게 분명했다. 몇 분 지나지 않아 내 핸드폰이 울리기 시작했으니까. 하지만 진통이 너무 심해 케이트가 전화를 대신 받았다. 롭이 지금 배낭에 물건을 쑤셔 넣고 차에 올라 탔다는 소식을 케이트가 전해주었다. 제발 자기 먼저 생각하라고 잔소리를 하겠지만, 그는 아마 단념하지 않을 것이다. 물론 지금 인생을 바꾸는 결정을 내리기에는 이상한 타이밍이긴 하지만, 아마 꼼꼼하게 세운 계획보다 본능에 기초한 선택이니 괜찮을 것이다. 후회하지 않을 것 같다는 느낌이 든다.

"그 남자한테 예스라고 해줘요."

케이트가 롭의 전화를 끊으려고 하자 나는 숨을 헐떡이며 얼른 말했다.

"뭐에 대한 예스인데요?"

"그냥 예스라고만 해도 알 거예요."

✦

교대 근무가 끝나면 조산사가 바뀐다. 클로디아는 내게 행운을 빌어주었다. 입술이 얇은 새 조산사는 늙고 피곤하고 지쳐 보였다. 그녀는 은퇴가 얼마 안 남았다고 했다. 내 차트를 훑어보며 자신을 앤이라고 소개한 조산사는 나를 거의 바라보지도 않았다. 수축은 계속 심해지고 있었다. 지금은 매 3분마다 찾아와 거의 1분가량 지속되고 있었다. 간단한 검사 후에도 앤은 아직 경부가 많이 열리지 않았다고 했다. 그 많은 노력이 다 헛수고 같았다.

케이트는 내 등과 어깨를 마사지해주겠다고 했다. 하지만 전혀 도움이 되질 않았다. 그냥 손으로 계속 때리는 기분만 들어 짜증이 솟구쳤다. 케이트에게 그만하라고 했다. 가방에 전자신경 자극 장치가 있으니 꺼내 달라고 부탁했다. 케이트가 장치를 꺼내 네 개의 끈적한 패드를 내 등 아래쪽에 붙이고 컨트롤러를 건네주었다. 기계를 작동시키니 약간 따끔한 기운이 들었다. 진통은 계속 심해지고 있었다. 나는 나도 모르게 질식 직전의 동물 소리를 내고 있음을 발견했다.

"효과가 없어요." 진통이 가라앉자 나는 숨을 헐떡이며 말했다. "난 진짜 할 만큼 했어요."

"더 세게 틀어봐요. 자, 이리 줘요."

케이트가 컨트롤러를 비틀자 따끔한 느낌이 심해졌다. 그녀의 마사지만큼이나 화가 났지만 혹시 몰라 계속해서 마사지를 받아보았다. 다음 진통을 기다리는 사이 케이트는 내가 챙겨온 물건들을 구경했다.

"오, 바나나그램 단어 게임. 참 도움이 되겠네요."

"아니요. 그건." 그때 다시 수축이 시작되며 나는 거의 울부짖었다. "그냥 창문에 집어 던져버려요. 거지 같은 게임은 왜 챙긴 거야."

나는 마사지 기계의 진동세기 버튼을 연달아 눌렀다. 내 몸이 불러오는 고통에 비하면 정말 깃털 정도의 간지러운 효과였다. 이내 내 숨결이 빠르게 얕아졌다.

"호흡법을 잊지 마요. 따라 해요. 코로 들이마시고 입으로 내쉬는 거예요. 코로 들이마시고, 입으로 내쉬고." 케이트가 설명했다.

나는 그녀를 무시했다. 물론 공황상태이고 파트너의 말을 들어야 한다는 건 알지만 그럴 수가 없었다. 머리가 다 띵 하게 울렸다. 나는 끈적끈적한 패드에 부착된 와이어를 잡아 당겼다.

"이 쓸모없는 것 좀 치워줘요. 이 기계는 쓸모없는 것보다 더 최악이야. 누가 만들었든 고소당해봐야 돼. 난 이런 거 없이 견딜 거야."

"굳이 그럴 필요 없어요, 수잔. 그냥 무통 주사를 맞아요."

"절대 안 돼요. 출산은 자연스러운 과정일 뿐이에요. 옛날에는 모든 여자들이 마취제 없이 낳았어요. 우리도 할 수 있어요."

"그렇죠. 하지만 그때보다 발전한 것도 사실인데. 예전엔 애 낳다가 많이 죽었잖아요."

"알려줘서 고마워요."

다음 진통이 시작되자 나는 곧 케이트를 붙잡았다. 고통의 파도가 밀려들며 점점 더 세차게 불어오고 주기는 길어졌다.

영원할 것 같던 고통이 사라지자, 앤이 웬 남학생 조산사를 데리고 들어왔다.

"흠. 아직도 4센티미터 밖에 안 열렸네." 그녀가 나를 진찰한 후 학생에게 말했다. "진척이 너무 없네. 물론 노산의 경우 진통이 더 길고 위험도 훨씬 높아. 자궁의 근육이 잘 움직이질 않으니까."

"다들 일부러 내 앞에서 말하는 건가요?" 내가 소리를 내질렀다. "혹시 긍정적인, 응원의 말 같은 거 해주실 분은 없어요?"

"네, 아주 잘하고 있어요."

앤이 웃음기 없이 대꾸했다.

＊

또다시 영겁의 산고가 지나고 롭이 문을 두드리며 들어왔다. 그의 얼굴을 보자마자 어찌나 반갑던지, 하지만 내 반가움이 이상하게도 콧물과 눈물로 표현되고 만다. 입고 있던 병원 가운 소매로 눈물, 콧물을 훔쳐내며 어쩐지 내가 썩 매력적인 모습은 아닐 거란 생각이 들었다. 그럼에도 롭은 전혀 모르는 눈치였다. 그가 나에게 다가와 내 고개 밑으로 팔을 둘러 안아준다. 답답하던 방이 그의 차가운 몸으로 시원해진다. 그는 내 얼굴에 붙은 머리카락을 치워주었다. 그제야 온몸이 땀범벅이라는 걸 깨달았다.

"유감스럽게도 오늘은 영 쓰레기 같아 보일 거예요." 내가 겨우 입을 떼었다. "게다가 점점 더 나빠질 뿐이죠." 그때 또다시 수축이 일어나고 겨우 하던 말을 마무리 지으며 그의 소매를 부여잡았다.

"호흡 잊지 마요."

"닥쳐요. 당신은 케이트만큼이나 짜증나." 내가 숨을 헐떡였다.

"오면서 인터넷에 출산을 검색해봤거든요." 고통이 가라앉고 부여잡았던 옷깃도 놓아주었다. "산부인과 전문의 수준이라니까요." 그가 케이트를 향해 물었다. "좀 쉬었다가 올래요?"

"그럴까요. 나가서 전화도 몇 통 하고 샌드위치도 얼른 먹고 올게요."

"그래서 좀 어때요?"

케이트가 나가자 롭이 곧바로 물었다. 한쪽 어깨가 드러난 가운의 옷매무새도 정리해주었다.

"좋진 않아요. 벌써 몇 시간째인지 모르겠어. 10센티미터는 열려야 한다는데 난 그 근처도 못 갔어요. 아무래도 진통제를 맞아야 할 것 같아요."

"왜 안 맞았어요?"

"진짜 자연분만이 하고 싶었어요."

"하지만 필요한 건 맞아야죠. 내가 조산사를 불러 올까요?"

나는 잠시 망설이다가 고개를 끄덕였다. 실패다. 그런 생각이 들지 않을 수가 없었다. 그러다가 이내 마음을 고쳐먹었다. 누가 신경이나 쓴다고? 몇 분 안에 진통가스 마스크가 씌워졌다. 나는 탐욕스럽게 가스를 들이마셨다. 와인을 너무 많이 마신 것처럼 정신이 몽롱해진다. 괴로움이 사라지진 않지만 적어도 모든 것으로부터 멀찍이 거리감이 느껴진다.

"내 메시지 받았어요?"

진통과 진통 사이 내가 머리를 흔들며 물었다.

"그 짤막한 '예스' 말입니까? 좀 난해하던데요."

"난해할 것도 없는데. 혹시 차에서 했던 질문을 까먹은 거라면 어쩔 수 없고요."

"어떨 것 같아요?" 그가 내 손을 들어 올려 가볍게 입을 맞춘다. "하지만 지금 같은 타이밍에 꼭 인생을 바꿀 결정을 내려야 해요? 나중에 평정심을 좀 갖고 다시 생각해보는 건 어때요? '내가 대체 무슨 짓을 한 거야?' 이러면서 내일 아침에 눈 뜨게 하고 싶진 않은데."

"멍청한 거야, 뭐야. 원래 극단적인 상황과 약품에 취했을 때 그런 극단적인 용기가 나는 거예요."

"그럼 결정한 겁니다. 이제 우리 가족이 되는 거예요. 당신이랑, 나랑. 요 꼬마가 얼굴을 보여주면 개도 같이."

정말 특별하게 느껴지는 단어였다. 가족.

케이트가 어느 순간 돌아왔다. 시간이 점점 흐르고 있었다. 내게 약간의 안도감을 주었던 가스는 더 이상 진통 효과를 주지 못하고 그저 나를 혼란스럽게만 한다. 진통이 너무 심해 소리를 지르지 않겠다던 다짐은 진작 포기했다. 침대 한쪽에는 롭이, 반대쪽에는 케이트가 앉아 내 손을 잡아줬다. 두 사람은 내가 얼마나 잘하고 있는지, 또 이 고통이 얼마 후면 다 끝날 수 있다며 용기를 불어 넣어줬다.

앤이 들어와 다시 한 번 나를 진찰했다. 시간이 많이 흘렀음에도 불구하고 여전히 진척은 별로 없다. 앤은 분만에 속도를 내기 위해 무언가 조치가 필요하다고 했다. 신톡시논 주사를 놓으면 수축은 커지고 자궁경부는 확장한다고 했다. 가스와 공기로 주입하던 진통제도 페치딘으로 바꾸자고 했다. 나는 이제 아무래도 좋았다. 그냥 빨리 이 고통을 끝내고 안전하게 아기가 내 몸에서 나왔으면 좋겠다.

허벅지에 주사를 맞고 팔을 통해 카테터를 삽입했다. 그리고 금세 온몸으로 약기운이 퍼졌다. 배에 꽂아놓은 장치를 통해 내 자궁수축과 아기 심장박동수를 체크했다. 페치딘이 돌자 통증은 그대로인데 약간 몸과 통증이 분리된 기분이 들었다. 마치 내가 연이 된 것처럼 하늘을 둥둥 떠다니는 그런 기분이었다. 충동 억제가 안 되자, 나는 롭에게 당신은 지금껏 내가 만난 남자 중에 가장 친절하고 재미있고 또 상냥하다고 나불댔다. 그의 제멋대로인 머리칼과 곧은 코, 뺨에 있는 점과 파란 눈을 좋아한다고 했다. 심지어 말도 안 되게 큰 키도 익숙해졌다고 했다. 그는 웃음을 터트렸다. 자기도 나를 사랑한다면서 약에 취한 수잔이 더 마음에 든다고 했다. 앤에게 페치딘을 집으로 몇 병 가져갈 수 있냐고도 물었다.

나는 이번엔 케이트를 향해 고개를 틀었다.

"아주 예전에 파티에서 이 남자를 처음 봤는데 그때도 이렇게 멋있던 기억이 나. 꼭 그런지 밴드의 보컬 같았다니까요. 정말 느긋하고 자신만만했어. 나랑은 완전 다른 세계 사람처럼."

"아니, 잠깐만." 롭이 순간 말을 끊었다. "지금까지 기억 안 난다고 했잖아요."

"음. 당신이 한눈에 들어왔다고 인정하려던 건 아닌데. 해버렸나?"

그리고 다음 진통이 나를 덮쳤다. 나는 숨을 헐떡이며 덧붙였다.

"가끔은 내가 선의의 거짓말을 한다는 거, 이제 알아둬요."

아편성 진통제가 다시 사그라들며 나는 다시 멍해졌다. 진통이 없으면 아기의 심장박동 모니터에서 흘러나오는 일정한 북소리에 귀를 기울였고, 숫자가 무작위로 바뀌고 파동이 오르락내리락하는 침대 옆 작은 모니터를 바라보았다. 롭과 케이트는 번갈아가며 앤을 만났다. 그리고 내게 무언가를 설명해주려고 했다. 난 도통 두 사람이 무슨 말을 하는지 이해할 수 없었다.

다시 한 번 근무조가 바뀌며 클로디아가 출근을 했는데 아직도 내가 분만실에 있어 놀랐다고 했다. 고통은 빠르게 찾아오고 페치딘의 효과는 미비해지고 있었다. 클로디아는 경부가 약간 확장되긴 했지만 그건 그저 나를 달래려고 하는 소리 같았다. 다음 진통이 찾아왔고 나는 소리를 내질렀다. 이제 충분하다고, 난 할 만큼 했고 더 이상은 못 하겠다고. 클로디아는 내가 분명 입원할 때만 해도 하반신 마취는 하지 않겠다고 했지만, 지금이라도 마음이 바뀌었으면 말해달라고 했다. 마취만 해도 훨씬 견디기 수월할 거라면서. 혹시 재고의 의사가 있냐 물었다.

"네. 네. 부탁이에요. 마취해줘요." 내가 간청했다.

기다림은 끝이 없었고 결국 나는 마지막 남은 자제심마저 잃었다. 결국 마취과 의사가 나를 찾아왔다. 나는 일어나 앉아 허리를 수그리고 척추에 주사를 맞았다. 마치 마법 같았다. 고통이 가라앉더니 완전히 사라졌다. 물론 하체는 마라톤을 열 번 정도 완주한 사람처럼 무거웠지만. 통증이 가셔서 다행이긴 하나 이제 좀 무서워졌다. 상황이 걷잡을 수 없이 꼬이고 있었다. 이건 내가 세운 계획이 아니었다. 지금쯤이면 아기가 무사히 내 품에 안겨 있어야 했다. 그러나 아기는 여전히 정체 상태에 빠져 내가 자기를 힘껏 밀어내주기만 기다리고 있다. 엄마는 할 수 없어. 나는 더 이상 못 할 것 같아, 아가.

클로디아가 다가와 내 배를 촉진하더니 약간 걱정스러운 표정으로 자궁 수축이 더 세져야 하는데 오히려 약해지고 있다고 말했다. 아기의 심장박동이 규칙적이지 않고 간헐적으로 멈추고 있다고. 아기의 심장박동이 멈출 때마다 나도 함께 숨을 참고 다시 심장이 뛰기를 기다렸다. 조산사는 바로 뛰어나가 의사를 데리고 들어왔다. 모니터를 살피고 태아가 너무 오래 고통받았다는 이야기를 주고받았다. 케이트가 안심시키듯 내 팔을 쓰다듬는 사이, 롭은 의사와 대화를 나누러 걸어갔다. 이제 보니 케이트도 지쳐 보인다. 밤을 꼬박 새고 아침이 지나도록 나와 함께 있었으니까.

그때 사람들이 내 침대 주변으로 몰려들고, 누군가 "진행 실패"라는 말을 중얼거렸다. 의사는 아기가 견디기 힘들어 한다고, 너무 오래 산통을 겪었다고 했다. 응급 제왕절개를 해야 한다고, 나더러 이해하냐고 물었다. 이해하냐고? 당연히 이해하지. 지금 내 몸은 너무 정상적이라 오히려 실망스러울 지경인데. 무엇보다 중요한 건 내가 아기를 실망시켰다는 점이다. 나는 수술동의서를 건네받았다. 읽어보지도 않고 이름을 갈겼다. 의사는 지금 당장 수술에 들어간다며, 보호자는 수술 관람실로 갈 수 있다고 했다. 롭은 내게 자신과 케이트 중 누가 수술실에 들었으면 좋겠냐고 물었다. 나는 대답을 못 했다. 지금 내가 생각할 수 있는 건 그저 이 아기의 건강이다. 최대한 빠르고 신속하게 꺼내주기만 하면 된다. 두 사람이 알아서 결정을 내린 모양인지, 복도를 가로지르며 달려가는 내 침대 곁에 롭이 나란히 뛰고 있었다. 롭은 응원의 말을 속삭였지만 내 마음은 이미 다른 곳에 가 있었다. 아기가 내 몸 속에 끼어 있다. 고통에 몸부림치면서.

무슨 일이 일어나는지 숨기기 위해 가슴팍 위로 장막이 드리운다. 의료진처럼 파란 수술복을 입은 롭이 내 머리 가까이에 의자를 놓고 앉았다. 방에는 의사, 간호사, 조산사 외에도 마스크를 쓴 많은 사람들이 있다. 누군가 수술 절차를 알려주지만 내 귀엔 들리지 않았다. 너무도 무서웠다. 아기가 여전히 잘 버티고 있을까? 아니면 내 몸이 아기를 망쳐놓은 걸까? 사람들이 속삭이는 소리가 들리고, 금속 소리와 흡입음, 힘껏 고정해 무언가를 당기는 기분이 들었다.

그때 아기가 장막 너머로 얼굴을 보여주었다. 퉁퉁 불어버린 창백한 보랏빛이다. 당장 내게 넘겨줄 줄 알았는데 아기는 또 사라졌다. 다들 아무 말도 하지 않았다. 무슨 일이 일어나고 있는지 모르겠다. 롭이 내 손을 꽉 부여잡았다. 그가 흘린 눈물이 볼을 적셨다. 강한 모습을 보여야 하는데, 쉽지 않은 모양인지 그가 꺽꺽거렸다. 머리를 내 쪽으로 숙이자 뺨과 뺨이 닿았다. 우리의 눈물이 섞였다. 그때 조산사가 장막 뒤에서 나타나 하얀 면 담요에 싼 무언가를 건네 가슴에 안겨줬다. 분홍색 뺨을 가진 작은 아이가 자그마한 입을 옴싹거리며 쪽쪽 빨아들일 무언가를 찾는다.

아, 내 아기. 너무 너무, 예쁜 내 아기.

28.

의사들이 아침 회진을 마치고 병동의 복잡한 틈을 타, 나는 어제 롭이 우리 집 현관 매트 밑에서 발견했다는 빗방울이 묻은 편지 봉투를 뜯었다. 그 안에는 빨간색 뚜껑 없는 스포츠카를 운전하는 금발 머리의 여자가 저 너머의 풍경을 바라보는 카드가 들어 있었다. 하단에는 "운전면허 취득을 축하해!"라는 글귀가 적혀 있었다. 나는 카드를 열어보았다. 에드워드가 보낸 편지였다. 괴발개발 갈겨놓은 글씨를 읽느라 애를 먹었다.

안녕, 수즈. 롭이 결국은 다 잘 끝났다고, 조카가 태어났다고 말해줘서 써. 병원에 들러서 쪼그라든 누나랑 우리 조카가 외삼촌을 얼마나 닮았나 한번 보러 갈까 했는데 밴드 매니저를 하는 친구 놈이 투어를 같이 돌자고 그래서 내일 떠나게 됐네. 집은 B에게 전적으로 맡겼어. 유능한 사람이니까 잘 팔 거야. 루어 갔다 오려면 한두어 달은 걸려서 잠깐 들렀다가 가. 나중에 집에 오면 엄마 유골 이야기를 좀 해보자. 뿌리든지 묻든지 뭐 어떻게든 해야지. 엄마가

어떻게 해달라고 말을 한 적 있나? 난 모르겠는데. 이모는 알 수도 있겠다. 근데 이모라면 그걸로 자기 집 뒷마당에 이집트 피라미드 모형을 만들자고 할 수도 있겠는데. 아무튼 출산 축하 몫으로 나 대신 맥주 한잔해줘. 돌아와서 안 까먹으면 맥주 값은 줄게.

에드워드.

엽서를 뒤집어 보았더니 다음과 같은 추신이 적혀 있었다.

이런 카드밖에 없어서 미안. 급하게 사느라 "축하합니다!"까지만 보고 골랐지. 그냥 갖고 있어. 나중에 누나 면허 따도 이걸로 퉁 치자. 그리고 혹시 알아? 다음에 누나가 진짜 면허를 따게 될지.

나는 엽서를 침대 옆 캐비닛에 쌓여 있는 쓰레기 더미 위에 올려놓았다가 마음을 고쳐먹고 롭, 케이트 그리고 직장 동료들이 보내준 축하 엽서 옆에 세워두었다. 내 몸의 모든 세포가 동생으로부터 아기를 지켜야 한다고 아우성을 친다. 에드워드가 내게 한 지난 수십 년간의 행동거지만 보면 우리 가족의 근처에 얼씬도 못 하게 해야 맞다. 이제 한창 자랄 내 딸에게도 아주 끔찍한 본보기가 될 테니까. 하지만 머릿속에 갑자기 아주 작고 깜박이는 경고등이 켜졌다. 동생과 연을 끊음으로써 혹시라도 내가 딸에게 무언가 기회를 뺏는 건 아닐까, 하는 그런 생각. 아이의 삶이 어쩌면 공허해질지도 모른다는 생각. 혹은 나 자신에게도. 아니다, 이런 생각은 없애버려야 한다. 내 혈관을 통해 주입된 높은 농도의 옥시토신으로 인한 효과일 뿐이다. 에드워드가 멀리 가버려서 난 기쁘다.

리처드도 찾아왔다. 수술 후 회복실에 누워 병실이 나기를 기다리는 사이, 롭이 그에게 좋은 소식을 전해주었다고 했다. 그는 다음 날 병원에 찾아와 아주 큰 소포를 침대 발치에 배달했다. 내가 직접 포장을 풀 수 있는 상태가 아니었기 때문에 리처드가 그게 뭔지 말해주었다. 어린이용 화학 놀이 세트라고. 자기가 어렸을 때 늘 갖고 싶었던 건데, 집이 가난해 살 수가 없었다고, 그래서 딸에게 꼭 하나쯤 사주고 싶었다고 했다. 간이침대 옆에 서서 리처드는 내 상태는 보는 둥 마는 둥 하며 아기만 빤히 바라보고 또 바라보았다. 아기가 깨어나면 안아보라고 했더니 금방 도망치듯 가버렸다. 아무래도 쇼크 상태에 빠진 것 같다. 하지만 이해할 수 있다. 아마 제시간에 다시 나타날 테니까.

롭은 부동산 중개 사이트를 둘러보느라 바빴다. 면회 시간이 되자 부츠를 벗고 나와 같이 침대에 나란히 기대앉아 아이패드를 통해 골라둔 몇 채를 보여주었다. 그는 적당한 사이즈의 정원이 있었으면 좋겠다고 한다. 솔직히 말하자면 그는 정원만 있으면 다른 건 아무래도 상관없다는 식이다. 런던 외곽으로 빠져도 상관없다는 투라 나는 그에게 통근이 용이한 곳이어야 한다고 못 박았다.

다시 한 번 목록을 살펴보며 나는 우리 계획을 다시 떠올렸다. 검색에 쓰는 시간만 늘어날 뿐이라, 나는 별로 좋은 생각이 아닌 것 같다고 했다. 내 마음이 바뀌었다고. 그제야 롭은 아이패드를 내려놓고 나를 바라보며 팔꿈치로 고개를 기댔다. 이 모든 게 너무 빠르냐고, 그럼 내가 준비될 때까지 기다릴 수 있다고. 아니,

그게 아니라 오해가 있는 것 같다고 나는 설명했다. 임대에 대한 마음이 바뀌었다는 소리라고. 런던에서 살려면 부동산을 타고 올라가는 게 중요하다고 말이다. 일단 발을 내려놓으면 다시는 사다리에 올라탈 수 없을 수도 있으니 차라리 매매를 하자고 말이다. 한껏 어두워졌던 그의 안색이 다시 밝게 빛을 냈다.

한껏 부푼 롭의 기대를 가라앉히기 위해 나는 우리가 '공동거주인'이 아니라 '공통거주인'의 자격으로 집을 사자고 했다. 그렇게 하면 각자의 몫이 법으로 보장받을 수 있고, 혹시 나중에 마음이 바뀌어 갈라서더라도 나누기 편할 테니까. 게다가 공동명의로 집을 샀다가 한 명이 죽어버리면 우리의 몫은 서로가 아니라 우리의 가까운 친척에게 돌아갈 것이다. 롭에게 설명하자 그가 웃음을 터트렸다. 당신이 원하는 건 뭐든 좋아, 그가 말했다.

그때 우리의 대화가 방해를 받았다. 딸이 깨어난 것이다. 아이의 작은 주먹이 허공을 찔렀다. 아기는 끽끽거리며 이상한 소리를 냈다. 롭이 아기를 안아 들어 등을 토닥거렸다. 정말 타고난 사람이고, 아기도 안다. 롭의 누나들은 벌써 애가 다섯이라더니 정말 너무도 능숙했다. 롭의 품에서 아기는 얌전해졌지만 고요함이 그리 오래가진 않았다. 아기가 배가 고프면 롭이 할 수 있는 게 없다. 그가 아기를 내게 넘겨주었다. 나는 나이트가운의 상의 단추를 푸르고 아기에게 젖을 물렸다. 아기가 젖을 먹는 사이, 나는 고개를 숙여 아기의 포슬포슬한 정수리에 뺨을 갖다 대보았다. 슬슬 이름을 정해야 하는데. 나는 지금껏 아기를 '아기'라든가 '딸'이라든가, '그 애'라고 불렀다. 성이야 어쩔 수 없는 부분이지만 이름만큼은 나처럼 너무 흔해 빠졌거나, 바보 같거나 과시적인 이름으로 지어주고 싶지 않다. 그리고 군이 줄여서 부를 수 있는 이름도 싫다. 그건 정말 듣는 사람이 짜증 나니까. 그래서 '호프'나 '조이' 같은 명사형 이름도 떠올렸는데 감정을 이름으로 광고하고 싶진 않았다. 롭은 처음에 로버타가 어떠냐고 물었다. 지금도 농담이라고 믿고 싶다. 그런 다음 이미 축약시켜놓은 케이트나, 메그 아니면 넬과 같은 이름도 제안했다. 넬. 넬. 꼬마 넬. 롭은 그 이름이 '밝게 빛나는 사람'이란 뜻이라고 했다. 찰떡처럼 어울린다.

넬은 젖을 먹다 말고 가슴팍에서 잠이 들었다. 육아 매뉴얼에 따르면 이럴 경우 다시 깨워야 한다고 했다. 그래야 밥을 먹어야만 잠을 잘 수 있다는 인식이 생기지 않는다고. 마치 내가 밥을 먹여 잠을 재운 것처럼 말이다. 그래서 아기를 조심스레 손가락으로 깨워보았다. 그리고 입에 손가락을 밀어 넣어 물렸던 젖을 빼고 아기를 롭에게 넘겨주었다. 롭은 아기를 다시 내 침대 옆 플라스틱 요람에 뉘였다. 아기는 이내 팔다리를 조금 휘저었지만 어쨌든 임무는 성공적으로 완수했다.

얼마 후 케이트가 병동의 무거운 회전문을 지나 노아는 등에 지고, 빈손엔 에이바의 손을 꼭 잡은 채 나타났다. 에이바는 요람에 바싹 기대 넬을 가만히 들여다보았다. 어른들이 이야기를 나누는 사이 노아는 엄마의 무릎에 앉아 천으로 만든 책을 가지고 놀았다. 케이트는 우리 집에 들러 깨끗한 잠옷을 챙기는 사이 실비아 이모에게 전화가 왔었다고 했다. 이모는 아이가 태어났다는 소식에 매우 기뻐했다고, 꼭 사랑한다는 말을 전해주라고 시켰다. 이모는 쌍둥이 사촌들에게도 사실은 내가 이모의 딸이라는 걸 밝혔다고 말했다. 그 소식에 쌍둥이가 너무 좋아 할 말을 잃었다고 했다. 무엇보다 중요한 건 이모가 저택의 이름을 '웬딘'에서 '스웬딘'으로 바꿨다고 전해달라고 했다는 점이다. 문설주와 현관에 새 간판을 만들고 사무에 쓸 명함과 편지지도 새로 찍었단다. 이모는 내가 꼭 알아주었으면 한다고 했다.

"이제 화제를 바꿔서 좋은 생각이 있어요."

케이트가 다시 입을 열었다. 지역 엄마 모임에서 만난 이혼한 싱글맘이 있는데 예전 남편과 살던 집을 사들이고 그 집에서 함께 지낼 싱글맘을 찾는다는 것이다. 그렇게 공동 거주를 하면서 두 엄마는 육아와 집안일을 같이 부담하고 서로를 도와줄 수도 있다고 했다. 케이트는 아주 좋은 여자라며, 집도 괜찮고 지금 사는 곳에서도 그리 멀지 않다고 했다. 상당히 끌리는 눈치였다. 만약에 케이트가 이사를 가면 롭과 내가 그 집을 사서 아예 주택 한 채를 다 쓰는 것도 나쁘지 않았다. 너무 좋은 생각이었다. 난 지금 사는 곳이 좋고 롭도 내가 사는 곳이 마음에 든다고 했다.

케이트는 또 지역 엄마 모임과 진행하던 지원금 중단 철회 반대 캠페인의 진행 상황도 전해주었다. 오늘 아침 시의회에서 이메일을 받았는데, 지원금은 중단이 확정되었다고 했다. 이건 정말 잘못된 일이다. 케이트는 그간 내게 모임에 대해 자세히 말을 해주었다. 가족들이 단체에 얼마나 의지를 하고 사는지도. 심지어 이제 나조차도 그 단체에 가입해 도움을 받아야 할지도 모르는데. 나는 과연 지역 당국을 고소할 수 있을까 궁금했다. 케이트와 롭에게 내가 몸조리를 마치면 직접 자료를 좀 찾고 항의 서신도 보내야겠다고 말했다. 내 유능한 친구 브리짓에게도 전화를 좀 해봐야겠다. 잠깐 들러 넬도 보고 갈 겸 좋을 것 같았다. 사람들은 늘 갓 태어난 아기를 보고 싶어 하니까.

"아, 젠장." 롭이 고개를 저었다. "이제 더 이상의 법적 분쟁은 없어요."

"출산 휴가 기간은 엄청 길어요. 유용하게 쓰면 좋지 뭘. 게다가 지난 몇 달간 배운 기술을 써먹지 않는 건 부끄러운 일이에요."

"수잔이 생각하는 것만큼 시간이 충분할까요, 과연." 케이트가 말했다. "하지만 도와준다면 정말 고마울 거예요." 그리고 그녀는 롭을 향해 고개를 돌려 말했다. "너무 걱정 마세요. 이번엔 달라요. 이건 지역 사회를 위한 거지 개인의 잘못된 욕심을 바로잡는 게 아니잖아요."

롭은 보란 듯 한숨을 내쉬었다.

✦

저녁 면회는 정말 빠르게 끝났다. 케이트와 에이바, 노아는 다른 환자의 방문객들 틈에 섞여 집으로 돌아갔다. 롭은 내 침대 옆에 자기 물건을 갖다 놓고 화장실에 갔다. 조금 있다가 다시 돌아오겠다며 "잘 자요." 하고 인사도 해주었다. 병동은 다시 조용해졌다. 여섯 명의 신생아와 산모들이 드디어 휴식에 들어갔다.

넬과 함께 어서 빨리 새 삶을 시작하고 싶지만 퇴원하려면 하룻밤을 더 보내야 했다. 제왕절개 때문에 몸은 아직 아프지만 집에 가서 약만 잘 먹어도 금세 괜찮아질 것이다. 나는 요람을 들여다보았다. 넬이 똑바로 누워 깊은 잠에 빠져 있었다. 아이의 발그레한 뺨, 팔꿈치를 뒤로 들어 올린 만세 자세로 손이 통통한 뺨 옆에 있었다. 다리는 개구리처럼 구부린 자세였다. 아기의 가느다란 손목에 내 이름이 적힌 인식표가 달려 있었다. 내가 만든 내 아기. 아기는 내 사람이다. 병원 침대에 누워 손만 뻗어도 나는 아기의 뺨을 쓰다듬을 수 있었다. 아기의 피부는 부드럽고 폭신폭신했다. 따뜻한 공기를 불어 넣은 것보다 조금 더 폭신한 베개 같은 느낌. 나는 조심스레 토끼 인형의 위치를 바꿔주었다. 내 오래되고 낡은 토끼 인형은 침대 구석에 앉아 잠자는 아기를 지켜보는 중이다.

가끔은 넬이 움찔거리거나 코를 찡긋거린다. 엄마 뱃속으로 돌아간 상상을 하진 않을까 기대하기도 한다. 아기가 나를 떠나고 싶어 한다고 생각하지는 않는다. 이미 아기와 나는 많이 닮았다는 걸 느낀다. 참 이상한 일이다. 넬이 태어난 이후로 확실과 불확실의 문제가 뒤바뀌었다. 나는 아기를 돌보는 데 필요한 실질적인 것들, 즉 기저귀는 어떻게 갈고, 젖을 물린 땐 어떻게 안고, 또 목욕은 어떻게 시켜야 하는지를 정확히 알고 있다고 확신했지만 경험이 너무 없고 서툴다는 게 느껴진다. 반대로 나는 딸을 사랑할 거라는 확신이 없었다. 하지만 지금 내 감정에 의심은 한 톨도 없다. 엄마가 처음으로 내 배로 낳은 아기를 안았을 때의 느낌이 어땠을지, 실비아 이모가 나를 내어주었을 때 어떤 기분이었을지 이해하기 시작했다.

이모는, (아직은 이모를 뭐라 불러야 할지 모르겠다.) 엄마와 아빠가 나를 데리러 오기 전 일주일간 나와 함께 있었다고 했다. 그 며칠 사이에 나와 유대감을 쌓지 못했을 리가 없다. 처음 자신이 만들어 낸 생명체의 단단한 육체를 만졌을 때 얼마나 당황했을까. 그리고 내 몸이 어떻게 이렇게 놀랍고 완벽한 생명체를 만들어 낼 수 있을까, 하는 기쁨. 이모는 세상을 새로운 눈으로 바라보며 이게 과연 마법은 아닐까 생각했을 것이다. 이제는 내가 아기를 낳아보니 그 모든 것들이 눈앞에 생생히 그려진다. 실비아 이모와 그녀의 갓난아기. 내 손가락을 하나 감싸 쥐어보고 내 손아귀에 힘이 의외로 단단해 놀랐을 이모. 절대 놓치지 않을 거라는 의지가 보이는 아기의 손힘. 이모는 처음으로 나와 눈이 마주치던 순간, 아마 절대 먼저 눈을 피하지 못했을 것이다. 젖을 물릴 때마다 이모의 몸에 그 누구보다 가까이 밀착하고, 내가 칭얼거리면 나를 품에 안아 달래며 내 숨소리가 깊고 느려질 때까지 가만히 귀를 기울였을 것이다. 그리고 내가 그 누구와도 나눌 수 없던 비밀까지 속삭였겠지. 잠든 내 가슴팍이 오르고 내리는 모습을 바라보고, 반투명에 가까운 눈꺼풀이 깜박이고 과연 내가 잘 자고 있는 건지 궁금했을 테다. 내가 나중에 어떻게 자라고, 어떻게 생기고, 어떻게 걷고, 어떻게 말을 할지 머릿속으로 그려보면서. 아기가 엄마를 닮을까? 아니면 아빠를 닮을까? 궁금해했겠지.

이모가 느꼈을 그 모든 감정을 이제는 알기에, 나는 더더욱 이모가 나를 어떻게 포기했는지 짐작할 수 없다. 하지만 이모는 열일곱이었다. 지금의 나보다도 스물여덟 살이나 어렸다. 이렇게 오래 살며 다양한 경험을 통해 인내심과 회복력, 치유력에 대한 깨달음을 얻어도 아이 만큼은 절대 포기할 수가 없는데, 그 어린 사람이 얼마나 힘들었을까? 이모가 내 정수리에 입을 맞추고 날 엄마에게 넘기고, 그리고 돌아와 맞닥뜨렸을 무게감과 공허함이 눈에 선하다. 그녀는 단지 아기를 낳기 이전의 삶으로 돌아간 게 아니었다. 이제 마음엔 아기만큼의 구멍이 뚫린 것이다. 집에서 언니에게 아기를 주자고 했을 때, 왜 이모는 싫다고 하지 않았을까? 왜 날 데리러 왔을 때 그냥 순순히 넘겨주었을까? 처음 진실을 알았을 땐 그저 이모가 나보다는 이모 자신과 미래를 더 신경 썼기 때문이라고 생각했었다. 하지만 지금은 내가 틀렸다. 이모는 나에게 가장 좋은 것만 주고 싶었기 때문이었다. 엄마로서 자기가 줄 수 있는 것 이상을 내어주고 싶었던 거다.

이제 보니 이모가 우리 집에 그토록 자주 전화를 한 것도 이상하지가 않았다. 나는 이모가 엄마와 함께 시간을 보내는 걸 좋아해서라고 생각했는데, 그게 아니라 이모는 날 보러 온 거였다. 내가 자라고 변화하는 모습을 보려고. 그게 무엇보다도 중요했으니까. 아주 단순한 사실 하나는 난 이모와 다르다는 거다. 난 이모가 실망하지 않았으면 좋겠다. 이모가 내 부족했던 삶의 지혜를 이해하고 용서해주었으면 좋겠다. 결국, 유전자가 사람을 만드는 게 아니었다. 아마 이모에게도 내가 네 친엄마야, 하고 털어놓고 싶은 수많은 순간이 있었을 것이다. 하지만 언니와의 약속을 그렇게 쉽게 저버릴 수 없었겠지. 조카한테 네가 내 딸이야, 라고 어떻게 털어놓을 수 있단 말인가? 어디서부터 어떻게 말을 해야 할까? 나는 스스로에게 물어보았다. 그렇게 엄청난 비밀을 평생 감춘 이모를 정말 용서할 수 있을까? 어쩌면. 지금은 어떤 것도 통제하고 싶지 않다. 일단은 더 두고 볼 작정이다. 세상은 몇 주 전, 며칠 전보다 더 크고 더 광활하고 더 다채로워 보인다. 지금은 내가 어떤 사람인지 잘 모르겠다. 하지만 그래도 괜찮다.

화장실에 갔다 돌아온 롭이 캔버스 숄더백에 아이패드를 챙기고 재킷을 입은 다음 짐을 챙기고 있었다. 청바지 뒷주머니에서 핸드폰을 꺼내 시간을 확인했다.

"더 오래 있고 싶지만 병실 사람들이 날 보기 전에 얼른 도망가야겠어요. 벌써 10시가 넘었네."

그가 허리를 숙여 내 입술에 가볍게 입을 맞추었다.

"지금이 몇 시든 누가 신경 써요?" 내가 말했다. "조금만 더 있다가 가요. 커튼 치고 침대에 같이 누워 있으면 당신이 여기 있는 줄 아무도 모를걸. 멍청한 규칙 같은 건 그냥 무시해요."

"잠깐만. 수잔 그린이 지금 '멍청한 규칙'이라고 한 겁니까? 살면서 당신 입에서 이런 말이 나올 줄은 또 몰랐는데."

"아휴, 그냥 좀 닥치고 올라와."

"그냥 닥치고 올라와?"

"닥치고 올라와요, 제발."

"그렇게 친절하게 부탁하면 거절을 못 하는데."

가방을 내려놓은 그가 재킷을 벗어 의자 등받이에 던졌다. 천천히 우리 주변에 커튼이 닫히는 모습을 보며 나는 침대 베개를 두드려 등을 기댔다.

감사의 말

《캑터스》는 맨체스터 메트로폴리탄 대학교에서 문예창작으로 석사학위를 밟던 시기부터 조금씩 집필하던 소설입니다. 내 동기들이자 '위스키 드링커'의 앤지 윌리엄스(Angie Williams), 브린 파자컬리(Bryn Fazakerley), 폴 포레스터 오닐(Paul Forrester-O'Neill), 사이카 쿠쉬누드(Saiqa Khushnood) 그리고 스티븐 메펌(Steven Mepham)에게 고맙다는 인사를 전합니다. 이분들의 우정과 격려 그리고 일류 독해 능력이 이 책의 씨앗을 싹트게 해주고 빛을 향해 나아갈 수 있도록 도와주었습니다.

식물은 가꾸면 잘 자랍니다. 《캑터스》가 세상에 나올 수 있도록 아낌없는 노력과 전문적인 조언, 지지를 보내준 제인 피니건(Jane Finigan)에게 큰 감사를 드립니다. 줄리엣 마호니(Juliet Mahony)를 비롯한 루티언스 & 루빈스타인(Lutyens & Rubinstein)의 모든 분들 감사합니다. 특히 제인은 엄마가 되어가는 과정에서도 저를 이끌어 주었습니다. 잉크웰 매니지먼트(Inkwell Management)의 데이비드 포러(David Forrer) 역시 저의 또 다른 챔피언입니다. 감사합니다.

투 로즈(Two Roads)의 리사 하이턴(Lisa Highton) 그리고 파크 로(Park Row) 출판사의 에리가 임라나이(Erika Imranyi), 책을 출판 컬렉션에 포함시켜주신 믿음과 열정, 환상적인 편집에 진심으로 감사 인사드립니다.

모든 식물은 이상적인 자리 선정과 약간의 가지치기, 그리고 훈련을 통해 쑥쑥 자랍니다. 사라 크리스티(Sarah Christie), 앨리스 허버트(Alice Herbert), 제스 킴(Jess Kim), 다이애나 탈리아니나(Diana Talyanina) 그리고 투 로즈와 존 머레이 프레스(John Murray Press)의 모든 팀원분들 덕분에 이 책이 새 집에서 무럭무럭 클 수 있었습니다.

흙이자 물이자 빛인 내 가족과 친구들의 지지가 없었더라면 이 모든 게 불가능 했을 거예요. 나의 소중한 친구 베스 로버츠(Beth Robers)에게 특별한 감사를 드립니다. 내일 새로운 땅으로 첫 발을 내딛을 수 있는 용기와 영감을 불어 넣어주었습니다. 그리고 험난한 바위산을 헤쳐 나갈 수 있는 결단력을 주었습니다. 마지막으로 사랑하는 사이먼(Simon)에게 감사를 전합니다. 《캑터스》를 키워내느라 여념 없이 바빠도 늘 기다려주고 이해해준 개브리얼(Gabriel)과 펠릭스(Felix)에게 인사 보냅니다.

옮긴이 김나연

영미문화와 영문학을 공부하고 번역에 처음 뜻을 품었다. 서강대학교 영어영문학과에서 20세기 현대미국소설을 전공하여 석사 학위를 취득하였다. 이후 전문 번역가로서 첫발을 내딛었으며, 현재 출판번역 에이전시 베네트랜스에서 리뷰어 및 번역가로 활동 중이다. 옮긴 책으로는《최강의 일머리》,《부의 해부학》,《혼자만의 시간을 탐닉하다》,《사람은 어떻게 생각하고 배우고 기억하는가》 등이 있다.

캑터스
The Cactus

초판 1쇄 발행 2021년 11월 10일

지은이   사라 헤이우드
옮긴이   김나연
편집   김혜영
디자인   형태와내용사이

펴낸 곳   해와달 출판그룹
브랜드   시월이일
출판등록 2019년 5월 9일 제2020-000272호
주소   서울특별시 마포구 양화로 183, 311호 (동교동)
E-mail   info@hwdbooks.com

ISBN   979-11-91560-06-0 03840